GRAMMAR MENTOR JOY plus 2

지은이 교재개발연구소

발행처 Pearson Education

판매처 inkedu(inkbooks)

전 화 (02) 455-9620(주문 및 고객지원)

팩 스 (02) 455-9619

등 록 제13-579호

그래머
멘토
조이
플러스 둘

GRAMMAR MENTOR JOY

plus 2

Preface

선택이 중요합니다!

인생에 수많은 선택이 있듯이 많은 시간 함께할 영어 공부의 시작에도 수많은 선택이 있습니다. 오늘 여러분의 선택이 앞으로의 여러분의 영어실력을 좌우합니다. Grammar Mentor Joy 시리즈는 현장 경험이 풍부한 선생님들과 이전 학습자들의 의견을 충분히 수렴하여 여러분의 선택에 후회가 없도록 하였습니다.

효율적인 학습이 필요한 때입니다!

학습의 시간은 유한합니다. 중요한 것은 그 시간을 얼마나 효율적으로 사용하는지입니다. Grammar Mentor Joy 시리즈는 우선 튼튼한 기초를 다지기 위해서 단계별 Syllabus를 현행 교과과정과 연계할 수 있도록 맞춤 설계하여 학습자들이 효율적으로 학습할 수 있도록 하였습니다. 또한 기존의 기계적 반복 학습 문제에서 벗어나 학습자들이 능동적 학습을 유도할 수 있도록 사고력 향상이 필요한 문제와 난이도를 조정하였습니다.

중학 기초 문법을 대비하는 교재입니다!

Grammar Mentor Joy 시리즈는 확고한 목표를 가지고 있습니다. 그것은 중학교 문법을 완벽하게 준비하는 것입니다. Grammar Mentor Joy 시리즈에서는 문법 기초를 확고하게 다루고 있기 때문에 중학교 문법은 새로운 것이 아닌 Grammar Mentor Joy 시리즈의 연장선에 지나지 않습니다. 또한 가장 힘들 수 있는 어휘 학습에 있어서도 반복적인 문제 풀이를 통해서 자연스럽게 기초 어휘를 학습하도록 하였습니다.

마지막으로 어떤 기초 교재보다도 처음 영어 문법을 시작하는 학습자들에게 더없이 완벽한 선택이 될 수 있다고 자신합니다. 이 교재를 통해서 영어가 학습자들의 평생 걸림돌이 아닌 자신감이 될 수 있기를 바랍니다. 감사합니다.

Guide to *Grammar Mentor Joy Plus Series*

❶ 단계별 학습을 통한 맞춤식 문법 학습

- 각 Chapter별 Unit에는 세부 설명과 Warm-up, Start up, Check up & Writing, Level Up, Actual Test, Review Test, Achievement Test, 마지막으로 실전모의 테스트로 구성되어 있습니다.

❷ 서술형 문제를 위한 체계적인 학습

- Check up & Writing에서는 서술형 문제에 대비할 수 있도록 하고 있습니다.

❸ 단순 암기식 공부가 아닌 사고력이 필요한 문제 풀이 학습

- 단순 패턴 드릴 문제가 아닌 이전 문제들을 함께 섞어 제시하고 있어 사고력 향상이 도움이 되도록 하였습니다.

❹ 반복적인 학습을 통해 문제 풀이 능력을 향상시킴

- 세분화된 Step으로 반복 학습이 가능합니다.

❺ 맞춤식 어휘와 문장을 통한 체계적인 학습

- 학습한 어휘와 문장을 반복적으로 제시하고 있어 무의식적으로 습득이 가능합니다.

❻ 중학 기초 문법을 대비하는 문법 학습

- 중학 문법에서 다루는 기초 문법을 모두 다루고 있습니다.

❼ 반복적인 문제풀이를 통한 기초 어휘 학습

- Chapter별 제공되는 단어장에는 자주 쓰는 어휘들을 체계적으로 제시하고 있습니다.

Syllabus

Grammar Mentor Joy Plus 시리즈는 전체 4권으로 구성되어 있습니다. 각 Level이 각각 6개의 Chapter 총 6주의 학습 시간으로 구성되어 있는데, 특히 Chapter 3과 Chapter 6은 Review와 Achievement Test로 반복 복습할 수 있도록 구성되어 있습니다. 부가적으로 단어장과 전 시리즈가 끝난 후 실전 모의고사 테스트 3회도 제공되고 있습니다.

Level	Month	Week	Chapter	Unit	Homework
1	1st	1	1 be동사	Unit 01 be동사의 현재형과 과거형	*각 Chapter별 단어 퀴즈 제공 *각 Chapter별 드릴 문제 제공 ·*각 Chapter별 모의 테스트지 제공
				Unit 02 be동사의 부정문과 의문문	
				Unit 03 There is / There are	
		2	2 일반동사	Unit 01 일반동사의 현재형	
				Unit 02 일반동사의 과거형	
				Unit 03 일반동사의 부정문	
				Unit 04 일반동사의 의문문	
		3	3 시제	Unit 01 진행 시제	
				Unit 02 현재완료 시제	
			Review/Achievement Test		
		4	4 조동사 I	Unit 01 can과 be able to	
				Unit 02 may, must	
				Unit 03 have to, should	
	2nd	5	5 조동사 II	Unit 01 will, be going to	
				Unit 02 would like to, had better, used to	
		6	6 문장의 형태	Unit 01 1형식, 2형식 문장	
				Unit 02 3형식, 4형식 문장	
				Unit 03 5형식 문장	
			Review/Achievement Test		
2		1	1 명사	Unit 01 셀 수 있는 명사	*각 Chapter별 단어 퀴즈 제공 *각Chapter별 드릴 문제 제공 *각Chapter별 모의 테스트지 제공
				Unit 02 셀 수 없는 명사	
				Unit 03 명사의 격	
		2	2 관사	Unit 01 부정관사 a, an	
				Unit 02 정관사 the와 관사를 쓰지 않는 경우	
	3rd	3	3 대명사 I	Unit 01 인칭대명사	
				Unit 02 지시대명사와 비인칭 주어 it	
				Unit 03 재귀대명사	
			Review/Achievement Test		
		4	4 대명사 II	Unit 01 부정대명사 I	
				Unit 02 부정대명사 II	
				Unit 03 부정대명사 III	
		5	5 형용사와 부사	Unit 01 형용사	
				Unit 02 부사	
		6	6 비교	Unit 01 비교급, 최상급 만드는 법	
				Unit 02 원급, 비교급, 최상급	
				Unit 03 비교 구문을 이용한 표현	
			Review/Achievement Test		

Level	Month	Week	Chapter	Unit	Homework
3	4th	1	1 to부정사	Unit 01 to부정사의 명사적 쓰임	*각 Chapter별 단어 퀴즈 제공 *각 Chapter별 드릴 문제 제공 *각 Chapter별 모의테스트지 제공
				Unit 02 to부정사의 형용사적 쓰임	
				Unit 03 to부정사의 부사적 쓰임	
				Unit 04 to부정사의 관용 표현	
		2	2 동명사	Unit 01 동명사의 쓰임	
				Unit 02 동명사를 이용한 표현	
				Unit 03 동사 + 동명사 / 동사 + to부정사	
		3	3 분사	Unit 01 현재분사	
				Unit 02 과거분사	
				Unit 03 분사구문	
			Review/Achievement Test		
		4	4 수동태	Unit 01 능동태와 수동태	
				Unit 02 수동태의 여러 가지 형태 Ⅰ	
				Unit 03 수동태의 여러 가지 형태 Ⅱ	
				Unit 04 주의해야 할 수동태	
	5th	5	5 전치사	Unit 01 시간 전치사	
				Unit 02 장소 전치사	
				Unit 03 방향 전치사	
		6	6 접속사	Unit 01 등위 접속사	
				Unit 02 시간, 이유, 결과 접속사	
				Unit 03 조건, 양보 접속사, 상관접속사	
			Review/Achievement Test		
4	6th	1	1 가정법	Unit 01 가정법 과거	*각 Chapter별 단어 퀴즈 제공 *각 Chapter별 드릴 문제 제공 *각 Chapter별 모의테스트지 제공 *최종 3회의 실전모의고사 테스트지 제공
				Unit 02 가정법 과거 완료	
				Unit 03 I wish 가정법	
		2	2 관계대명사 Ⅰ	Unit 01 관계대명사	
				Unit 02 관계대명사 – 목적격, 소유격	
				Unit 03 관계대명사 that, what	
		3	3 관계대명사 Ⅱ	Unit 01 관계대명사 생략과 계속적 용법	
				Unit 02 관계부사	
			Review/Achievement Test		
		4	4 여러 가지 문장 Ⅰ	Unit 01 의문사가 있는 의문문 Ⅰ	
				Unit 02 의문사가 있는 의문문 Ⅱ	
				Unit 03 명령문과 제안문	
		5	5 여러 가지 문장 Ⅱ	Unit 01 부가의문문	
				Unit 02 간접의문문, 선택의문문	
				Unit 03 감탄문	
		6	6 시제의 일치 및 화법	Unit 01 수의 일치	
				Unit 02 시제 일치	
				Unit 03 간접 화법	
			Review/Achievement Test		

Construction

Unit
각 Chapter를 Unit으로 나누어 보다 심층적이고 체계적으로 학습할 수 있도록 했습니다.

Warm-up
본격적인 학습에 앞서 Unit의 기본적인 내용을 점검하는 단계입니다.

Start up
각 Unit에서 다루고 있는 문법의 기본적인 내용들을 점검할 수 있도록 했습니다.

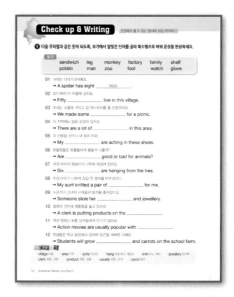

Check up & Writing
서술형 문제에 대비하는 단계로 단순 단어의 나열이 아닌, 사고력이 요하는 문제들로 구성되어 있습니다

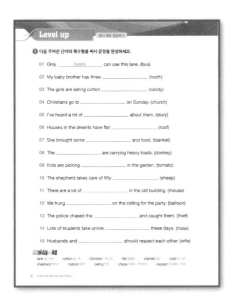

Level up

각 Chapter의 내용을 최종 점검하는 단계로 각 Unit의 내용들을 기초로 한 문제들로 구성되어 있습니다.

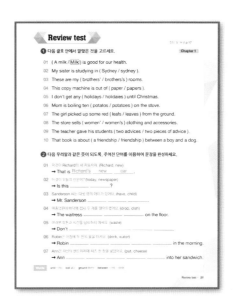

Review Test

Chapter 3개마다 구성되어 있으며, 앞서 배운 기본적인 내용들을 다시 한 번 풀어 보도록 구성했습니다.

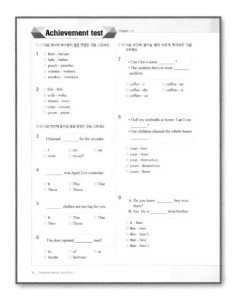

Achievement Test

Chapter 3개마다 구성되어 있으며, 5지선다형 문제와 서술형 문제로 구성되어 있어 실전 내신문제에 대비하도록 했습니다.

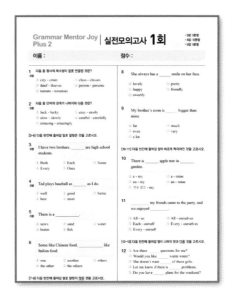

실전모의고사

총 3회로 구성되어있으며 각 level의 모든 내용을 5지선다형 문제와 서술형 문제로 구성하여 여러분들이 최종적으로 학습한 내용을 점검 할 수 있도록 했습니다.

Contents

Grammar Mentor Joy Plus 1	Grammar Mentor Joy Plus 3	Grammar Mentor Joy Plus 4
Chapter 1 be동사	Chapter 1 to부정사	Chapter 1 가정법
Chapter 2 일반동사	Chapter 2 동명사	Chapter 2 관계대명사 I
Chapter 3 시제	Chapter 3 분사	Chapter 3 관계대명사 II
Chapter 4 조동사 I	Chapter 4 수동태	Chapter 4 여러 가지 문장 I
Chapter 5 조동사 II	Chapter 5 전치사	Chapter 5 여러 가지 문장 II
Chapter 6 문장의 형태	Chapter 6 접속사	Chapter 6 시제 일치와 화법

Chapter 1

명사

UNIT 01 셀 수 있는 명사

명사는 사람, 동·식물, 사물, 장소, 추상적인 것을 나타내는 말로 크게 셀 수 있는 명사와 셀 수 없는 명사로 나뉩니다.

❶ 셀 수 있는 명사

'하나', '둘', '셋' …으로 셀 수 있는 명사를 말하며, a/an을 붙이거나 복수형으로 만들 수 있습니다.

셀 수 있는 명사의 특징	예
① 단수형과 복수형이 있어요.	boat / boats, computer / computers, school / schools
② 단수형 앞에 a/an을 쓸 수 있어요.	I have **a math** class today. 나는 오늘 수학 수업이 있어요. Sue has **an apple** every morning. Sue는 매일 아침 사과를 하나 먹어요.
③ 수사 또는 some, any를 쓸 수 있어요.	Emma borrowed **three books**. Emma는 세 권의 책을 빌렸어요. There are **some people** on the bus. 버스에 몇 명의 사람이 있어요. The Smiths don't have **any children**. Smith 부부는 아이가 없어요.

❷ 셀 수 있는 명사의 복수형 만드는 법

명사의 복수형은 주로 「명사+-(e)s」의 형태이며, 불규칙으로 변하는 명사가 있습니다.

규칙 변화	대부분의 명사	명사+-s	cats, pens, girls, desks, apples, flowers
	s, ss, x, ch, sh로 끝나는 명사	명사+-es	buses, boxes, classes, watches, dishes
	「자음+o」로 끝나는 명사	명사+-es	potatoes, tomatoes, heroes 예외) photos, pianos
	「자음+y」로 끝나는 명사	y를 i로 바꾸고 +-es	baby → babies story → stories city → cities lady → ladies
	fe, f로 끝나는 명사	fe 또는 f를 v로 바꾸고+-es	knife → knives leaf → leaves thief → thieves wolf → wolves 예외) roof → roofs belief → beliefs
불규칙 변화	foot → **feet** man → **men** woman → **women** tooth → **teeth** mouse → **mice** child → **children** goose → **geese** person → **people** ※ 단수형과 복수형의 형태가 같은 명사: fish - **fish** sheep - **sheep** deer - **deer**		

❸ 항상 복수형으로 쓰는 명사

두 개가 한 쌍을 이루는 명사는 항상 복수로 써야 하며, a pair of/two pairs of ~를 이용하여 수를 나타냅니다.

	함께 쓰는 복수명사	예문
a pair/two pairs of ~	socks, glasses, scissors, pants, jeans, gloves, shoes, sneakers	My grandma wears thick **glasses**. 우리 할머니는 두꺼운 안경을 쓰세요. I need **a pair of clean socks**. 나는 깨끗한 양말 한 켤레가 필요해요. **Two pairs of shoes** are under the bed. 신발 두 켤레가 침대 아래 있어요.

Warm up

1 다음 명사의 복수형을 쓰세요.

01	glass	glasses	26	leaf	
02	beach		27	color	
03	factory		28	child	
04	wife		29	dolphin	
05	boss		30	season	
06	mystery		31	tomato	
07	photo		32	classmate	
08	newspaper		33	goose	
09	machine		34	company	
10	spoon		35	kangaroo	
11	mouse		36	sweater	
12	hobby		37	person	
13	thief		38	brush	
14	woman		39	university	
15	question		40	shelf	
16	roof		41	donkey	
17	mailbox		42	vegetable	
18	sheep		43	holiday	
19	activity		44	seahorse	
20	kiss		45	belief	
21	country		46	fox	
22	piano		47	scarf	
23	magazine		48	tooth	
24	hero		49	essay	
25	sandwich		50	address	

WORDS

· factory 공장 · boss 상관, 사장 · mystery 미스터리 · machine 기계 · hobby 취미 · mailbox 우편함
· activity 활동 · hero 영웅 · season 계절 · shelf 선반, 칸 · donkey 당나귀 · seahorse 해마
· belief 믿음, 믿는 사항 · scarf 스카프, 목도리 · essay 과제물, 에세이

1 다음 괄호 안에서 알맞은 것을 고르세요.

01 I have three science (class /(classes)) every week.

02 Four (wolfs / wolves) hunted the deer.

03 The girl has tiny hands and (foots / feet).

04 Mark locked his (keys / keies) in the car.

05 Kate bought a pair of (jean / jeans) at a sale.

06 We saw a lot of (sheep / sheeps) on the farm.

07 Jerry held an (umbrella / umbrellas) over Annie.

08 (Tomatos / Tomatoes) are rich in vitamin C and A.

09 Can you help me move these three (boxs / boxes)?

10 Ten (persons / people) are waiting in line for the bus.

11 (Dishs / Dishes) are on the top shelf of the cupboard.

12 Kenya and Congo are (countrys / countries) in Africa.

13 Newborn (babys / babies) sleep for about 18 hours a day.

14 We saw a lot of (mice / mouses) running around the house.

15 The (beachs / beaches) around the island are clean and beautiful.

WORDS

· hunt 사냥하다   · tiny 아주 작은   · lock 잠그다   · sale 세일, 할인 판매   · rich ~이 풍부한   · shelf 선반
· cupboard 찬장   · newborn 갓 난   · about 약, ~쯤; ~에 대한   · around 둘레에, 주위에   · island 섬

❷ 다음 밑줄 친 부분이 올바르면 ○표, 틀리면 바르게 고치세요.

01 Mom dropped <u>egg</u> on the floor.   an egg

02 <u>Gooses</u> fly south for the winter.

03 There are two <u>pianos</u> in her room.

04 Be careful with knives and <u>scissor</u>.

05 Max and Grace often throw dinner <u>parties</u>.

06 My dad and I caught seven <u>fish</u> in the lake.

07 Books and <u>toies</u> are lying around the room.

08 Matt took a <u>photos</u> of flamingoes at the zoo.

09 Two <u>thiefs</u> entered the house by the window.

10 The farmer picked ripe <u>peachs</u> from the trees.

11 The store sells clothes and shoes for <u>womans</u>.

12 Sharks have very sharp <u>tooths</u> and strong jaws.

13 My granddad tells us <u>storys</u> about his childhood.

14 I put on two <u>pair</u> of socks because it was very cold.

15 I love <u>childs</u>, so I want to be a kindergarten teacher.

· **south** 남쪽으로; 남쪽; 남쪽에 있는   · **lie around** 흩어져 있다   · **flamingo** 플라밍고, 홍학   · **ripe** 익은
· **sharp** 날카로운, 뾰족한   · **jaw** 턱   · **childhood** 어린 시절   · **put on** 쓰다, 신다, 끼다   · **kindergarten** 유치원

Check up & Writing

1 다음 우리말과 같은 뜻이 되도록, 보기에서 알맞은 단어를 골라 복수형으로 바꿔 문장을 완성하세요.

보기

sandwich	leg	monkey	factory	family	shelf
potato	man	zoo	foot	watch	glove

01 거미는 다리가 8개예요.

→ A spider has eight _____legs_____.

02 50가족이 이 마을에 살아요.

→ Fifty _____ live in this village.

03 우리는 소풍에 가지고 갈 샌드위치를 좀 만들었어요.

→ We made some _____ for a picnic.

04 이 지역에는 많은 공장이 있어요.

→ There are a lot of _____ in this area.

05 이 신발을 신으니 내 발이 아파.

→ My _____ are aching in these shoes.

06 동물원들은 동물들에게 좋을까 나쁠까?

→ Are _____ good or bad for animals?

07 여섯 마리의 원숭이가 나무에 매달려 있어요.

→ Six _____ are hanging from the tree.

08 우리 이모가 나에게 장갑 한 켤레를 떠주셨어요.

→ My aunt knitted a pair of _____ for me.

09 누군가가 그녀의 시계들과 보석을 훔쳐갔어요.

→ Someone stole her _____ and jewellery.

10 점원이 선반에 제품들을 놓고 있어요.

→ A clerk is putting products on the _____.

11 액션 영화는 보통 남자들에게 인기가 많아요.

→ Action movies are usually popular with _____.

12 학생들은 학교 농장에서 감자와 당근을 재배할 거예요.

→ Students will grow _____ and carrots on the school farm.

WORDS

- village 마을　　• area 지역　　• ache 아프다　　• hang 매달리다; 매달다　　• knit 뜨다, 짜다　　• jewellery 보석류
- clerk 점원, 직원　　• product 제품, 상품　　• usually 보통, 대개　　• carrot 당근

❷ 다음 밑줄 친 부분을 단수는 복수로, 복수는 단수로 바꿔 다시 쓰세요.

01 Rachel has <u>three cute puppies</u>.

→ Rachel has _____ a cute puppy _____.

02 Don't play with <u>knives</u>.

→ Don't play with _____.

03 He has lost <u>two teeth</u>.

→ He has lost _____.

04 <u>My cat</u> caught <u>a mouse</u> last night.

→ _____ caught _____ last night.

05 Martin and James carried <u>a heavy box</u>.

→ Martin and James carried _____.

06 <u>A woman</u> and <u>a child</u> were on the bus.

→ _____ were on the bus.

07 This is <u>a real story</u> of my grandparents.

→ These are _____ of my grandparents.

08 <u>My brother</u> is <u>a middle school student</u>.

→ _____ are _____.

09 Brian sent <u>an invitation card</u> to <u>his friend</u>.

→ Brian sent _____ to _____.

10 I bought <u>ten tomatoes</u> and <u>five pears</u>.

→ I bought _____.

11 <u>A fox</u> and <u>a wolf</u> are meat-eating animals.

→ _____ are meat-eating animals.

12 Kids can feed <u>a deer</u> and <u>a sheep</u> in our farm.

→ Kids can feed _____ in our farm.

WORDS
· real 진짜의, 진실한　· invitation 초대(장)　· pear 배　· meat-eating 고기를 먹는　· feed 먹이를 주다

UNIT 02 셀 수 없는 명사

하나, 둘, 셋 …으로 셀 수 없는 명사를 말하며, 셀 수 없는 명사에는 물질명사, 추상명사, 고유명사가 있습니다.

① 셀 수 없는 명사

'하나', '둘', '셋' …으로 셀 수 없는 명사를 말하며, a/an을 붙이거나 복수형으로 쓸 수 없습니다.

셀 수 없는 명사의 특징	예
① 복수형이 없어요.	sugar (sugars ×), money (moneys ×), London (Londons ×)
② a/an을 쓸 수 없어요.	Humans need ~~an~~ **air** and ~~a~~ **water**. 인간은 공기와 물이 필요해요. ~~An~~ Anna is from ~~a~~ **Canada**, and she speaks ~~an~~ **English**. Anna는 캐나다 출신이고, 영어를 써요.
③ 수사가 직접 수식할 수 없어요.	I drink ~~two~~ milk every day. I drink **two glasses of milk** every day. 나는 매일 두 잔의 우유를 마셔요.
④ some과 any를 쓸 수 있어요.	There is **some cheese** on the dish. 접시에 치즈가 조금 있어요. Is there **any news** of Irene? Irene에 대한 소식 있나요?

② 셀 수 없는 명사의 종류

셀 수 없는 명사의 종류		예
물질명사	재료, 음식, 액체, 기체, 입자 등의 물질을 나타내는 명사	salt air water milk rice paper furniture bread money sand butter smoke
추상명사	구체적인 형태 없이 추상적인 개념을 나타내는 명사	love peace hope luck happiness beauty dream advice justice news homework honesty pride truth information
고유명사	사람, 장소, 요일, 월 등 세상에 하나밖에 없는 것의 이름을 나타내는 명사로 첫 글자는 항상 대문자로 씀	Jim Edison Korea London Monday June Seoul Mt. Everest

③ 셀 수 없는 명사의 수량 표현

그 명사를 측정하는 단위나 담는 용기를 이용해서 나타냅니다.

단위	의미	명사	단위	의미	명사
a cup of	한 컵의	coffee, tea	a piece/ slice of	한 조각의	cake, bread, advice, paper, furniture, pizza
a glass of	한 잔의	water, juice, milk	a sheet of	한 (얇은) 장의	paper, glass
a bottle of	한 병의	water, wine	a loaf of	한 덩어리의	bread, meat
a bowl of	한 그릇의	rice, soup, cereal	a pound of	1파운드의	sugar, meat, flour

❶ 다음 문장에서 셀 수 없는 명사를 찾아 동그라미 하세요.

01 (Spanish) is difficult.

02 The air is fresh and clean.

03 I love pasta and spaghetti.

04 The printer is out of paper.

05 Money can't buy happiness.

06 I'll put some salt in the soup.

07 Sandler was born in Germany.

08 Their friendship grew into love.

09 Oil and water don't mix very well.

10 Rome and Milano are cities in Italy.

11 The girl is holding two bottles of water.

12 She is worried about her daughter's health.

13 Jess will visit us on Tuesday or Wednesday.

14 Newspapers contain a lot of useful information.

15 I couldn't see anything because of the heavy fog.

WORDS

• be out of ~가 떨어지다   • happiness 행복   • be born in ~에서 태어나다   • friendship 우정   • oil 기름: 석유
• mix 섞다, 섞이다   • contain 들어있다, 함유하다   • useful 유용한   • information 정보

1 다음 괄호 안에서 알맞은 것을 고르세요.

01 Rachel slipped on the ((ice) / ices).

02 I like to walk in the (rain / rains).

03 (A Tom / Tom) is an honest boy.

04 I burned three (loaf / loaves) of bread.

05 I need three pieces of (paper / papers).

06 He bought ten (pound / pounds) of flour.

07 Mom bakes (a bread / bread) twice a week.

08 (A Health / Health) is the most important thing for me.

09 Greg grabbed a (bottle / loaf) of juice from the fridge.

10 We don't have enough (money / moneys) for a new car.

11 Will you give me some (advice / advices) on this matter?

12 They came home from their trip on (Saturday / a Saturday).

13 The cake was delicious. I ate three (pieces / glasses) of it.

14 (A chicken soup / A bowl of chicken soup) is good for a cold.

15 Nora put (two cheeses / two slices of cheese) into her sandwich.

WORDS

• slip 미끄러지다   • ice 얼음   • honest 정직한   • flour 밀가루   • most 가장   • important 중요한
• grab 움켜잡다, 붙잡다   • enough 충분한   • matter 문제, 일   • cold 감기

❷ 다음 밑줄 친 부분이 올바르면 ○표, 틀리면 바르게 고치세요.

01 Jeff has <u>sands</u> in his shoes.   sand

02 <u>Snow</u> fell across the country.

03 Mom uses <u>honeys</u> instead of sugar.

04 Her grandparents live in <u>australia</u>.

05 Sally jumped up and down with <u>joy</u>.

06 Can you get us <u>two glass of waters</u>?

07 I drink <u>three cup</u> of coffee every day.

08 Our summer vacation starts in <u>a July</u>.

09 Cinderella falls in <u>a love</u> with a prince.

10 They are planning a trip to <u>a New York</u>.

11 I've just started my English <u>homeworks</u>.

12 We had a lot of <u>funs</u> at the movie festival.

13 Mark has eaten five pieces of <u>pizzas</u> already.

14 He has earned a lot of <u>moneys</u> from his movies.

15 We will buy some <u>furnitures</u> for the new house.

WORDS

· sand 모래   · fall 떨어지다, 내리다   · across 전체에 걸쳐, 온 ~에   · honey 꿀   · instead of ~대신에
· fall in love with ~와 사랑에 빠지다   · fun 재미, 즐거움   · earn (돈을) 벌다   · furniture 가구

❶ 다음 우리말과 같은 뜻이 되도록, 주어진 단어를 이용하여 문장을 완성하세요.

01 나는 코코아 한 잔 주세요. (hot chocolate)

→ I'll have ____a____ ____cup____ ____of____ ____hot____ __chocolate__ .

02 버터 1파운드는 약 8달러예요. (butter)

→ _____ _____ _____ _____ is about $8.

03 Mary는 주스 두 잔을 주문했어요. (juice)

→ Mary ordered _____ _____ _____ _____.

04 커피 한 잔을 마시면 잠에서 깰 거야. (coffee)

→ _____ _____ _____ _____ will wake you up.

05 엄마는 나에게 고기 10파운드를 사오라고 하셨어요. (meat)

→ Mom told me to buy _____ _____ _____ _____.

06 너는 물 한 병을 가지고 가는 게 좋겠어. (water)

→ You had better take _____ _____ _____ _____.

07 내 방에는 네 점의 가구가 있어요. (furniture)

→ There are _____ _____ _____ _____ in my room.

08 그녀는 세 장의 종이와 펜 한 자루가 필요해. (paper)

→ She needs _____ _____ _____ _____ and a pen.

09 나는 스크램블드에그에 치즈 한 장을 넣어요. (cheese)

→ I add _____ _____ _____ _____ in scrambled eggs.

10 Jim은 일어나면 우유 한 잔을 마셔요. (milk)

→ Jim drinks _____ _____ _____ _____ when he gets up.

11 나는 아침밥으로 시리얼 한 사발과 바나나 하나를 먹어요. (cereal)

→ I have _____ _____ _____ _____ and a banana for breakfast.

12 한 덩어리의 빵이 많은 새들의 노래보다 낫다. (금강산도 식후경) (bread)

→ _____ _____ _____ _____ is better than the song of many birds.

WORDS

• wake ~ up ~에게 정신이 들게 하다　　• scrambled 스크램블드에그 (휘저어 부친 계란 프라이)　　• cereal 시리얼
• better 더 좋은　　• than ~보다

❷ 다음 우리말과 같은 뜻이 되도록, 주어진 단어를 바르게 배열하여 문장을 완성하세요.

01 쌀은 따뜻한 기후에서 자라요. (grows, rice)

→ _____ Rice grows _____ in warm climates.

02 그의 통장에는 돈이 없어요. (is, there, money, no)

→ _____ in his account.

03 여러분들은 항상 희망을 가져야 합니다. (hope, have)

→ You should always _____.

04 나에게 차를 좀 만들어 줄래? (will, make, tea, some, you)

→ _____ for me?

05 서울 도심에는 교통량이 많아. (is, a lot of, there, traffic)

→ _____ in central Seoul.

06 너의 기말 고사에 행운이 따르길 빌게. (you, wish, luck, good)

→ I _____ with your final exams.

07 그 사람들은 세계 평화를 기원해요. (pray for, peace, world)

→ The people _____.

08 내가 너에게 몇 가지 충고를 할게. (give, some, you, advice)

→ Let me _____.

09 모든 사람들은 행복을 원해요. (happiness, wants, everybody)

→ _____.

10 그 집은 오래된 가구로 가득했어. (full of, is, old, furniture)

→ The house _____.

11 나는 이 제품에 대한 정보가 필요해요. (need, I, information)

→ _____ about this product.

12 나는 좋은 소식과 나쁜 소식이 있어. (have, news, and, news, good, bad)

→ I _____.

WORDS

• rice 쌀　　• climate 기후　　• account 계좌　　• central 중심인, 중앙인　　• luck 행운　　• pray for ~을 위해 기도하다

• full 가득한　　• be full of ~로 가득 차다

UNIT 03

명사의 격

명사의 격은 문장에서 명사의 역할에 따라 주격, 목적격, 소유격으로 나뉩니다.

1 명사의 격

문장에서 명사가 어떤 역할을 하는지에 따라 주격, 목적격, 소유격으로 나뉩니다.

종류	역할	예문
주격	문장에서 '~은/는/이/가' 라는 의미로 주어 역할	**Annie** was my classmate last year. Annie는 작년에 우리 반 친구였어요. **This book** belongs to my sister. 이 책은 우리 누나 거야.
목적격	문장에서 '~을/를'이라는 의미로 목적어 역할	We're going to visit **Toronto** next month. 우리는 다음 달에 토론토를 방문할 거야. She made **a pie** for us. 그녀가 우리에게 파이를 만들어 줬어요.
소유격	'~의'라는 의미로 명사의 소유격 역할	**A giraffe's** neck is long. 기린의 목은 길어요. **My brother's** room is always messy. 우리 오빠의 방은 항상 지저분해요.

2 명사의 소유격

	형태	예문
생물의 소유격	명사's	We're having a party at **Jake's** house. 우리는 Jake의 집에서 파티를 할 거야. The boy is **Brian's** twin brother. 그 소년이 Brian의 쌍둥이 형이야.
	• s로 끝나는 복수명사: 복수명사' • s로 끝나지 않는 복수 명사: 복수명사's	**My parents'** bedroom is right next to mine. 우리 부모님의 침실은 내 방 바로 옆이야. Anthony Brown writes **children's** books. Anthony Brown은 아동용 도서를 써요.
	cf. s로 끝나는 이름: 이름' 또는 이름's	That is **James'/James's** old bike. 저것은 James의 오래된 자전거야.

Plus 1
• 소유격 뒤에서 명사를 생략하는 경우
① 앞에 나온 명사가 반복될 경우 소유격 뒤에 오는 명사는 생략해요.
　This computer is **my sister's**.
② 소유격 뒤에 오는 집, 상점 등의 명사는 생략해요.
　Jane visited **her aunt's**. 그녀는 이모 댁을 방문했어요.　He's going to **the dentist's**. 그는 치과에 가고 있어요.

Plus 2
• 무생물의 소유격은 보통 「소유 대상 of 소유하는 명사」로 나타내요.
The leg of the chair is broken. (the table's leg ×) 의자 다리가 부러졌어요.
The roof of the house is red. (the house's roof ×) 그 집의 지붕은 빨간색이에요.

cf. 예외로 무생물에 's를 붙이는 경우
today's newspaper, ten mile's distance

Warm up

정답 및 해설 p.4

① 다음 밑줄 친 부분을 우리말로 옮기세요.

01 a. <u>Alex</u> looks cheerful today.
→ _____Alex는_____ 오늘 쾌활해 보여요.

b. <u>Alex's</u> eyes are shining with excitement.
→ _____ 눈이 흥분으로 빛나고 있어요.

c. We saw <u>Alex</u> at the movie theater.
→ 우리는 _____ 영화관에서 봤어요.

02 a. <u>My cat</u> has grey fur.
→ _____ 털이 회색이에요.

b. <u>My cat's</u> fur feels soft.
→ _____ 털은 부드러워요.

c. I often pet <u>my cat</u>.
→ 나는 종종 _____ 쓰다듬어요.

03 a. Mrs. Green has <u>two sons</u>.
→ Green 부인은 두 명의 _____ 가지고 있어요.

b. Her <u>sons'</u> names are Ian and Eric.
→ 그녀의 _____ 이름은 Ian과 Eric이에요.

c. Her <u>sons</u> are policemen.
→ 그녀의 _____ 경찰관이에요.

04 a. Sam bought <u>jeans</u> at a sale.
→ Sam은 세일할 때 _____ 샀어요.

b. <u>Sam's</u> new jeans are stylish and comfortable.
→ _____ 새 청바지는 세련되고 편해요.

c. <u>The jeans</u> suit him well.
→ _____ 그에게 잘 어울려요.

05 a. Jess lost her <u>schoolbag</u>.
→ Jess는 _____ 잃어버렸어요.

b. This is not <u>Jess's</u> schoolbag.
→ 이것은 _____ 책가방이 아니에요.

c. Her <u>schoolbag</u> is blue with white stripes.
→ 그녀의 _____ 하얀 줄무늬가 있는 파란색이에요.

WORDS

· cheerful 쾌활한, 발랄한   · excitement 흥분, 신남   · fur 털   · pet 쓰다듬다   · stylish 멋진, 세련된
· comfortable 편한   · suit 어울리다   · stripe 줄무늬

Chapter 1 명사 ● 25

❶ 다음 밑줄 친 부분의 명사의 쓰임을 보기에서 찾아 쓰세요.

> 보기
>
> ⓐ 주격　　　　ⓑ 목적격　　　　ⓒ 소유격

01 <u>Whales</u> are a sea mammal.　　　　ⓐ

02 A dog is a <u>man's</u> best friend.

03 The party is at <u>Chris'</u> house.

04 <u>My mother</u> is knitting a sweater.

05 The girl has beautiful brown <u>eyes</u>.

06 I saw <u>a baby polar bear</u> at the zoo.

07 <u>The earth</u> is about 4.5 billion years old.

08 She is taking care of her <u>aunt's</u> children.

09 Mr. Stevens owns <u>a farm</u> in the country.

10 <u>The River Thames</u> flows through London.

11 <u>Megan and Ruth</u> are talking to each other.

12 Dave answered the <u>phone</u> on the first ring.

13 I couldn't understand the <u>teacher's</u> question.

14 Mrs. Jones teaches science at a <u>girls'</u> middle school.

WORDS

· whale 고래　　· mammal 포유류　　· billion 10억　　· own 소유하다　　· through ~을 통해, 지나
· ring 종소리, 종 울리기

❷ 다음 우리말을 주어진 단어와 아포스트로피(')를 이용해서 영어로 옮기세요.

01 호랑이의 꼬리 (the tiger, tail) ⇨ _____the tiger's tail_____

02 오늘의 날짜 (today, date) ⇨ _____

03 Moris의 잘못 (Moris, fault) ⇨ _____

04 여성용 장갑 (ladies, gloves) ⇨ _____

05 그 새의 둥지 (the bird, nest) ⇨ _____

06 남자 화장실 (men, restroom) ⇨ _____

07 토끼의 귀 (the rabbit, ears) ⇨ _____

08 아이들의 장난감 (children, toys) ⇨ _____

09 Sarah의 결혼식 (Sarah, wedding) ⇨ _____

10 Andrew의 아버지 (Andrew, father) ⇨ _____

11 Charles의 아이디어 (Charles, idea) ⇨ _____

12 학생들의 그림들 (students, paintings) ⇨ _____

13 지난주의 신문들 (last week, newspapers) ⇨ _____

14 Jeff Kinney의 소설들 (Jeff Kinney, novels) ⇨ _____

15 Brandon과 Sue의 집 (Brandon and Sue, house) ⇨ _____

· **tail** 꼬리   · **date** 날짜   · **fault** 잘못   · **nest** 둥지   · **restroom** 화장실   · **cover** 덮개, 커버
· **painting** 그림   · **novel** (장편) 소설

① 다음 우리말과 같은 뜻이 되도록, 주어진 단어를 이용하여 문장을 완성하세요.

01 Jennifer의 새 치마는 매우 짧아요. (new, skirt)

→ Jennifer's ___new___ ___skirt___ is very short.

02 나는 스필버그의 영화를 좋아해요. (Spielberg, movies)

→ _____ _____ _____ _____.

03 그 강아지의 꼬리가 흔들려요. (the puppy, tail)

→ _____ _____ _____ is wagging.

04 남성용 신발은 3층에 있어요. (men, shoes, be)

→ _____ _____ _____ on the third floor.

05 의사들은 아픈 사람들이 회복하도록 도와줍니다. (help, sick people)

→ _____ _____ _____ _____ get better.

06 치즈는 내가 좋아하는 음식이야. (cheese, favorite food)

→ _____ _____ _____ _____ _____.

07 바다거북들은 모래에 알을 낳아요. (sea turtles, lay, eggs)

→ _____ _____ _____ _____ in the sand.

08 나는 이 기사를 잡지에서 찾았어. (find, this article)

→ _____ _____ _____ _____ in the magazine.

09 우리 학교의 야구팀이 결승전에서 이겼어요. (our school, baseball team, win)

→ _____ _____ _____ _____ _____ the finals.

10 David는 어젯밤에 자동차 사고를 봤어. (a car accident)

→ _____ _____ _____ _____ _____ last night.

11 그 숙녀의 모자가 바람에 날아가 버렸어요. (the lady, hat, blow away)

→ _____ _____ _____ _____ _____ in the wind.

12 그 두 친구의 셔츠가 내 것과 같아요. (the two friends, shirts, be)

→ _____ _____ _____ _____ _____ same as mine.

WORDS

- **wag** 흔들리다; 흔들다
- **floor** (건물의) 층; 바닥
- **get better** (병 등이) 좋아지다, 호전되다
- **lay** 놓다; (알을) 낳다
- **article** 기사
- **finals** 결승전
- **blow away** 불어 날리다
- **same** 같은

❷ 다음 우리말과 같은 뜻이 되도록, 주어진 단어를 바르게 배열하여 문장을 완성하세요.

01 우리 엄마의 생일이 다음 주예요. (birthday, next week, is, my mother's)

→ _____ My mother's birthday is next week _____.

02 그 아기의 장난감이 바닥에 떨어졌어요. (toy, the baby's, fell)

→ _____ on the floor.

03 James의 의견이 너의 것과 비슷해. (opinion, James', similar, is)

→ _____ to yours.

04 Richard는 내 남편의 이름이에요. (my husband's, Richard, name, is)

→ _____.

05 식물들은 햇빛과 물을 필요로 해요. (sunlight, need, and, plants, water)

→ _____.

06 너는 어제의 신문을 읽고 있니? (newspaper, you, reading, yesterday's, are)

→ _____?

07 나는 저 소녀의 얼굴을 전에 본 적이 있어요. (that, face, I, seen, girl's, have)

→ _____ before.

08 Will은 셰익스피어의 희곡들을 좋아해요. (likes, plays, Shakespeare's, Will)

→ _____.

09 건축가들은 집과 건물을 설계해요. (design, buildings, houses, architects, and)

→ _____.

10 John F. Kennedy는 미국의 35번째 대통령이었어요. (35th, was, President, America's)

→ John F. Kennedy _____.

11 나는 이번 주말에 조부모님 댁을 방문할 거야. (this weekend, my grandparents', visit)

→ I'll _____.

12 그 남자는 Jones 박사 사무실을 찾고 있어요. (Dr. Jones', looking for, office)

→ The man is _____.

WORDS
· opinion 의견   · similar 비슷한   · husband 남편   · sunlight 햇빛   · plant 식물   · play 희곡, 연극
· design 설계하다, 디자인하다   · president 대통령, 회장   · office 사무실

1 다음 주어진 단어의 복수형을 써서 문장을 완성하세요.

01 Only _____ buses _____ can use this lane. (bus)

02 My baby brother has three _____. (tooth)

03 The girls are eating cotton _____. (candy)

04 Christians go to _____ on Sunday. (church)

05 I've heard a lot of _____ about them. (story)

06 Houses in the deserts have flat _____. (roof)

07 She brought some _____ and food. (blanket)

08 The _____ are carrying heavy loads. (donkey)

09 Kids are picking _____ in the garden. (tomato)

10 The shepherd takes care of fifty _____. (sheep)

11 There are a lot of _____ in the old building. (mouse)

12 We hung _____ on the ceiling for the party. (balloon)

13 The police chased the _____ and caught them. (thief)

14 Lots of students take online _____ these days. (class)

15 Husbands and _____ should respect each other. (wife)

• lane 길, 차선　• cotton 솜: 면　• Christian 기독교도　• flat 평평한　• blanket 담요　• load 짐: 싣다
• shepherd 양치기　• balloon 풍선　• ceiling 천정　• chase 뒤쫓다, 추적하다　• respect 존경하다: 존경

❷ 다음 밑줄 친 부분이 올바르면 ○표, 틀리면 바르게 고치세요.

01 I was born on <u>february</u> 1st.   February

02 <u>Charles'</u> computer is new.

03 Kids like to play with <u>sand</u>.

04 The <u>scissors's</u> handles broke.

05 <u>Amy'</u> new apartment is really neat.

06 My sisters are studying in <u>a Sydney</u>.

07 I'd like three <u>bottle of waters</u>, please.

08 This is the way to <u>the women' room</u>.

09 <u>An air</u> is important for all life on earth.

10 Jim finished two <u>bowl</u> of soup quickly.

11 Jane doesn't put <u>sugars</u> into her coffee.

12 They are pushing <u>a furniture</u> into the house.

13 All the <u>boys's</u> clothes got dirty at the game.

14 <u>Persons</u> are watching a parade on the streets.

15 Chris put two pieces of <u>breads</u> into the toaster.

· handle 손잡이   · neat 정돈된, 깔끔한   · dirty 더러운, 지저분한   · parade 퍼레이드   · toaster 토스터

③ 다음 우리말과 같은 뜻이 되도록, 주어진 단어를 이용해서 문장을 완성하세요.

01 1년은 365일이에요. (there, day)

→ _There_ _are_ _365_ _days_ in a year.

02 아이들의 방은 위층이에요. (the children, rooms)

→ _____ _____ _____ are upstairs.

03 Mike는 친구의 차를 운전했어요. (his friend, car)

→ Mike drove _____ _____ _____.

04 그 버스의 바퀴들 중 하나가 펑크 났어요. (the bus, the tires)

→ One of _____ _____ _____ _____ _____ is flat.

05 우리는 California에서 사진 몇 장을 찍었어요. (take, some, photo)

→ We _____ _____ _____ in California.

06 학생들의 교과서들은 책상 위에 있어요. (the students, textbooks)

→ _____ _____ _____ are on the desks.

07 이 웹사이트는 블랙홀에 정보를 제공해요. (provide, information)

→ This website _____ _____ about black holes.

08 나는 오늘 숙제가 많아요. (a lot of, homework)

→ I _____ _____ _____ _____ _____ today.

09 Sandy는 점심으로 파스타 한 사발을 먹었어요. (pasta)

→ Sandy had _____ _____ _____ _____ for lunch.

10 케이크를 만들려면 우리는 밀가루와 초콜릿이 필요해. (flour, chocolate)

→ We _____ _____ _____ _____ to make a cake.

11 따뜻한 우유 한 잔 드실래요? (cup, warm milk)

→ Would you like _____ _____ _____ _____ _____?

12 그는 종이 두 장에 무언가를 쓰고 있어. (paper)

→ He is writing something on _____ _____ _____ _____.

WORDS

• upstairs 위층[2층]에   • tire 타이어   • flat 바람이 빠진, 펑크 난   • textbook 교과서   • provide 제공하다
• black hole 블랙홀

❹ 다음 우리말과 같은 뜻이 되도록, 주어진 단어를 바르게 배열하여 문장을 완성하세요.

01 그 새의 깃털은 빨게요. (the bird's, are, feathers, red)

➔ _____The bird's feathers are red_____.

02 나는 어젯밤 파티에서 Fred의 여동생을 봤어. (saw, Fred's, I, sister)

➔ _____ at the party last night.

03 쟁반에 열 덩어리의 빵이 있어요. (bread, loaves, ten, of)

➔ _____ are on the tray.

04 사자 우리에서 멀리 떨어져. (stay away, the lions', from, cage)

➔ _____.

05 너는 치과에 가는 게 좋겠어. (had better, to, the dentist's, go)

➔ You _____.

06 선생님들의 복사기가 작동하지 않아요. (copy machine, the teachers')

➔ _____ doesn't work.

07 여름에 많은 사람들이 해변에 가요. (go to, people, a lot of, beaches)

➔ _____ in summer.

08 이 네 잎 클로버가 너에게 행운을 가져다 줄 거야. (good luck, you, bring)

➔ This four-leaf clover will _____.

09 Jessica는 옷에 많은 돈을 쓰지 않아요. (money, spend, much, doesn't)

➔ Jessica _____ on clothes.

10 Colin 씨는 항상 나에게 좋은 조언을 해주세요. (good advice, me, gives)

➔ Mr. Colin always _____.

11 Eric은 하루에 커피를 두 잔 이상 마실 수 없어요. (of, cups, coffee, two)

➔ Eric can't drink more than _____.

12 나무 없이는 우리는 신선한 공기를 숨 쉴 수 없어요. (fresh air, can't, breathe)

➔ We _____ without trees.

WORDS

• feather 깃털 • tray 쟁반 • cage 우리; 새장 • stay away from ~에서 멀리 있다 • clover 클로버
• more than ~보다 많이, ~ 이상 • breathe 숨 쉬다, 호흡하다

[1-2] 다음 중 명사의 복수형이 잘못 연결된 것을 고르세요.

1
① fox - foxes ② wife - wives
③ watch - watches ④ potato - potatos
⑤ factory - factories

2
① man - men ② foot - feet
③ sheep - sheeps ④ holiday - holidays
⑤ photo - photos

[3-5] 다음 빈칸에 들어갈 말로 알맞지 않은 것을 고르세요.

3

Rachel bought a pair of _____ at the mall.

① pants ② socks ③ gloves
④ glasses ⑤ furnitures

4

There are _____ on the table.

① butters ② dishes
③ spoons ④ apples
⑤ sandwiches

5

Ted wants a piece of _____.

① cake ② pizza
③ paper ④ advice
⑤ coffee

Note

1
명사 어떤 철자로 끝나는지 확인하세요.

2
불규칙 변화 명사의 복수형을 생각해 보세요.

3
두 개가 한 쌍을 이루는 명사가 아닌 것을 찾아 보세요.

4
복수동사가 있으므로 복수명사가 와야 해요.

5
piece(조각)로 수량을 표현할 수 없는 명사를 찾아보세요.

정답 및 해설 p.6

6 다음 빈칸에 들어갈 말이 바르게 짝지어진 것은?

• Can you get me some _____ (A) _____?
• _____ (B) _____ won the game.

(A)		(B)
① water	-	The girl' soccer team
② water	-	The girls' soccer team
③ water	-	The girls's soccer team
④ waters	-	The girls' soccer team
⑤ waters	-	The girls's soccer team

Note

6
(A) 셀 수 없는 명사는 복수형으로 만들 수 없어요. (B) s로 끝나는 복수명사의 소유격이 필요해요.

[7-8] 다음 중 밑줄 친 명사의 성격이 나머지 넷과 <u>다른</u> 것을 고르세요.

7
① They want <u>peace</u>.
② <u>Sarah</u> is a good violinist.
③ I have some good <u>news</u> for you.
④ Mike didn't have enough <u>money</u> for a taxi.
⑤ The fisherman caught a lot of <u>fish</u> yesterday.

7
추상명사, 고유명사, 물질명사는 모두 셀 수 없는 명사예요.
violinist 바이올리니스트
fisherman 어부

8
① You can't buy <u>health</u> with money.
② We have five English <u>classes</u> a week.
③ My cat chases <u>mice</u> and other small animals.
④ The <u>butterflies</u> are flying from flower to flower.
⑤ Superman and Batman are <u>heroes</u> in the movies.

8
셀 수 있는 명사는 a 또는 an을 붙이거나 복수형으로 써야 해요.
other 다른
butterfly 나비

[9-10] 다음 우리말을 영어로 바르게 옮긴 것을 고르세요.

9
아동용 도서를 반값에 할인 판매해요.

① Child' books are on sale for half price.
② Childs' books are on sale for half price.
③ Children' books are on sale for half price.
④ Children's books are on sale for half price.
⑤ Childrens's books are on sale for half price.

9
불규칙 변화 명사의 소유격 형태를 생각해 보세요.
half 반, 절반
price 가격

10

> 나는 도넛 세 개와 커피 세 잔을 주문했어요.

① I ordered three doughnut and three coffees.
② I ordered three doughnuts and three coffee.
③ I ordered three doughnut and three cup of coffee.
④ I ordered three doughnuts and three cups of coffees.
⑤ I ordered three doughnuts and three cups of coffee.

[11-13] 다음 밑줄 친 부분이 잘못된 것을 고르세요.

11
① We saw some <u>deer</u> on the farm.
② <u>Pianos</u> have white and black keys.
③ There are five <u>women</u> in the room.
④ We need to buy some new <u>furniture</u>.
⑤ I'm looking for <u>informations</u> about rainforests.

12
① <u>Wolves</u> are social animals.
② <u>A milk</u> is good for our bones.
③ There is heavy traffic in big <u>cities</u>.
④ I put <u>a slice of cheese</u> on top of bread.
⑤ Ted is always happy and never loses <u>hope</u>.

13
① We painted <u>the dog's house</u> red.
② <u>The birds's feathers</u> are colorful.
③ <u>The men's restroom</u> is down the hall.
④ The door to <u>Nathan's house</u> was locked.
⑤ <u>Kelly's mom</u> brought cookies for the party.

Note

10
커피는 셀 수 없는 명사로 용기를 이용해 수량을 표현해요.
doughnut 도넛

11
추상명사를 셀 수 없어요.
rainforest (열대) 우림

12
물질명사는 셀 수 없어요.
social 사회적인
bone 뼈
top 맨 위, 꼭대기

13
복수명사의 소유격 형태를 생각해 보세요.
colorful 화려한, 형형색색의
hall 현관, 복도

정답 및 해설 p.6

14 다음 중 밑줄 친 부분을 잘못 고친 것은?

① She bought two breads. → two loaf of breads
② Don't put sugars in my coffee. → sugar
③ A penguin' legs are short. → penguin's legs
④ A red rose means a love. → love
⑤ I boiled some potatos. → potatoes

15 다음 주어진 단어를 적절한 형태로 바꿔 문장을 완성하세요.

1) There are a lot of _____ on the ground. (leaf)

2) I'd like _____, please. (three, bottle, water)

3) Have you seen _____? (Chris, cell phone)

16 다음 밑줄 친 부분을 바르게 고치세요.

1) My sister is studying web design in a Tokyo.

2) This store sells men' clothes.

3) Mike fell down the stairs and lost two tooths.

Note

14
mean 의미하다, 나타
내다
boil 삶다, 끓이다

15
1) leaf는 f로 끝나는 명
사예요.
2) water는 셀 수 없는
명사로 bottle을 이용해
서 수량을 나타내요.
3) Chris는 s로 끝나
요.

16
1) Tokyo는 고유명사
예요.
2) 불규칙 변화 복수명
사의 소유격 형태를 생
각해 보세요.
3) tooth는 불규칙 변
화 명사예요.
fall down 굴러 떨어
지다
stair 계단

[17-18] 다음 우리말과 같은 뜻이 되도록, 주어진 단어를 이용하여 문장을 완성하세요.

Note

17

> 그 소년들의 연들은 하늘 높이 날고 있어요. (the boy, kite)

→ _____ are flying high in the sky.

18

> Jason은 아침으로 주스 한 잔과 계란 두 개를 먹어요.
> (juice, and, egg)

→ Jason has _____ for breakfast.

18
juice는 셀 수 없는 명사로 용기를 이용해 수량을 나타내요.

[19-20] 다음 우리말과 같은 뜻이 되도록, 주어진 단어를 바르게 배열하여 문장을 완성하세요.

19

> 내 남동생은 밥 두 공기를 먹었어요. (of, rice, ate, two, bowls)

→ My brother _____.

20

> 게의 집게발은 날카로워요. (claws, a crab's, are, sharp)

→ _____.

20
crab 게
claw 집게발, (동물의) 발톱

Chapter 2

관사

UNIT 01

부정관사 a/an

부정관사는 불특정한 것을 언급할 때 사용하며 셀 수 있는 명사의 단수 앞에 씁니다.

① 부정관사 a/an

부정관사 a/an은 셀 수 있는 명사의 단수 앞에 쓰며, 발음이 자음으로 시작하는 단어 앞에는 a, 모음으로 시작하는 단어 앞에는 an을 씁니다.

a	발음이 자음 소리로 시작하는 경우	**a** house **a** red apple	**a** month **a** new computer	**a** sweater **a** small island	**a** university
an	발음이 모음 소리로 시작하는 경우	**an** apple **an** honest man	**an** orange **an** old house	**an** egg **an** exciting game	**an** hour

Plus 1

- 형용사가 셀 수 있는 단수명사를 수식할 때 형용사 앞에 부정관사를 써야 해요. 이때 형용사가 모음 소리로 시작하는 경우 an을 써요.
  an honest boy (O)　　　　　　　an honest boys (✕) (→ boys가 복수명사로 an을 쓸 수 없음)
- 첫 글자가 모음이지만, 자음 소리로 시작하는 단어 앞에는 a를 써요.
  a uniform, a university, a used car
- 첫 글자가 자음이지만, 모음 소리로 시작하는 단어는 앞에는 an을 써요.
  an hour, an MP3, an honest man

② 부정관사의 쓰임

쓰임	예문
여러 개 중 불특정한 하나 ※ 이때는 '하나'라고 해석하지 않아요.	James works as **a taxi driver** at night. James는 밤에 택시 운전사로 일해요. Is there **a bank near** here? 이 근처에 은행이 있나요? There is **a phone** call for you. 너를 찾는 전화가 왔어.
하나의, 한 사람의 (=one)	I have **a sister** and two brothers. (=one sister) 나는 언니 한 명과 남동생 두 명이 있어요. I'd like to have **a cup** of tea, please. (=one cup) 차 한 잔 주세요. They will stay in London for **a week**. (=one week) 그들은 런던에 일주일 동안 머무를 거예요.
~마다, ~당 (=per)	Jerry reads two books **a week**. Jerry는 일주일에 두 권의 책을 읽어요. Peaches are $8 **a kilo**. 복숭아는 일 킬로에 8달러예요. We paint our house once **a year**. 우리는 1년에 한 번 집에 페인트를 칠해요.
사물의 종류나 동물의 종족 전체를 나타내는 경우(대표단수)	**A leopard** is a meat-eating animal. 표범은 육식 동물이에요. **A nurse** takes care of sick people. 간호사는 아픈 사람들을 돌봐요.

Plus 2

- 대표단수로 쓰인 「a/an 단수명사」는 복수명사 또는 「the 단수명사」로 바꿔 쓸 수 있어요.
  (the 단수명사인 경우는 문어체에서 많이 써요.)
  Leopards are a meat-eating animal.　　　　　**The leopard** is a meat-eating animal.

Warm up

1 다음 우리말과 같은 뜻이 되도록, 빈칸에 a 또는 an을 쓰세요.

01 _____An_____ ant is _____an_____ insect.
개미는 곤충이에요.

02 _____ octopus has eight legs.
문어는 다리가 여덟 개예요.

03 _____ owl sleeps during the day.
올빼미는 낮 동안 잠을 자요.

04 _____ lion has _____ tail.
사자는 꼬리가 있어요.

05 _____ pine has long, thin needles.
소나무는 길고 가는 솔잎이 있어요.

06 _____ iris is _____ flower.
아이리스는 꽃이에요.

07 _____ airplane flies through the air.
비행기는 공중을 날아요.

08 _____ ostrich is _____ big bird.
타조는 큰 새예요.

09 _____ whale is _____ sea mammal.
고래는 바다 포유류예요.

10 _____ igloo is _____ house for Eskimos.
이글루는 에스키모인들의 집이에요.

11 _____ dolphin is _____ intelligent animal.
돌고래는 영리한 동물이에요.

12 _____ elephant is _____ very large animal.
코끼리는 매우 큰 동물이에요.

WORDS

· insect 곤충   · octopus 문어   · owl 올빼미   · during ~동안   · pine 소나무
· needle 바늘, (pl.) 솔잎   · iris 아이리스   · ostrich 타조   · mammal 포유류   · igloo 이글루
· Eskimo 에스키모인   · intelligent 똑똑한, 지능이 있는

❶ 다음 괄호 안에서 알맞은 것을 고르세요. (필요 없는 경우 ×)

01 They live in (a /(an)/ ×) island.

02 Would you like (a / an / ×) drink?

03 I need (a / an / ×) pound of butter.

04 It was (a / an / ×) hot summer day.

05 They work as (a / an / ×) engineers.

06 Carol has (a / an / ×) uncle in Montreal.

07 The movie has (a / an / ×) unhappy ending.

08 They go on a holiday twice (a / an / ×) year.

09 Her parents bought her (a / an / ×) used car.

10 Annie calls her parents once (a / an / ×) day.

11 I grow (a / an / ×) orange trees in my garden.

12 Thomas Edison was (a / an / ×) American inventor.

13 Christine is (a / an / ×) member of the music club.

14 It's going to rain. Take (a / an / ×) umbrella with you.

15 Sam and Brian are (a / an / ×) excellent soccer players.

• island 섬   • engineer 엔지니어   • unhappy 불행한   • ending 결말, 종료   • used 중고의
• inventor 발명가   • excellent 훌륭한

❷ 다음 밑줄 친 부분이 올바르면 ○표, 틀리면 바르게 고치세요. (필요 없는 경우 ×표시할 것)

01 It is <u>a</u> interesting movie.   an

02 She is taking a bite of <u>an</u> apple.

03 Mark is <u>an</u> high school teacher.

04 Do you put <u>a</u> milk in your tea?

05 This church is <u>an</u> very old building.

06 My brother is <u>an</u> university student.

07 <u>A water</u> is important for human life.

08 We need honey, <u>an</u> eggs, and flour.

09 Jacob brought <u>a</u> cookies for the party.

10 <u>A tower</u> stands in the middle of the town.

11 Greg bought a <u>bunches</u> of flowers for me.

12 I'd like <u>orange</u> and three bananas, please.

13 I'm <u>a</u> animal lover, but I don't have any pets.

14 I really want <u>a</u> honest answer to the question.

15 <u>A</u> coconut tree usually grows in tropical areas.

WORDS

· bite 물기, 한 입   · take a bite 한 입 깨물다   · human 인간의, 사람의   · tower 타워, 탑   · middle 가운데
· bunch 다발, 묶음   · lover 애호가   · coconut 코코넛   · tropical 열대의   · area 지역

❶ 다음 우리말과 같은 뜻이 되도록, 주어진 단어를 이용하여 문장을 완성하세요.

01 Mary는 병원에서 일해요. (hospital)

➜ Mary works for _____a_____ __hospital__ .

02 Matthew는 영국인이에요. (Englishman)

➜ Matthew is _____ _____.

03 그녀는 양파를 하나 까고 있어. (onion)

➜ She is peeling _____ _____.

04 Ben은 정직한 소년이에요. (honest)

➜ Ben is _____ _____ _____.

05 네 앞으로 온 편지가 한 통 있어. (letter)

➜ There is _____ _____ for you.

06 토마토는 1킬로에 2달러예요. (kilo)

➜ Tomatoes are $2 _____ _____.

07 그녀는 일주일에 4일을 일해요. (week)

➜ She works four days _____ _____.

08 그녀의 이름은 S로 시작해요. (S)

➜ Her name begins with _____ _____.

09 너는 운전면허증이 있니? (driver's licence)

➜ Do you have _____ _____ _____?

10 나는 사과 하나와 계란 하나를 먹었어요. (apple, egg)

➜ I had _____ _____ and _____ _____.

11 Nick은 마침내 좋은 직업을 찾았어요. (good job)

➜ Nick has finally found _____ _____ _____.

12 우리 부모님은 저녁식사를 하는 동안 한 마디도 하지 않으셨어요. (word)

➜ My parents didn't say _____ _____ during dinner.

WORDS

• Englishman 영국인 남자 • peel 껍질을 벗기다 • onion 양파 • licence 면허(증) • finally 마침내, 결국
• during ~하는 동안

❷ 다음 우리말과 같은 뜻이 되도록, 주어진 단어를 바르게 배열하여 문장을 완성하세요.

01 Kevin은 나의 오래된 친구야. (old, is, an, friend)

→ Kevin _____is an old friend_____ of mine.

02 기린은 온순한 동물이에요. (a, animal, gentle, is)

→ A giraffe _____.

03 그 프로젝트에 대한 아이디어가 있어. (idea, have, an)

→ I _____ for the project.

04 Sue는 귀걸이 한 쪽을 잃어버렸어요. (lost, earring, an)

→ Sue has _____.

05 Lisa는 어제 두통이 심했어요. (a, terrible, had, headache)

→ Lisa _____ yesterday.

06 골프는 돈이 많이 드는 운동이에요. (an, sport, is, expensive)

→ Golf _____.

07 Brandon은 커피 한 잔을 주문했어요. (cup, ordered, coffee, a, of)

→ Brandon _____.

08 기차는 1시간에 150마일을 이동할 수 있어요. (an, 150 miles, travel, hour)

→ Trains can _____.

09 네가 여행하는 동안은 나에게 하루에 한 번 전화해라. (once, day, call, a, me)

→ _____ during your trip.

10 Amy는 그녀의 생일 파티 초대장을 받지 못했어요. (invitation, get, an, didn't)

→ Amy _____ to her birthday party.

11 나는 조부모님을 한 달에 두 번 방문해요. (twice, month, visit, a, my grandparents)

→ I _____.

12 내 이웃은 고양이 한 마리와 이구아나 한 마리를 길러요. (an, cat, a, has, and, iguana)

→ My neighbor _____.

WORDS
- giraffe 기린
- gentle 온순한, 순한
- earring 귀걸이
- trip 여행
- invitation 초대(장)
- iguana 이구아나

UNIT 02

정관사 the와 관사를 쓰지 않는 경우

정관사 the는 특정한 것을 언급할 때 쓰며, 단수명사와 복수명사 앞에 모두 쓸 수 있습니다.

① 정관사의 쓰임

정관사 the는 앞에서 언급되었거나, 상대방이 무엇을 가리키는지 알 수 있는 특정한 것을 나타낼 때 씁니다.

쓰임	예문
앞에서 이미 언급된 명사 앞	I saw a movie on TV last night. **The movie** was interesting. 나는 어젯밤 TV에서 영화를 봤어. 그 영화는 재미있었어.
서로 알고 있는 것	Will you turn up **the volume**? 볼륨을 높여 줄래? It's cold here. Turn on **the heater**. 여기 추워. 히터 좀 틀어줘.
세상에서 하나밖에 없는 것, 자연 환경	**The moon** is shining brightly in **the sky**. 달이 하늘에서 밝게 빛나고 있어요. We are swimming in **the sea**. 우리는 바다에서 수영하고 있어요.
명사가 꾸밈을 받아 가리키는 대상이 명확할 때	**The girls** on the stage are dancing. 무대에 있는 소녀들이 춤을 추고 있어요. **The book** on the table is yours. 탁자 위에 있는 책이 너의 것이야.
기타 표현 • play the+악기 • 아침 · 오후 · 저녁 시간 표현 • 일부 매체 앞 *cf*. TV 앞에는 the를 쓰지 않아요.	Johnson plays **the trumpet** well. Johnson은 트럼펫을 잘 연주해요. Miranda gets up early in **the morning**. Miranda는 아침에 일찍 일어나요. I download movies from **the Internet**. 나는 인터넷으로 영화를 다운로드 받아요.

 Plus 1
• 셀 수 없는 명사라도 뒤에서 수식을 받을 경우 명사 앞에 the를 쓸 수 있어요.
The water in the lake is very clear. 그 호수의 물은 매우 맑아요.

② 관사를 쓰지 않는 경우

쓰임	예문
식사 이름, 운동 경기	breakfast, lunch, dinner / soccer, baseball, basketball 등
고유명사와 언어	Fred, Korea, Paris 등 / English, German, Chinese 등 *cf*. the USA, the Philippines, the UK 등의 나라 이름은 the를 써요.
과목 이름	math, science, history, art, music, geography 등
「by+교통 · 통신 수단」	by train, by bus, by subway, by email, by phone 등
장소가 본래의 목적으로 쓰일 때	Betty goes to **church** every Sunday. Betty는 매주 일요일에 교회에 가요. I usually go to **bed** at ten o'clock. 나는 보통 10시에 자요. *cf*. She sat on **the bed**. 그녀는 침대 위에 앉았어요.

 Plus 2
• 식사 이름 앞에 수식하는 말이 오면 관사를 써요.
I had **a big lunch**. 나는 점심을 푸짐하게 먹었어요.

Warm up

정답 및 해설 p.8

1 다음 우리말과 같은 뜻이 되도록, 괄호 안에서 알맞은 말을 고르세요.

01 I can play ((the) / ×) drums.
나는 드럼을 칠 수 있어요.

02 (The / ×) sun sets in the west.
해는 서쪽으로 져요.

03 My sister goes to (the / ×) college.
우리 언니는 대학에 다녀요.

04 We traveled across (the / ×) Europe.
우리는 유럽 곳곳을 여행했어요.

05 The kids are playing (the / ×) soccer.
그 아이들은 축구를 하고 있어요.

06 Will you open (the / ×) door for me?
나를 위해 문을 좀 열어주겠니?

07 Seth went home by (the / ×) subway.
Seth는 지하철을 타고 집에 갔어.

08 (The / ×) phone on the desk is yours.
책상 위에 있는 전화기가 너의 것이야.

09 Jim has a bike. (The / ×) bike is black.
Jim은 자전거가 있어요. 그 자전거는 검정색이에요.

10 We usually have (the / ×) dinner at seven.
우리는 보통 7시에 저녁을 먹어요.

11 We do our homework in (the / ×) evening.
우리는 저녁에 숙제를 해요.

12 He teaches (the / ×) history in high school.
그는 고등학교에서 역사를 가르쳐요.

• set (해 · 달이) 지다 　• west 서쪽 　• across 가로질러, 건너서 　• usually 대개, 보통

1 다음 빈칸에 the 또는 ×를 쓰세요. (필요 없는 경우 ×)

01 Ben likes playing ＿＿＿×＿＿＿ tennis.

02 I'll take you to ＿＿＿＿＿＿ airport.

03 Who is ＿＿＿＿＿＿ girl next to Ian?

04 Look at ＿＿＿＿＿＿ bird on the tree.

05 Luise plays ＿＿＿＿＿＿ flute very well.

06 We are going to ＿＿＿＿＿＿ New York.

07 What is ＿＿＿＿＿＿ name of Eric's sister?

08 Irene buys books on ＿＿＿＿＿＿ Internet.

09 They went to ＿＿＿＿＿＿ Cuba for a vacation.

10 My wife's family speaks ＿＿＿＿＿＿ Korean.

11 How often do you play ＿＿＿＿＿＿ baseball?

12 What would you like for ＿＿＿＿＿＿ breakfast?

13 My children always go to ＿＿＿＿＿＿ bed early.

14 ＿＿＿＿＿＿ clothes in the shop are really stylish.

15 I bought a winter jacket. ＿＿＿＿＿＿ jacket is very warm.

· airport 공항　· next to ~옆에　· flute 플루트　· Cuba 쿠바　· stylish 멋진, 세련된

❷ 다음 밑줄 친 부분이 올바르면 ○표, 틀리면 바르게 고치세요.

01 Will you open <u>the window</u>?　　　　　　　　　　　　　　　○

02 I always skip <u>a breakfast.</u>

03 <u>A moon</u> is very bright tonight.

04 Does your mother play <u>piano</u>?

05 My dad usually drives to <u>work</u>.

06 <u>Milk</u> in the fridge has gone bad.

07 My favorite sport is <u>a volleyball</u>.

08 Ashley is very good at <u>the math</u>.

09 I'll send you the photos by <u>the email</u>.

10 Walter has just returned from <u>the Russia</u>.

11 Children should spend a lot of time in <u>sun</u>.

12 She lives in <u>the small house</u> with a green roof.

13 My aunt made me a muffler. <u>A muffler</u> was too short.

14 He is sleeping. You had better turn off <u>a light</u> for him.

15 My father enjoys watching baseball games on <u>the TV</u>.

* skip 거르다, 빼먹다　　* tonight 오늘 밤　　* volleyball 배구　　* go bad 썩다, 나빠지다　　* muffler 목도리

① 다음 주어진 단어를 이용하여 대화를 완성하세요. (필요하면 the를 쓸 것)

01 A: Can I use _____the computer_____ for a minute? (computer)

B: Sure, go ahead.

02 A: Are you free on Sunday morning?

B: No. I'll go to _____. (church)

03 A: Will you pass me _____? (salt)

B: Here it is.

04 A: How do you go to _____? (school)

B: I usually go there by _____. (bus)

05 A: Are they speaking _____? (Japanese)

B: I don't think so.

06 A: What does Becky do in her spare time?

B: She reads books or plays _____. (tennis)

07 A: Do you listen to _____ often? (radio)

B: Yes. I listen to it every morning.

08 A: What are _____ on the table? (pictures)

B: They are my family pictures.

09 A: Do you know _____ over there? (lovely girl)

B: Yes. She is Jessica's sister.

10 A: What is Richard studying at university?

B: He is studying _____. (geography)

11 A: Look up at _____! There are a lot of stars. (sky)

B: Wow, they are so beautiful.

12 A: Why do you like this restaurant so much?

B: Because _____ in this place is really good. (food)

WORDS

• spare 여가의; 여분의   • geography 지리학   • place 장소, 곳

❷ 다음 우리말과 같은 뜻이 되도록, 주어진 단어를 바르게 배열하여 문장을 완성하세요.

01 점심 같이 먹어요. (lunch, have, let's)

➔ _____Let's have lunch_____ together.

02 Alex는 항상 자정에 잠을 자. (bed, goes, to)

➔ Alex always _____ at midnight.

03 알람시계 좀 꺼줄래? (alarm clock, turn off, the)

➔ Can you _____?

04 오늘 오후에 야구 할래? (play, you, will, baseball)

➔ _____ this afternoon?

05 오늘 아침에 해가 5시 57분에 떴어요. (the, rose, sun)

➔ _____ at 5:57 this morning.

06 너는 아직도 Liverpool에 살고 있니? (Liverpool, live in)

➔ Do you still _____?

07 나는 배로 세계를 여행하고 싶어요. (by, the, world, boat)

➔ I would like to travel all around _____.

08 그 꽃병에 있는 꽃들이 백합이야. (in, vase, the flowers, the)

➔ _____ are lilies.

09 Jake는 보통 저녁에 TV를 봐요. (evening, TV, in, watches, the)

➔ Jake usually _____.

10 Tim은 학교 오케스트라에서 바이올린을 연주해요. (violin, the, plays)

➔ Tim _____ in the school orchestra.

11 Linda는 자신의 고향에 기차로 갔어요. (hometown, went to, her, train, by)

➔ Linda _____.

12 Lena가 나에게 파스타를 만들어줬어. 그 파스타는 맛있었어. (was, pasta, delicious, the)

➔ Lena made me pasta. _____.

WORDS
- midnight 자정 • alarm clock 알람시계 • still 여전히, 아직 • vase 꽃병 • lily 백합
- orchestra 오케스트라 • hometown 고향

1 다음 빈칸에 알맞은 말을 보기에서 골라 문장을 완성하세요. (필요 없는 경우 ×)

보기

a   an   the   ×

01 ___A___ tiger eats ___×___ meat.

02 The bus goes 80 km _____ hour.

03 We often go out for _____ dinner.

04 A window is made of _____ glass.

05 Is there _____ university in your town?

06 I attend swimming lessons twice _____ week.

07 Do you have _____ opinion about this matter?

08 _____ London is the capital of _____ England.

09 _____ apple _____ day keeps the doctor away.

10 Harry reads _____ newspaper in _____ morning.

11 Look at _____ pears on that tree. They are perfectly ripe.

12 Kate always listens to the radio on her way to _____ school.

13 We've made _____ band. I play _____ drums and Mike plays _____ guitar.

14 _____ earth goes around _____ sun. _____ moon goes around _____ earth.

15 They have _____ son and _____ daughter. _____ son is ten years old, and _____ daughter is five.

WORDS

· be made of ~로 만들어지다   · capital 수도   · perfectly 완전히, 완벽하게   · ripe 익은

② 다음 문장에서 어법상 <u>어색한</u> 부분을 찾아 바르게 고치세요.

01 Mrs. Ralph speaks the German.   the German → German

02 My wife and I had nice dinner.

03 They accept orders by a phone.

04 Could you close a door, please?

05 Bannet is English. She likes a tea.

06 Julia has to wear an uniform at work.

07 We saw two dolphins swimming in sea.

08 Is there the cheap hotel around here?

09 We usually go to the movies once week.

10 A house over there belongs to Mr. White.

11 Can you turn off TV? Nobody is watching it.

12 I usually drink eight glasses of water the day.

13 William is from the small village near Oxford.

14 I'm going to play a soccer with my friends after school.

15 I watched a documentary. A documentary was about wildlife.

· accept 받다, 받아들이다   · order 주문   · uniform 유니폼, 교복   · belong to ~ 소유이다, ~에 속하다
· village 마을   · documentary 다큐멘터리   · wildlife 야생 동물

❸ 다음 우리말과 같은 뜻이 되도록, 주어진 단어를 이용해서 문장을 완성하세요.

01 화장실을 좀 써도 될까요? (restroom)

➡ Can I ___use___ ___the___ ___restroom___ ?

02 그들은 학교에서 과학을 공부하고 있어요. (study, science)

➡ They _____ _____ _____ at school.

03 제가 그 정보를 이메일로 보낼게요. (information, email)

➡ I will send _____ _____ _____ _____ .

04 달에는 물이 없어요. (water, on, moon)

➡ There is no _____ _____ _____ _____ .

05 나는 일주일에 세 번 조깅을 해요. (times, week)

➡ I go jogging _____ _____ _____ _____ .

06 다음 주에 당신을 점심에 초대하고 싶어요. (invite, to, lunch)

➡ I'd like to _____ _____ _____ _____ next week.

07 Fred는 매일 밤 같은 시간에 잠을 자요. (bed)

➡ Fred _____ _____ _____ at the same time every night.

08 많은 사람들이 차로 출근해요. (go to work, car)

➡ A lot of people _____ _____ _____ _____ _____ .

09 여기서 1, 2분 정도 기다려줄래? (wait here, for, minute)

➡ Will you _____ _____ _____ _____ _____ or two?

10 그 마을에 있는 교회는 정말 아름다워. (church, in, village)

➡ _____ _____ _____ _____ _____ is really beautiful.

11 우리 아빠는 건축가고, 우리 엄마는 선생님이야. (architect, teacher)

➡ My dad is _____ _____ , and my mom is _____ _____ .

12 내가 어제 책을 한 권 빌렸어. 그 책은 우주에 관한 것이었어. (book)

➡ I borrowed _____ _____ yesterday. _____ _____ was about the universe.

WORDS

• restroom 화장실　　• go jogging 조깅하러 가다　　• universe 우주

④ 다음 우리말과 같은 의미가 되도록, 주어진 단어를 바르게 배열하여 문장을 완성하세요.

01 내 고향은 바다 근처예요. (is, my hometown, near, sea, the)

→ _____My hometown is near the sea_____.

02 그 음악 좀 꺼줄래? (turn off, music, the)

→ Will you _____, please?

03 뱀은 다리가 없어요. (have, doesn't, a, snake)

→ _____ any legs.

04 Brian은 아침에 테니스를 쳐요. (the, tennis, morning, in, plays)

→ Brian _____.

05 나는 일 년에 두 번 치과에 가요. (twice, the dentist, a, go to, year)

→ I _____.

06 벽에 있는 그림을 만지지 마세요. (on, painting, the, wall, touch, the)

→ Don't _____.

07 Mary는 공원에서 놀라운 광경을 보았어요. (sight, an, amazing, saw)

→ Mary _____ at a park.

08 Isabel은 이탈리아 식당에서 일해요. (works at, an, restaurant, Italian)

→ Isabel _____.

09 우리 엄마는 선생님을 만나러 학교에 오셨어요. (the, came to, school)

→ My mom _____ to meet my teacher.

10 약 4억 3천만 명이 영어를 모국어로 사용해요. (as, language, English, a, speak, first)

→ About 430 million people _____.

11 내 도시락 통에 오렌지 하나와 샌드위치 하나가 있어요. (a, sandwich, orange, an, and)

→ I have _____ in my lunchbox.

12 나는 많은 사람들 앞에서 피아노를 연주해 본 적이 없어. (played, never, piano, the, have)

→ I _____ in front of a lot of people.

WORDS

· sight 광경, 모습　　· amazing 놀라운　　· first language 제1언어, 모국어　　· million 백만　　· in front of ~앞에(서)

[1-2] 다음 빈칸에 들어갈 말이 바르게 짝지어진 것을 고르세요.

1

- Tina eats ___(A)___ apple every morning.
- I play ___(B)___ baseball on weekends.

	(A)		(B)
①	a	-	a
②	a	-	the
③	an	-	the
④	an	-	필요 없음
⑤	필요 없음	-	필요 없음

1
명사가 어떤 소리로 시작하는지 생각해 보고, 운동경기 앞에는 어떤 관사를 쓰는지 생각해 보세요.

2

- ___(A)___ sun is high up in the sky.
- Mike gets a haircut once ___(B)___ month.

	(A)		(B)
①	A	-	a
②	A	-	the
③	The	-	a
④	The	-	필요 없음
⑤	필요 없음	-	필요 없음

2
sun은 세상에 하나뿐인 대상이고, '한 달에 한 번'이라는 의미가 되어야 해요.
haircut 머리 깎기, 이발

3

Ben has ___(A)___ old car. ___(B)___ car often breaks down.

	(A)		(B)
①	a	-	A
②	a	-	An
③	an	-	An
④	an	-	The
⑤	the	-	The

3
막연한 하나를 나타낼 때 쓰는 관사와, 이미 언급한 것을 다시 말할 때 사용하는 관사기 필요해요.
break down 고장 나다

4 다음 중 빈칸에 들어갈 말로 알맞지 <u>않은</u> 것은?

Henry is an _____.

① architect ② honest boy

③ excellent artist ④ English teacher

⑤ university student

4
an이 있으므로 모음으로 시작하는 않는 것을 고르세요.

정답 및 해설 p.10

5 다음 빈칸에 a 또는 an이 필요 <u>없는</u> 문장은?

① I found _____ empty seat.
② Jenny has _____ cute puppy.
③ Jane saw _____ accident last night.
④ Is there _____ post office near here?
⑤ Regular exercise is good for _____ health.

Note

5
관사를 쓰지 않는 경우
를 생각해 보세요.

6 다음 우리말을 영어로 바르게 옮긴 것은?

나는 시애틀에 기차를 타고 갔어요.

① I went to Seattle by train.
② I went to Seattle by a train.
③ I went to a Seattle by train.
④ I went to Seattle by the train.
⑤ I went to the Seattle by the train.

6
시애틀은 고유명사이
고, train은 교통수단이
에요.

[7-8] 다음 빈칸에 들어갈 말이 나머지 넷과 <u>다른</u> 것을 고르세요.

7 ① I'll have _____ cup of coffee.
② _____ dog is a friendly animal.
③ Can I ask you _____ question?
④ _____ bag on the table is yours.
⑤ I need _____ new dress for the party.

7
the가 필요한 곳을 찾
아보세요.

8 ① I've already had _____ lunch.
② A starfish lives in _____ sea.
③ Mom is in _____ living room.
④ My brother can play _____ cello.
⑤ I heard the song on _____ radio.

8
관사를 쓰지 않는 경우
를 찾아보세요.
starfish 불가사리
living room 거실

[9-10] 다음 문장의 밑줄 친 부분과 쓰임이 같은 것을 고르세요.

9

> A birthday comes once <u>a</u> year.

① <u>A</u> horse is a useful animal.
② Rachel has <u>a</u> beautiful voice.
③ I ate <u>a</u> piece of cheesecake.
④ Matt Damon is <u>a</u> very famous actor.
⑤ My friends and I get together twice <u>a</u> month.

10

> <u>The</u> boy on the bench is my nephew.

① I'm usually free in <u>the</u> evening.
② My mother plays <u>the</u> piano well.
③ Don't drink <u>the</u> milk in the fridge.
④ I have a cat. <u>The</u> cat has soft fur.
⑤ <u>The</u> earth is home to 8.7 million species.

[11-13] 다음 밑줄 친 부분이 잘못된 것을 고르세요.

11
① <u>The weather</u> is nice today.
② Will you turn on <u>the light</u>?
③ <u>The coat</u> on the hanger is Sue's.
④ I'll send your photos by <u>the email</u>.
⑤ There are 195 countries in <u>the world</u>.

12
① An eagle flew across <u>a</u> sky.
② He wears <u>a</u> school uniform.
③ Eric is studying for <u>an</u> exam.
④ This car goes 70 miles <u>an</u> hour.
⑤ I have <u>an</u> aunt and two uncles.

Note

9
주어진 문장의 a는 '~마다', '~당'이라는 의미를 나타내요.
useful 유용한
get together 만나다

10
주어진 문장의 boy는 뒤에서 수식을 받고 있어요.
nephew 조카 (아들)
soft 부드러운
fur 털
species 종

11
관사를 쓰지 않는 경우를 생각해 보세요.
hanger 옷걸이

12
the를 써야 하는 경우를 생각해 보세요.

13 ① Can you pass me <u>the salt</u>?
② When does <u>the moon</u> rise?
③ Jim and I had <u>wonderful dinner</u>.
④ My children go <u>to bed</u> at nine.
⑤ We usually play <u>soccer</u> on Saturday.

14 다음 대화 중 자연스럽지 <u>않은</u> 것은?

① A: Do you have any pets?
   B: Yes. I have an iguana.
② A: Enjoy your holiday!
   B: I'll send you a postcard.
③ A: Let's go to the movies tonight.
   B: That's a good idea.
④ A: What would you like for lunch?
   B: I want an egg sandwich.
⑤ A: How did you come here?
   B: I took taxi.

15 다음 빈칸에 알맞은 관사를 보기에서 골라 한 번씩만 써서 문장을 완성하세요. (필요 없는 경우 ×를 쓸 것)

> [보기] a   an   the   ×

1) I stayed in Boston for _____ week.

2) Kelly always carries _____ umbrella.

3) Mexican people speak _____ Spanish.

4) _____ flowers in their garden are very beautiful.

Note

13
wonderful 멋진, 훌륭한

14
막연한 하나를 나타낼 때는 a 또는 an을 써요.
postcard 엽서

15
1) '일주일 동안'이라는 의미가 되어야 해요.
2) 빈칸 뒤의 단어가 어떤 소리로 시작하는지 생각해 보세요.
3) 빈칸 뒤에 언어가 있어요.
4) 뒤에 수식하는 말이 있어요.
Mexican 멕시코의

16 다음 문장에서 어법상 <u>어색한</u> 부분을 찾아 바르게 고치세요.

1)

> My brother plays a guitar in the afternoon.

2)

> The man on the sofa is my uncle, George. He is a author of a bestseller.

[17-18] 다음 우리말과 같은 뜻이 되도록, 주어진 단어를 이용하여 문장을 완성하세요.

17

> 나는 도서관에서 한 소녀를 만났어. 그 소녀는 호주 출신이었어.
> (girl, was, from Australia)

➜ _____ at the library. _____.

18

> 나는 일주일에 한 번 요리 수업을 받아요. (take, cooking class, once)

➜ _____.

[19-20] 다음 우리말과 같은 뜻이 되도록, 주어진 단어를 바르게 배열하여 문장을 완성하세요.

19

> 나는 인터넷으로 친구들과 수다를 떨어요.
> (on, the, with, my friends, Internet, chat)

➜ I _____.

20

> Alice는 버스를 타고 학교에 가요. (goes, by, to, bus, school)

➜ Alice _____.

Note

16
1) play 뒤 악기 앞에는 어떤 관사를 쓰는지 생각해 보세요.
2) 명사가 어떤 소리로 시작하는 생각해 보세요.
author 작가
bestseller 베스트셀러

17
'하나의'라는 의미와 이미 언급한 것을 다시 말할 때 쓰는 관사를 생각해 보세요.

18
막연한 하나와, '~마다' 라는 의미를 나타내는 관사를 생각해 보세요.

19
chat 수다를 떨다, 이야기를 나누다

Chapter

3

대명사 Ⅰ

UNIT 01 인칭대명사

대명사는 명사를 대신해서 사용하는 말이며, 문장에서 주로 명사를 반복해서 사용하는 것을 피하기 위해 씁니다.

① 인칭대명사

인칭대명사는 사람이나 사물을 대신해서 가리키는 말입니다.

수	인칭	주격	소유격	목적격	소유대명사
단수	1인칭	I	my	me	mine
	2인칭	You	your	you	yours
	3인칭	He	his	him	his
		She	her	her	hers
		It	its	it	-
복수	1인칭	We	our	us	ours
	2인칭	You	your	you	yours
	3인칭	They	their	them	theirs

② 인칭대명사의 쓰임

격	쓰임	의미	예문
주격	동사 앞에 쓰여 문장의 주어 역할	'～은/는, ～이/가'	**I** like coffee and doughnuts. 나는 커피와 도넛을 좋아해요. **She** is popular among her friends. 그녀는 친구들 사이에서 인기가 있어요.
소유격	명사 앞에 쓰여 소유 관계 나타냄	'～의'	You look just like **your** mom. 너는 네 엄마를 꼭 닮았구나. The puppy is wagging **its** tail. 강아지가 꼬리를 흔들어요.
목적격	동사나 전치사 뒤에 쓰여 목적어 역할	'～을/를'	Andrew helped **us** move furniture. Andrew는 우리가 가구를 옮기는 것을 도와주었어요. I don't know much about **him**. 나는 그에 대해서 잘 몰라요.
소유대명사	「소유격+명사」를 대신해서 사용	'～의 것'	The book is **mine**, not **yours**. 그 책은 너의 것이 아니라, 내 것이야. Our house is white, and **theirs** is brown. 우리 집은 하얀색이고, 그들의 것은 갈색이야.

 Plus 1
- 명사와 고유명사의 소유대명사는 명사 뒤에 '(아포스트로피)를 써서 나타내요.
The schoolbag on the table is my **sister's**. 탁자 위에 있는 책가방은 우리 언니의 것이에요.
The bike over there is **Wendy's**. 저기 있는 자전거는 Wendy의 것이야.

Warm up

정답 및 해설 **p.11**

1 다음 우리말과 같은 뜻이 되도록, 괄호 안에서 알맞은 것을 고르세요.

01 (It / Its) is an amazing story.
그것은 놀라운 이야기야.

02 (I / My) love visiting new places.
나는 새로운 곳에 가는 걸 정말 좋아해요.

03 Is anyone sitting next to (you / your)?
누군가가 당신 옆에 앉아 있나요?

04 Why didn't you ask (us / our) for help?
너는 왜 우리에게 도움을 청하지 않았니?

05 We'd like to invite you to (us / our) house.
우리는 당신을 우리 집에 초대하고 싶어요.

06 (They / Their) live next door to (my / me).
그들은 내 옆집에 살아요.

07 I haven't heard anything from (their / them).
나는 그들에게서 아무 소식도 못 들었어요.

08 I have seen (she / her) somewhere before.
나는 전에 어디선가 그녀를 본 적이 있어.

09 You shouldn't judge a book by (it / its) cover.
너는 책의 표지를 보고 그 책을 판단하면 안 돼.

10 That wasn't (he / his) fault. It was (your / yours).
그것은 그의 잘못이 아니야. 그것은 너의 잘못이야.

11 (He / Him) washed (his / him) face with cold water.
그는 찬 물로 세수했어요.

12 (My / Me) car broke down. So Mary lent me (her / hers).
내 차가 고장 났어. 그래서 Mary가 그녀의 것을 나에게 빌려주었어.

WORDS

· ask for help 도움을 청하다   · next door to ~의 이웃에   · somewhere 어디선가   · judge 판단하다
· cover 표지, 덮개   · fault 잘못, 책임

1 다음 밑줄 친 부분에 유의하여 빈칸에 알맞은 인칭대명사를 쓰세요.

01 I've left _____my_____ bag on the subway.

02 We are in a big trouble. Please help _____.

03 I've lost my pencil. Can you lend me _____?

04 The city is famous for _____ beautiful scenery.

05 Baby ducks are swimming with _____ mother.

06 I'm going for a walk. Will you come with _____?

07 Here is a letter for Sarah. Please give it to _____.

08 How about this shoulder bag? _____ just arrived.

09 The children are running to school. _____ are late.

10 I tell my secrets to Jason, and he talks _____ to me.

11 We moved to a new house. _____ house is near a river.

12 Have you done your homework? I've already done _____.

13 Teresa and I went to the beach. _____ had a really good time.

14 I saw you and James at the mall. What were _____ doing there?

15 Look at the boy. _____ is wearing _____ shirt inside out.

WORDS

· trouble 문제, 곤란   · scenery 풍경, 경치   · shoulder 어깨   · inside out 뒤집어

❷ 다음 밑줄 친 부분이 올바르면 ○표, 틀리면 바르게 고치세요.

01 Will you open <u>it</u>?   ○

02 <u>Them</u> dog barks a lot.

03 <u>Me</u> want to talk to you.

04 These textbooks are <u>him</u>.

05 I invited <u>they</u> to my wedding.

06 Your opinion is similar to <u>my</u>.

07 I'm reading a storybook to <u>his</u>.

08 That isn't your mistake. It's <u>ours</u>.

09 The teacher asked <u>our</u> to be quiet.

10 Look at the hippo. <u>It</u> mouth is so big.

11 <u>His</u> is interested in stars and planets.

12 You and <u>your</u> sister look very different.

13 Ann has lost a diamond ring. I think this is <u>she</u>.

14 My husband and I are happy to see <u>yours</u> again.

15 Kate and I aren't in the same class, but <u>they</u> are close friends.

· textbook 교과서   · wedding 결혼식   · similar 비슷한   · hippo 하마   · planet 행성   · different 다른

1 다음 밑줄 친 부분을 알맞은 인칭대명사로 바꿔 문장을 다시 쓰세요.

01 <u>The socks</u> are in the drawer.
→ _____They are in the drawer_____.

02 You can trust <u>Sean and Bill</u>.
→ _____.

03 Don't forget to bring <u>a camera</u>.
→ _____.

04 I don't know <u>Karen's</u> email address.
→ _____.

05 Can <u>you and Rick</u> help <u>the boys</u>?
→ _____?

06 Nobody understood <u>Rick's</u> decision.
→ _____.

07 <u>Ted</u> bought a bunch of red roses for <u>Betty</u>.
→ _____.

08 <u>Greg</u> often sends text messages to <u>his friends</u>.
→ _____.

09 <u>Mom</u> bought some sweets for <u>my sister and me</u>.
→ _____.

10 <u>Jenny and Tina</u> are telling <u>Peter</u> about <u>their holiday</u>.
→ _____.

11 <u>Mary's dad</u> gave <u>Jessica and me</u> a ride to school.
→ _____.

12 <u>My sister and I</u> had a great time at the amusement park.
→ _____.

WORDS

- drawer 서랍
- understand 이해하다
- decision 결정, 결심
- bunch 다발, 묶음
- text 글, 문자
- text message 문자 메시지
- ride 타고 가기
- amusement 놀이, 오락

❷ 다음 우리말과 같은 뜻이 되도록, 주어진 단어를 이용하여 문장을 완성하세요.

01 그가 나에게 그것에 대해 말해주었어요. (tell, about)

→ ___He___ ___told___ ___me___ ___about___ ___it___.

02 강아지들이 그들의 어미를 따라다니고 있어요. (follow)

→ Puppies are _____ _____ _____.

03 나는 George를 좋아해요. 그는 친절해요. (friendly)

→ I like George. _____ _____ _____.

04 나는 내 삼촌을 자주 방문해요. (visit)

→ _____ often _____ _____ _____.

05 우리는 두 마리의 새끼 고양이가 있어요. 우리는 그것들을 아주 좋아해요. (love)

→ We have two kittens. _____ _____ _____.

06 Brown 씨가 우리의 영어 선생님이세요. (English)

→ Mr. Brown _____ _____ _____ _____.

07 그녀는 그를 10년 동안 알고 지내고 있어요. (know)

→ _____ _____ _____ _____ for ten years.

08 코끼리는 그것의 코를 손처럼 사용해요. (use, trunk)

→ An elephant _____ _____ _____ like a hand.

09 이 신발들은 그녀의 것이 아니야. 그것들은 나의 것이야. (be)

→ These shoes are not _____. _____ _____ _____.

10 그들은 요즘 우리와 함께 지내고 있어요. (stay with)

→ _____ _____ _____ _____ _____ these days.

11 우리 오빠는 나를 자기 방에 들어오지 못하게 해요. (enter, room)

→ My brother doesn't let _____ _____ _____ _____.

12 너는 그때 너의 학교에 있었니? (at, school)

→ _____ _____ _____ _____ _____ at that time?

• follow 따라가다, 따라오다   • kitten 새끼 고양이   • trunk (코끼리의) 코

UNIT 02

지시대명사와 비인칭 주어 it

지시대명사는 사람, 사물, 장소를 지시하는 대명사이고, 비인칭 주어 it은 시간, 날씨, 요일, 거리 등을 나타낼 때 쓰입니다.

1 지시대명사와 지시형용사

특정한 사람이나 사물을 가리키는 대명사로, 가리키는 대상과의 거리와 수에 따라 다른 지시대명사를 사용합니다. 명사 앞에 쓰여 명사를 수식하는 지시형용사로도 쓰입니다.

	단수	복수	예문
가까이 있는 대상	• this: 이것, 이 사람 • this+단수명사: 이 ~	• these: 이것들, 이 사람들 • these+복수명사: 이 ~들	**This** was my brother's car. 이것이 우리 형 차였어. **These** are my friends, Amy and Kelly. 이 아이들이 내 친구 Amy와 Kelly예요. Is **this** book yours or mine? 이 책이 너의 것이니 아니면 나의 것이니? **These** shoes are tight for me. 이 신발은 나한테 꽉 껴요.
멀리 있는 대상	• that: 저것, 저 사람 • that+단수명사: 저 ~	• those: 저것들, 저 사람들 • those+복수명사: 저 ~들	**That** is my grandfather. 저분이 우리 할아버지이셔. **Those** are the letters for you. 저것들이 너에게 온 편지들이야. I don't like **that** shirt. 나는 저 셔츠가 마음에 들지 않아. Look at **those** stars in the sky. 하늘에 저 별들을 봐.

Plus 1
- 사람을 소개할 때나 전화상에서는 this/these를 써요.
  This is my teacher Mr. Smith. 이분이 제 선생님, Smith 씨예요.
  A: Who's speaking? 누구시죠?   B: **This** is Jenny. Jenny예요.

2 비인칭 주어 it

날씨, 시간, 요일, 날짜, 거리, 명암 등을 나타내는 문장에서 주어로 쓰인 it으로 '그것'으로 해석하지 않습니다. '그것'이라는 의미의 인칭대명사와 혼동하지 않도록 주의해야 합니다.

쓰임	예문
날씨	**It**'s foggy and rainy outside. 밖에 안개가 끼고 비가 와요.
시간	**It**'s seven o'clock in the morning here. 여기는 아침 7시야.
요일	**It**'s Monday today. 오늘은 월요일이에요.
날짜	**It**'s December 28th today. 오늘은 12월 28일이에요.
거리	**It**'s about 3 kilometers. 약 3킬로미터예요.
명암	**It**'s already dark outside. 밖이 벌써 어두워졌어.

Plus 2
- 비인칭 주어 it은 날씨, 시간, 요일, 날짜 등을 나타내는 문장에서 주어로 쓰이는 반면 인칭대명사 it은 사물이나 동물을 대신하는 말로 '그것'으로 해석합니다.
  It's very hot these days. 요즘 날씨가 정말 더워요.   **It**'s my favorite dress. 그것은 내가 좋아하는 드레스야.

Warm up

정답 및 해설 p.12

1 다음 우리말과 같은 뜻이 되도록, 괄호 안에서 알맞은 것을 고르세요.

01 ((This) / That / It) is my friend, Catherine.
이 아이는 내 친구 Catherine이에요.

02 Is (this / that / it) Friday today?
오늘이 금요일인가요?

03 (This / That / It) is cold and snowy.
춥고 눈이 내려요.

04 I made (this / that / it) cheesecake.
내가 이 치즈 케이크를 만들었어요.

05 (This / That / It) girl is James' sister.
저 소녀는 James의 여동생이야.

06 (This / That / It) looks like my old bike.
저것은 내 옛날 자전거처럼 보여.

07 (This / That / It) is about 5 kilometers.
약 5킬로미터예요.

08 (These / Those) are my grandparents.
이분들이 우리 조부모님들이셔.

09 (These / Those) are my favorite flowers.
저것들은 내가 가장 좋아하는 꽃들이에요.

10 (This / That / It) is September 10th today.
오늘은 9월 10일이에요.

11 I'm not able to solve (these / those) questions.
나는 이 문제들을 풀 수 없어요.

12 (These / Those) seats are only for elderly people.
저 좌석들은 노인들을 위한 거야.

· kilometer 킬로미터 · solve 풀다, 해결하다 · seat 좌석 · elderly 나이가 지긋한, 연세가 든

1 다음 괄호 안에서 알맞은 것을 고르세요.

01 ((This) / These) is a shopping list.

02 Is that (boy / boys) your cousin?

03 I've seen (that / it) woman before.

04 (That / It) takes an hour by subway.

05 Will you water (that / those) plants?

06 (That / Those) are my grandchildren.

07 (That / It) will be Christmas Day soon.

08 Are (this / these) your new sneakers?

09 Is (this / these) bus going downtown?

10 There are holes in these (sock / socks).

11 Is (this / it) going to be sunny tomorrow?

12 Was (this / it) the tenth of July yesterday?

13 This is my room, and (that / those) is my sister's.

14 How much are those (apple / apples) over there?

15 (This / That) is Tom speaking. May I speak to Nancy?

- list 목록   · take (시간이) 걸리다   · water 물을 주다   · plant 식물   · grandchild 손주
- downtown 시내에, 시내로   · hole 구멍

❷ 다음 밑줄 친 부분이 올바르면 ○표, 틀리면 바르게 고치세요.

01 <u>That</u>'s already dark outside.   It

02 I like <u>this</u> jeans a lot.

03 <u>Those</u> was my mentor.

04 How much is that <u>lamps</u>?

05 Did you paint these <u>painting</u>?

06 This <u>ladies</u> is my wife, Rachel.

07 Is <u>this</u> the first Tuesday of May?

08 <u>That</u> was my birthday yesterday.

09 I'll send <u>this</u> cards to my relatives.

10 <u>That</u> people are waiting for the bus.

11 <u>Those</u> are my brothers, Ted and Tim.

12 Can you see that <u>women</u> in a red hat?

13 Is <u>it</u> about five minutes' walk from here?

14 <u>This</u> is your last chance, so don't miss it.

15 <u>This</u> is already 9 o'clock. We had better hurry back home.

• dark 어두운   • mentor 멘토   • relative 친척   • walk 걷기; 산책   • last 마지막의   • chance 기회, 가능성

1 다음 주어진 단어를 이용하여 대화를 완성하세요.

01 A: What time is it now?

B: _____ It is 1:35 _____. (1:35)

02 A: What's the time?

B: _____. (ten past six)

03 A: What day is it today?

B: _____. (Thursday)

04 A: What is today's date?

B: _____. (October 11th)

05 A: Do you have the time?

B: _____. (nearly nine o'clock)

06 A: What is the date today?

B: _____. (the third of May)

07 A: What day of the week is it?

B: _____ today. (Wednesday)

08 A: What was the weather like yesterday?

B: _____ all day. (cloudy)

09 A: How far is it from here to the airport?

B: _____. (about 10 miles)

10 A: How is the weather in New York in winter?

B: _____. (snow, a lot)

11 A: How long does it take to get to the stadium?

B: _____ by bus. (half an hour)

12 A: What's the weather going to be like tomorrow?

B: _____. (really cold)

WORDS

• past (시간이) ~을 지나서 • date 날짜 • nearly 거의 • far 먼; 멀리 • stadium 경기장

❷ 다음 우리말과 같은 뜻이 되도록, 주어진 단어를 바르게 배열하여 문장을 완성하세요.

01 오늘은 일요일인가요? (Sunday, it, is)

→ _____ Is it Sunday _____ today?

02 저것들은 소나무야. (pine trees, those, are)

→ _____.

03 지금은 5시 20분이에요. (is, twenty, it, five)

→ _____ now.

04 약 100미터예요. (about, is, 100 meters, it)

→ _____.

05 오늘은 바람이 불고 비가 내려요. (is, windy, it, rainy, and)

→ _____ today.

06 나는 저기 있는 저 남자를 몰라요. (know, man, don't, that, I)

→ _____ over there.

07 저것은 내 자동차 열쇠가 아니에요. (car key, not, that, my, is)

→ _____.

08 이 아이들이 우리 반 친구들이에요. (are, these, classmates, my)

→ _____.

09 그는 저 상자들을 혼자 옮기지 못해요. (can't, boxes, he, move, those)

→ _____ alone.

10 내가 이 블루베리 머핀들을 만들었어. (blueberry muffins, made, I, these)

→ _____.

11 우리 엄마가 내게 이 목걸이를 사 주셨어. (Mom, me, this, bought, necklace)

→ _____.

12 이곳이 우리 마을에서 내가 가장 좋아하는 곳이야. (my, is, place, favorite, this)

→ _____ in my town.

· pine 소나무   · necklace 목걸이

UNIT 03

재귀대명사

'재귀'는 원래의 자리로 되돌아온다는 뜻으로 주어가 하는 동작 대상이 주어 자신일 때 사용하며, 주어나 보어, 목적어를 강조할 때 사용하기도 합니다.

1 재귀대명사의 형태

재귀대명사는 인칭대명사의 소유격 또는 목적격에 −self(단수) 또는 −selves(복수)를 붙여서 만들고, '~자신'이라는 뜻을 나타냅니다.

인칭	1인칭	2인칭	3인칭
단수	myself	yourself	himself, herself, itself
복수	ourselves	yourselves	themselves

2 재귀대명사의 쓰임

① 재귀적 용법: 주어가 하는 동작의 대상이 목적어 자신일 때 사용

쓰임	예문
동사의 목적어	Dave taught **himself** the guitar. Dave는 기타를 독학으로 배웠어. I burned **myself** on the stove. 나는 가스레인지에 데었어요.
전치사의 목적어	Betty always talks about **herself**. Betty는 항상 자신에 대해서 이야기해요. You should be proud of **yourself**. 너는 너 자신을 자랑스럽게 여겨야 해.

Plus 1

- 「동사+재귀대명사」 형태로 자주 쓰이는 동사
  - hurt oneself: 다치다
  - introduce oneself: 소개하다
  - help yourself (to): 마음껏 먹다
  - make oneself at home: 편하게 하다
  - cut oneself: 베이다
  - kill oneself: 자살하다
  - dress oneself: 옷을 입다
  - teach oneself: 독학하다
  - talk[speak] to oneself: 혼잣말하다
  - enjoy oneself: 즐거운 시간을 보내다

② 강조 용법: 주어, 목적어, 보어를 강조하기 위해 사용, 생략 가능하며 재귀대명사는 강조하는 말 바로 뒤 또는 문장 맨 뒤에 위치

쓰임	예문
주어 강조	Joe **himself** fixed the computer. Joe가 직접 그 컴퓨터를 고쳤어.
목적어 강조	They wanted to see Mike **himself**. 그들은 Mike 자신을 보고 싶어했다.
보어 강조	The lady is our principal **herself**. 그 부인이 바로 우리 교장 선생님이셔.

3 관용 표현

표현	예문
by oneself: 혼자서(=alone), 홀로	She lives **by herself** in the country. 그녀는 시골에서 혼자 살아요.
for oneself: 자기 힘으로, 스스로	You should finish this **for yourself**. 너는 혼자 힘으로 이것을 끝내야 해.
in itself: 본래, 그 자체로	Your plan **in itself** is not bad at all. 너의 계획은 그 자체로는 전혀 나쁘지 않아.
of itself: 저절로	The light went out **of itself**. 불이 저절로 꺼졌어.
beside oneself: 제정신이 아닌	He was **beside himself** with anger. 그는 화가 나서 제정신이 아니었어.
between ourselves: 우리끼리 이야기인데	Let's keep this **between ourselves**. 이건 우리끼리 이야기로 하자.

Warm up

① 다음 우리말과 같은 뜻이 되도록, 괄호 안에서 알맞은 것을 고르세요.

01 a. Did you hurt (you / (yourself))?
너 다쳤니?

b. Did James hurt (you / yourself)?
James가 너를 다치게 했니?

02 a. My cat is licking (it / itself).
내 고양이가 자기 몸을 핥고 있어요.

b. I have a cat, and I love (it / itself)
나는 고양이가 있는데, 나는 그것을 정말 좋아한다.

03 a. I baked the cookies (me / myself).
내가 직접 그 쿠키들을 구웠어.

b. Mom baked (me / myself) chocolate cookies.
우리 엄마가 나에게 초콜릿 쿠키를 구워주셨어요.

04 a. Jessica looked at (her / herself) in the mirror.
Jessica는 거울에 비친 자신의 모습을 보았어요.

b. Dave looked at (her / herself) with suspicion.
Dave는 의혹에 찬 눈으로 그녀를 바라보았어요.

05 a. We painted the house (us / ourselves).
우리가 직접 그 집에 페인트를 칠했어요.

b. Mark helped (us / ourselves) move the sofa.
Mark는 우리가 소파를 옮기는 것을 도와줬어요.

06 a. Alex often talks to (him / himself).
Alex는 종종 혼잣말을 해요.

b. Emma hasn't talked to (him / himself) since last week.
Emma는 지난주 이후로 그에게 말을 하고 있지 않아요.

07 a. The kids decorated the Christmas tree (them / themselves).
아이들이 크리스마스트리를 직접 장식했어요.

b. Steven dropped his glasses and broke (them / themselves).
Steven이 안경을 떨어뜨려서 깨져버렸어요.

WORDS

· lick 핥다　　· suspicion 의심, 불신; 혐의　　· decorate 장식하다

❶ 다음 빈칸에 알맞은 재귀대명사를 쓰세요.

01 You had better take care of ____yourself____. (you = 단수)

02 Betty calls _____ a princess.

03 The movie _____ was very boring.

04 He introduced _____ as our new teacher.

05 The six-year-old girl wrote this letter _____.

06 Mr. Robinson lives by _____ in a huge house.

07 The children are enjoying _____ at the beach.

08 I'm teaching _____ to cook with recipe books.

09 My sister and I did all the house chores _____.

10 You shouldn't blame _____ for the accident. (you = 단수)

11 My computer turned _____ off when I was doing my report.

12 He had a bad injury, so I _____ drove him to the hospital.

13 We treated _____ to a nice dinner at the French restaurant.

14 The boys prepared dinner _____ because their parents were out.

15 I'd like to welcome you all to my house. Please make _____ at home. (you = 복수)

· huge 거대한　　· recipe 요리[조리]법　　· blame 탓하다　　· injury 부상, 상처　　· treat (~ to) 대접하다, 한턱내다

❷ 다음 우리말과 같은 뜻이 되도록, 어법상 <u>어색한</u> 부분을 찾아 바르게 고치세요.

01 Just beside ourselves, Sam is a big liar.   beside → between
우리끼리 얘기인데, Sam은 허풍쟁이야.

02 My tooth fell out for itself.
내 이가 저절로 빠졌어요.

03 I bought a nice present for me.
나는 나 자신을 위해 멋진 선물을 샀어.

04 Abigail is angry with her, not you.
Abigail은 네가 아니라 그녀 자신에게 화가 나 있어.

05 Did you paint the picture in yourself?
너는 그 그림을 혼자 힘으로 그렸니?

06 My brothers built this cottage themself.
우리 형들이 직접 이 오두막을 지었어요.

07 Believe in yourself. Anything is possible.
여러분들 자신을 믿으세요. 무엇이든 가능합니다.

08 His parents are in themselves with worry.
그의 부모님은 걱정으로 제 정신이 아니셔.

09 My father him fixes everything in the house.
우리 아버지는 집에 있는 모든 것을 직접 고치셔.

10 My car stopped it because it was out of gas.
기름이 떨어져서 내 차가 서 버렸어요.

11 We helped itself to the free drinks at the party.
우리는 파티에서 공짜 음료를 마음껏 먹었어.

12 I accidentally cut myselves while I was using scissors.
나는 가위를 쓰다가 잘못해서 손을 베었어.

· cottage 오두막   · believe in ~을 믿다   · anything 무엇이든, 아무것   · possible 가능한   · worry 걱정
· be out of ~ ~가 떨어지다   · accidentally 잘못하여

Check up & Writing

1 다음 빈칸에 알맞은 말을 보기에서 골라 적절한 형태로 고쳐 대화를 완성하세요.

[01-06] 보기

| help oneself | kill oneself | enjoy oneself |
| talk to oneself | introduce oneself | teach oneself |

01 A: Say it again. I didn't hear you.
B: Never mind. I just _____talked to myself_____.

02 A: Can I have one of these cookies?
B: Please _____.

03 A: How was your trip to New York?
B: We _____ very much.

04 A: Where did Mary learn Spanish?
B: She _____ through the Internet.

05 A: Ashley, will you _____ to classmates?
B: Yes. I'm a new student. My name is Ashley Lewis.

06 A: Hemingway was a great writer. When and how did he die?
B: He _____ at the age of 61.

[07-12] 보기

| by oneself | for oneself | in oneself |
| of oneself | beside oneself | between oneself |

07 A: I'd like to tell Mom our plan first.
B: No. Let's keep it _____ for now.

08 A: If you need my hand, let me know.
B: Thank you, but I want to finish this _____.

09 A: Why did you open the door?
B: I didn't open it. The door opened _____ suddenly.

10 A: What do you think of my idea?
B: Your idea is good _____, but it needs a lot of time.

11 A: How did you guys feel when you won the finals?
B: We were _____ with joy.

12 A: Where are the kids?
B: They're playing _____ in the living room.

WORDS

· never mind 신경 쓰지 마라   · through ~을 통해   · suddenly 갑자기   · joy 기쁨

❷ 다음 우리말과 같은 뜻이 되도록, 주어진 단어와 재귀대명사를 이용하여 문장을 완성하세요.

01 내가 이 시들을 직접 썼어. (poems)

→ I __wrote__ __these__ __poems__ __myself__ .

02 그 개가 자기 몸을 긁고 있어요. (scratch)

→ The dog _____ _____ _____ .

03 Eric은 항상 자신만 생각해. (think about)

→ Eric always only _____ _____ _____ .

04 너희가 직접 그 사고를 목격했니? (see, the accident)

→ Did you _____ _____ _____ _____?

05 Greg은 거울에 비친 자신의 모습에 미소를 지었어요. (smile at)

→ Greg _____ _____ _____ in the mirror.

06 나는 여기에 혼자 있기 싫어. (stay here)

→ I don't want to _____ _____ _____ .

07 그들은 축구 경기를 하는 동안 다쳤어요. (hurt)

→ _____ _____ _____ during the soccer match.

08 Emma가 직접 펑크 난 타이어를 갈았어요. (change, the flat tire)

→ Emma _____ _____ _____ _____ _____ .

09 개는 본래 친근한 동물이에요. (friendly, animal)

→ The dog is _____ _____ _____ _____ _____ .

10 코트를 벗으시고 편히 계세요. (make)

→ Take off your coat, and _____ _____ _____ .

11 그 남자가 바로 우리의 새로운 선생님이셨어. (new teacher)

→ The man was _____ _____ _____ .

12 그런 식으로 행동하다니 너는 너 자신이 부끄러운 줄 알아야 해. (be ashamed of)

→ You should _____ _____ _____ _____ for doing that way.

WORDS

•poem 시   •scratch 긁다   •change 바꾸다, 교체하다   •flat 펑크 난   •ashamed 부끄러운, 창피한

1 다음 괄호 안에서 알맞은 것을 고르세요.

01 Nobody believes ((his) / him) story.

02 His work is complete (beside / in) itself.

03 Could you visit (our / us) next Saturday?

04 Look at those (bird / birds) on the tree.

05 Mark ate (of / by) himself at the restaurant.

06 This is your notebook, and that is (my / mine).

07 (This / It) was windy, and (he / him) felt cold.

08 (This / These) are my children, Brian and Alice.

09 You should do it (you / yourself). No one will do it for you.

10 (That / Those) is a birthday gift from (my / me) friend.

11 (It / That) is getting dark. (We / Our) should go home now.

12 I didn't bring an umbrella, so Susan lent (her / hers) to me.

13 You don't have to treat me to dinner. I'll pay for (me / myself).

14 Allen and Jenny are expecting (their / them) baby on Christmas Day.

15 Jess and Monica really enjoyed (them / themselves) at the New Year's party.

· complete 완벽한, 완전한 · expect 예상하다, 기대하다

❷ 다음 밑줄 친 부분이 올바르면 ○표, 틀리면 바르게 고치세요.

01 Do you remember <u>myself</u>?   me

02 Is <u>this</u> Thursday today?

03 Are <u>these</u> your new pants?

04 Will you pass me that <u>bottles</u>?

05 <u>That</u> was January 30th yesterday.

06 How much are these <u>watermelon</u>?

07 The principal <u>him</u> gave me the prize.

08 Can you see <u>those</u> cat? It's very cute.

09 Chuck taught <u>himself</u> to play the drums.

10 The teacher told <u>their</u> to sit up and listen.

11 Please help <u>you</u> to the food and beverages.

12 I've left my phone at home. Can I borrow <u>your</u>?

13 The film <u>it</u> wasn't very good, but I liked the actor.

14 Patrick is losing <u>his</u> hair because of much stress.

15 Ross and I went to the same elementary school.
    But <u>they</u> don't know each other well.

· watermelon 수박   · principal 교장   · prize 상   · sit up 바로 앉다   · beverage 음료   · stress 스트레스

❸ 다음 우리말과 같은 뜻이 되도록, 주어진 단어를 이용해서 문장을 완성하세요.

01 Nick은 면도를 하다가 베였어요. (cut)

→ Nick ___cut___ ___himself___ while he was shaving.

02 오늘은 11월 3일이에요. (November 3rd)

→ _____ _____ _____ _____ today.

03 내가 직접 이 파스타를 요리했어요. (pasta)

→ I _____ _____ _____ _____.

04 거북이 그것의 등껍질 안에 숨어 있어요. (hide, in, shell)

→ The turtle is _____ _____ _____ _____.

05 그들은 슬픔으로 제정신이 아니었어요. (with, sadness)

→ They _____ _____ _____ _____ _____.

06 그녀가 직접 그 이야기를 나에게 얘기해 줬어요. (tell, the story)

→ She _____ _____ _____ _____ _____.

07 이것들은 그들을 위한 쿠키와 음료수예요. (cookies, drinks)

→ _____ _____ _____ _____ _____ for them.

08 시청까지 30분이 걸려요. (take, half an hour)

→ _____ _____ _____ _____ _____ to City Hall.

09 저기에 있는 저것이 내 겨울 코트인가요? (winter coat)

→ _____ _____ _____ _____ _____ over there?

10 저 사람들은 야구 표를 사려고 기다리고 있어. (people, wait for)

→ _____ _____ _____ _____ _____ baseball tickets.

11 우리끼리 얘긴데, 중학교 때 나는 그를 좋아했었어. (like)

→ _____ _____, _____ _____ _____ when I was in middle school.

12 이것은 내 교과서가 아니에요. 내 것은 저 가방에 있어요. (textbook)

→ _____ _____ _____ _____ _____. _____ _____ in that bag.

WORDS

· shave 면도하다　　· shell 껍질, 껍데기　　· sadness 슬픔

❹ 다음 우리말과 같은 뜻이 되도록, 주어진 단어를 바르게 배열하여 문장을 완성하세요.

01 우리가 직접 파티를 계획하자. (plan, ourselves, Let's, party, a)

➜ _____ Let's plan a party ourselves _____.

02 오늘이 너의 생일이니? (birthday, it, your, is)

➜ _____ today?

03 제가 저 드레스를 입어 봐도 될까요? (try on, dress, that)

➜ Can I _____?

04 나는 이곳 지리를 잘 몰라요. (this, familiar with, place)

➜ I'm not _____.

05 어제는 화창하고 바람이 많이 불었어요. (was, and, sunny, windy, it)

➜ _____ yesterday.

06 저 아이들이 나와 가장 친한 친구들이에요. (are, best friends, those, my)

➜ _____.

07 우리 오빠는 자신을 천재라고 불러. (calls, a, himself, genius)

➜ My brother _____.

08 Kevin은 드럼과 기타를 독학했어요. (himself, taught, drums, the, guitar, the, and)

➜ Kevin _____.

09 그 산을 오를 때 나는 내 자신과 싸워야만 했어. (had to, fight against, I, myself)

➜ _____ when I climbed the mountain.

10 우리 지붕은 녹색이고, 그들의 것은 빨간색이야. (roof, green, is, red, our, theirs, is)

➜ _____, and _____.

11 그의 부모님이 이 집을 직접 지으셨어. (built, house, parents, his, this, themselves)

➜ _____.

12 Julia는 자신의 일을 그만두고 혼자서 여행을 갔어요. (her, quit, by, went on a trip, job, herself)

➜ Julia _____ and _____.

WORDS

・try on 입어 보다　　・familiar with ~에 익숙한, 잘 아는　　・genius 천재　　・fight 싸우다　　・against ~에 맞서

・quit 그만두다

[1-4] 다음 빈칸에 들어갈 말로 알맞은 것을 고르세요.

Note

1 _____ cake tastes too sweet.

① It   ② This   ③ They
④ These   ⑤ Those

1
뒤에 단수명사가 있어요.

2 _____ is cold and rainy outside.

① It   ② This   ③ That
④ These   ⑤ Those

2
날씨를 나타내는 문장의 주어로 오는 대명사를 생각해 보세요.

3 Sam and I went on a picnic. _____ had a good time.

① I   ② He   ③ We
④ You   ⑤ They

3
1인칭 복수 주격 대명사를 고르세요.

4 I looked at _____ in the mirror.

① I   ② my   ③ me
④ mine   ⑤ myself

4
주어와 목적어가 같은 대상이에요.

[5-6] 다음 빈칸에 들어갈 말이 바르게 짝지어진 것을 고르세요.

5 Ted left ___(A)___ wallet at home. So ___(B)___ had to borrow some money from Sarah.

    (A)   (B)
① his   -   he
② him   -   he
③ his   -   his
④ himself   -   his
⑤ himself   -   him

5
(A) 뒤에 오는 명사와 소유 관계를 나타내고, (B) 문장의 주어 자리예요.

정답 및 해설 p.16

6

> This is not ____(A)____ umbrella. Is it ____(B)____ ?

	(A)		(B)
①	my	-	you
②	my	-	your
③	my	-	yours
④	me	-	yours
⑤	me	-	yourself

Note

6
(A) 뒤에 오는 명사와 소유 관계를 나타내고, (B) 「소유격+명사」의 의미를 나타내는 대명사가 필요해요.

7 다음 빈칸에 공통으로 들어갈 말로 알맞은 것은?

> • I baked these muffins for you. Help _____.
> • Be careful with the knife. You may cut _____.

① you   ② them   ③ myself
④ yourself   ⑤ ourselves

7
주어와 목적어가 같은 대상이에요.

8 다음 우리말을 영어로 잘못 옮긴 것은?

① 7월 27일이에요.
  → It is the 27th of July.
② 이 책들은 우리 것이 아니야.
  → These books are not ours.
③ 저 아이가 Brian의 남동생이니?
  → Is that Brian's brother?
④ 그가 그들을 수영장까지 태워다 줄 거야.
  → He'll give their a ride to the pool.
⑤ 그 어린 소녀가 직접 이 그림을 그렸어요.
  → The little girl drew this picture herself.

8
pool 수영장

[9–12] 다음 밑줄 친 부분이 잘못된 것을 고르세요.

9
① I bought <u>me</u> a nice watch.
② Did you see the actor <u>himself</u>?
③ I'll help <u>you</u> with the homework.
④ Alice invited <u>them</u> to her wedding.
⑤ Mom burned <u>herself</u> while she made spaghetti.

9
주어와 목적어의 관계를 파악하세요.

10
① Are <u>these</u> your sunglasses?
② Dad and I planted <u>those tree</u>.
③ <u>That man</u> stole my smartphone.
④ I got <u>this</u> from my grandparents.
⑤ <u>It</u>'s going to be snowy this afternoon.

11
① What's <u>your</u> favorite food?
② The bike is not mine. It's <u>her</u>.
③ A seagull catches fish with <u>its</u> beak.
④ Peter is not honest. I don't trust <u>him</u>.
⑤ They are my neighbors, but I don't know <u>them</u>.

[12–13] 다음 문장의 밑줄 친 부분과 쓰임이 <u>다른</u> 것을 고르세요.

12

> <u>It</u> is 12 o'clock now.

① <u>It</u> is not Tuesday today.
② <u>It</u> is not your backpack.
③ <u>It</u> is already dark outside.
④ <u>It</u> was February 23rd yesterday.
⑤ <u>It</u> is about 5 miles from here to the park.

13

> Cindy calls <u>herself</u> a supermodel.

① She hurt <u>herself</u> when she was playing tennis.
② Greg doesn't like to talk about <u>himself</u>.
③ We should be proud of <u>ourselves</u>.
④ Let me introduce <u>myself</u> to you.
⑤ You should do it <u>yourself</u>.

Note

10
지시대명사나 형용사가 지시하는 대상의 수를 확인하세요.
plant (나무 등을) 심다

11
대명사가 문장에서 하는 역할을 생각해 보세요.
seagull 갈매기
beak 부리

12
주어진 문장은 시간을 나타내는 문장에요.
packsack 배낭

13
주어진 문장은 주어와 목적어가 같은 대상이에요.
supermodel 슈퍼모델

14 다음 대화 중 자연스럽지 <u>않은</u> 것은?

① A: Will you help me move this table?
  B: No problem.
② A: Did you have a good time at the party?
  B: Yes. I really enjoyed myself.
③ A: When is your birthday?
  B: It's May 5th.
④ A: Are these your father's book?
  B: No. They're mine.
⑤ A: Who made this bracelet?
  B: I made it myself.

Note

14
대명사가 지시하는 대상의 수를 확인하세요.

15 다음 빈칸에 알맞은 인칭대명사를 쓰세요.

1) | Mr. Green teaches us history. _____ is a good teacher. |

2) | Those are Mike and Paul. I'm very close with _____. |

3) | He is beside _____ with excitement. |

15
1) 문장의 주어 자리이고, Mr. Green을 대신해서 사용할 수 있는 대명사를 쓰세요.
2) 전치사의 목적어 자리이고, Mike와 Paul을 대신해서 사용할 수 있는 대명사를 쓰세요.
3) 재귀대명사 관용 표현이에요.

16 다음 문장에서 어법상 <u>어색한</u> 곳을 찾아 바르게 고치세요.

1) | This story is between ours. |

2) | I grow these tomato myself. |

3) | My cap is red, and your is blue. |

16
1) 재귀대명사 표현이에요.
2) these는 복수명사를 수식하는 지시형용사예요.
3) your cap을 대신하는 소유대명사가 와야 해요.

[17-18] 다음 우리말과 같은 뜻이 되도록, 주어진 단어를 이용하여 문장을 완성하세요.

17 여러분은 자신을 사랑해야 해요. (should, love)

➜ _____.

18 저 신발들은 그의 것이 아니에요. (shoes)

➜ _____.

[19-20] 다음 우리말과 같은 뜻이 되도록, 주어진 단어를 바르게 배열하여 문장을 완성하세요.

19 Jones는 종종 혼잣말을 해요. (Jones, himself, often, to, talks)

➜ _____.

20 그녀는 홀로 큰 집에 살아요. (she, by, a, big, lives in, house, herself)

➜ _____.

Note

17
주어와 목적어가 같은 대상이에요.

18
멀리 있는 대상을 지칭하고 복수명사를 수식하는 지시형용사와 '그의 것'이라는 의미의 소유격 대명사를 이용해야 해요.

19
often은 일반동사 앞에 위치해요.

Review test

정답 및 해설 p.17

1 다음 괄호 안에서 알맞은 것을 고르세요.

01 (A milk / (Milk)) is good for our health.

02 My sister is studying in (Sydney / sydney).

03 These are my (brothers' / brothers's) rooms.

04 This copy machine is out of (paper / papers).

05 I don't get any (holidays / holidaies) until Christmas.

06 Mom is boiling ten (potatos / potatoes) on the stove.

07 The girl picked up some red (leafs / leaves) from the ground.

08 The store sells (women' / women's) clothing and accessories.

09 The teacher gave his students (two advices / two pieces of advice).

10 That book is about (a friendship / friendship) between a boy and a dog.

2 다음 우리말과 같은 뜻이 되도록, 주어진 단어를 이용하여 문장을 완성하세요.

01 저것이 Richard의 새 자동차야. (Richard, new)

→ That is _Richard's_ ___new___ ___car___.

02 이것이 오늘의 신문이니? (today, newspaper)

→ Is this _____ _____?

03 Sanderson 씨는 다섯 명의 아이가 있어요. (have, child)

→ Mr. Sanderson _____ _____ _____.

04 여종업원이 바닥에 접시 두 개를 떨어뜨렸어요. (drop, dish)

→ The waitress _____ _____ _____ on the floor.

05 여러분의 돈과 시간을 낭비하지 마세요. (waste)

→ Don't _____ _____ _____ _____.

06 Robin은 아침에 두 잔의 물을 마셔요. (drink, water)

→ Robin _____ _____ _____ _____ _____ in the morning.

07 Ann은 자신의 샌드위치에 치즈 한 장을 넣었어요. (put, cheese)

→ Ann _____ _____ _____ _____ _____ into her sandwich.

Review test

1 다음 빈칸에 알맞은 말을 보기에서 찾아 쓰세요. (×는 필요 없는 경우를 뜻함)   Chapter 2

보기

| a   an   the   × |

01 Do you have ___a___ dollar?

02 A lot of animals live under _____ sea.

03 Let's invite them to _____ dinner tonight.

04 A hen usually lays _____ egg _____ day.

05 The kids are playing _____ soccer in the rain.

06 _____ food in the French restaurant is really good.

07 Peterson works as _____ architect at a building company.

08 My neighbor has _____ dog. _____ dog barks loudly at night.

2 다음 우리말과 같은 뜻이 되도록, 주어진 단어를 이용하여 문장을 완성하세요.

01 후추 좀 건네줄래? (pass, pepper)

➡ Will you ___pass___ ___me___ ___the___ ___pepper___ ?

02 나는 지하철을 타고 학교에 가요. (go to, subway)

➡ I _____ _____ _____ _____ .

03 그녀는 일주일에 4일 운동해요. (exercise, days)

➡ She _____ _____ _____ _____ .

04 나는 언젠가 세계여행을 할 거야. (travel, around)

➡ I'll _____ _____ _____ _____ someday.

05 Kate는 다섯 살 때부터 피아노를 쳐왔어요. (play, piano)

➡ Kate has _____ _____ _____ since she was five.

06 Ricardo는 브라질 출신이고, 포르투갈어를 써요. (be from, Brazil, speak, Portuguese)

➡ Ricardo _____ _____ and _____ _____ .

07 Jason은 노부인에게 그의 자리를 양보했어요. (seat, old, woman)

➡ Jason gave _____ _____ to _____ _____ .

Words	dollar 달러 under ~ 아래에 hen 암탉 lay (알을) 낳다 pepper 후추 someday 언젠가 Portuguese 포르투갈어
	give one's seat to ~에게 자리를 양보하다

❶ 다음 괄호 안에서 알맞은 것을 고르세요.   Chapter 3

01 James is very funny. I like ((him) / his).

02 Good-bye. Take good care of (you / yourself).

03 Let's go home. (This / It) is already 7 o'clock.

04 Look at (that / those) puppy! (It / Its) is so cute.

05 Max (himself / itself) made earrings for his girlfriend.

06 Ed and I like movies. (We / He) often go to the movies.

07 Mom baked apple pies. I helped (me / myself) to them.

08 I don't think we've met before. Do I know (your / you)?

09 This is (between / beside) ourselves. Don't talk to anyone about it.

10 Jacob didn't bring his lunch. So Kelly shared (her / hers) with him.

❷ 다음 우리말과 같은 뜻이 되도록, 주어진 단어를 이용하여 문장을 완성하세요.

01 나 그냥 혼잣말했어. (talk to)
→ I just __talked__ __to__ __myself__.

02 저 청바지는 구식이야. (jean, old-fashioned)
→ _____ _____ _____ _____.

03 밖은 바람이 많이 불어. (windy)
→ _____ _____ _____ outside.

04 아이들은 그네에서 즐거운 시간을 보내고 있어요. (enjoy)
→ Children _____ _____ _____ on the swings.

05 이 책이 내 가방에 있었어. 그것이 너의 것이니? (in, bag)
→ _____ _____ was _____ _____ _____. Is it _____?

06 Bill과 Grace는 그들의 새 아파트로 이사할 거예요. (move to, apartment)
→ Bill and Grace will _____ _____ _____ _____ _____.

07 우리 할머니가 나에게 저 멋진 스웨터를 만들어 주셨어. (make, nice, sweater)
→ My grandmother _____ _____ _____ _____ _____.

1 다음 밑줄 친 부분을 바르게 고쳐 쓰세요. Chapter 1-3

01 The light went out of <u>it</u>.   itself

02 The girl is folding <u>a paper</u>.

03 <u>This</u> is a beautiful sunny day.

04 These <u>flower</u> smell like chocolate.

05 Christine studies at home by <u>her</u>.

06 My phone is dead. Can I use <u>your</u>?

07 I hurt <u>me</u> while I was riding a bike.

08 Please don't put <u>peppers</u> in my soup.

09 Harry ate two <u>bowl of rices</u> quickly.

10 Will you turn down <u>a radio</u>? It's too loud.

11 The shepherd stays with the <u>sheeps</u> all day.

12 There are three <u>pianoes</u> in the music room.

13 You can make foreign friends through <u>Internet</u>.

14 After a short chase, the police caught three <u>thiefs</u>.

15 I borrowed <u>Jenny' bike</u> because mine was broken.

Words   fold 접다   dead 죽은; 작동을 안 하는   shepherd 양치기   foreign 외국의   chase 추격, 추적

② 다음 우리말과 같은 뜻이 되도록, 주어진 단어를 바르게 배열하여 문장을 완성하세요.

01 편안하게 계세요. (at, yourselves, make, home)

→ Please _____ make yourselves at home _____.

02 그들은 매주 일요일 교회에 가요. (they, church, to, go)

→ _____ every Sunday.

03 버스로 한 시간이 걸려요. (an, it, by, hour, takes, bus)

→ _____.

04 William은 명품 시계를 수집해요. (collects, watches, luxury)

→ William _____.

05 저분들이 저의 조부모님이세요. (are, grandparents, those, my)

→ _____.

06 Tim은 대게 저녁에 TV를 봐요. (TV, the, watches, evening, in)

→ Tim usually _____.

07 그 시점은 아동용 도서만 판매해요. (children's, sells, books)

→ The bookstore only _____.

08 New York과 Chicago는 미국에 있는 대도시예요. (big, in the USA, cities)

→ New York and Chicago are _____.

09 우리 아버지는 우리 집을 직접 설계하셨어요. (our, himself, house, designed)

→ My father _____.

10 나는 나 자신에게 한턱내는 기분으로 근사한 저녁을 먹었어. (myself, I, treated)

→ _____ to a nice dinner.

11 우리는 일주일에 네 개의 영어 수업이 있어요. (have, English classes, week, four, a)

→ We _____.

12 나는 어젯밤에 야구 경기를 봤어. 그 경기는 흥미진진했어. (game, the, a, game, baseball)

→ I saw _____ last night. _____ was exciting.

[1–2] 다음 명사의 복수형이 <u>잘못</u> 연결된 것을 고르세요.

1
① hero - heroes
② lady - ladies
③ peach - peaches
④ woman - women
⑤ monkey - monkeis

2
① fish - fish
② wife - wifes
③ mouse - mice
④ class - classes
⑤ goose - geese

[3–6] 다음 빈칸에 들어갈 말로 알맞은 것을 고르세요.

3

| I blamed _____ for the mistake. |

① I   ② my   ③ me
④ mine   ⑤ myself

4

| _____ was April 21st yesterday. |

① It   ② This   ③ That
④ These   ⑤ Those

5

| _____ clothes are too big for you. |

① It   ② This   ③ That
④ They   ⑤ These

6

| The door opened _____ itself. |

① by   ② of   ③ in
④ beside   ⑤ between

[7–9] 다음 빈칸에 들어갈 말이 바르게 짝지어진 것을 고르세요.

7

| • Can I have some _____?
• The students have to wear _____ uniform. |

① coffee - a   ② coffee - an
③ coffee - the   ④ coffees - a
⑤ coffees - an

8

| • I left my umbrella at home. Can I use _____?
• Our children cleaned the whole house _____. |

① your - their
② your - them
③ your - themselves
④ yours - themselves
⑤ yours - them

9

| A: Do you know _____ boy over there?
B: Yes. He is _____ twin brother. |

① it - Jane'
② this - Jane'
③ this - Jane's
④ that - Jane'
⑤ that - Jane's

[10–11] 다음 중 빈칸에 들어갈 말이 나머지 넷과 <u>다른</u> 것을 고르세요.

10 ① Brandon ate a _____ of cold pizza.

② I need a _____ of paper and a pen.

③ Mom gave me a _____ of advice about study.

④ He put a _____ of cheese into the scrambled egg.

⑤ I'd like to have a _____ of juice and a sandwich.

11 ① Will you close _____ door?

② _____ flowers in the vase are tulips.

③ There are a lot of stars in _____ sky.

④ I'm going to send this file by _____ email.

⑤ You had better not play _____ piano at night.

[12–13] 다음 밑줄 친 부분과 쓰임이 같은 것을 고르세요.

12

I visit my grandparents once <u>a</u> week.

① A giraffe is <u>a</u> gentle animal.

② I ate <u>an</u> orange after lunch.

③ Becky has <u>a</u> brother and two sisters.

④ Sam is <u>a</u> waiter in a small restaurant.

⑤ She invites her friends to her house three times <u>a</u> month.

13

My little brother made this kite <u>himself</u>.

① Samantha taught <u>herself</u> Spanish.

② Please help <u>yourself</u> to the cookies.

③ I fixed the broken computer <u>myself</u>.

④ Mike often calls <u>himself</u> a millionaire.

⑤ They hurt <u>themselves</u> during the football game.

14 다음 우리말을 영어로 잘못 옮긴 것은?

① 나는 출근할 때 라디오를 들어요.
  → I listen to radio when I go to work.

② 너는 오늘 점심을 Steve와 먹었니?
  → Did you have lunch with Steve today?

③ 그 농장에는 20 마리의 사슴이 있어요.
  → There are twenty deer on the farm.

④ 고기에 소금을 좀 뿌릴게.
  → I'll put some salt on the meat.

⑤ 이 양말들은 나의 것이 아니에요.
  → These socks are not mine.

[15–17] 다음 밑줄 친 부분이 <u>잘못된</u> 것을 고르세요.

15 ① Sammy bought <u>a used car</u>.

② The moon shines in <u>the sky</u>.

③ I traveled across Europe <u>by train</u>.

④ My favorite subject is <u>a science</u>.

⑤ Bill is reading a book. <u>The book</u> is about war.

16 ① Is <u>this hat</u> yours or mine?
② These are <u>womans' gloves</u>.
③ The <u>leaves</u> have turned yellow.
④ Jessie bought <u>two loaves of</u> bread.
⑤ My granddad tells us interesting <u>stories</u>.

17 ① I was beside <u>myself</u> when I heard the news.
② Make <u>you</u> at home. I'll get some drinks.
③ Ron spoke with the pop star <u>himself</u>.
④ Matthew sold <u>his</u> old house.
⑤ Don't talk to <u>me</u> like that.

[18-19] 다음 대화 중 자연스럽지 <u>않은</u> 것을 고르세요.

18 ① A: Can I have a cup of tea?
B: Sure. Wait for a moment.
② A: Where did you get the bracelet?
B: I made it myself.
③ A: Will you pass me sugar?
B: Here it is.
④ A: How often do you water the plants?
B: I water them twice a week.
⑤ A: Where is Jacob? Has he gone out?
B: No. He is in the bathroom.

19 ① A: Do you live by yourself?
B: No. I live with my parents.
② A: What time is it now?
B: It's seven o'clock. Let's have dinner.
③ A: Excuse me. Is this phone yours?
B: Yes. It's mine. Thank you.
④ A: What did you buy at the mall?
B: I bought a pair of glass.
⑤ A: Just between ourselves, I think Lucy
likes me.
B: Really? What makes you think so?

20 다음 빈칸에 알맞은 관사를 보기에서 찾아 쓰세요.
(필요 없는 경우 ×)

보기	the an a ×

1) _____ earth is round, not flat.

2) We have _____ exam tomorrow.

3) I play _____ table tennis every
evening.

4) It was _____ great dinner. I really
enjoyed it.

21 다음 주어진 단어를 이용하여 빈칸에 알맞은 말을 쓰
세요.

1) This skirt is not my sister's. It's
_____. (I)

2) We enjoyed _____ at the snow
festival. (we)

3) Tim and Julie really love _____
children. (they)

4) The bird is moving _____ wings
slowly. (it)

[22-24] 다음 밑줄 친 부분을 바르게 고쳐 쓰세요.

22
Students go to ⓐ the school five ⓑ daies a week.

ⓐ _____

ⓑ _____

23
A: Is there something on ⓐ me face?
B: Hmm. You had better look at ⓑ you in the mirror.

ⓐ _____

ⓑ _____

24
A: Is ⓐ these girl your daughter?
B: Yes, she is. What's wrong with ⓑ she?

ⓐ _____

ⓑ _____

[25-27] 다음 우리말과 같은 뜻이 되도록, 주어진 단어를 이용하여 문장을 완성하세요.

25
Nancy는 반 친구들에게 자신을 소개했어요. (introduce)

➡ _____ to the classmates.

26
나는 사과 하나와 물 한 병을 샀어요. (buy)

➡ I _____.

27
그 소년들의 손이 지저분해요. (the boy, hands)

➡ _____ are dirty.

[28-30] 다음 우리말과 같은 뜻이 되도록, 주어진 단어를 바르게 배열하여 문장을 완성하세요.

28
오늘은 4월 10일이에요.
(is, April, it, 10th)

➡ _____ today.

29
이 편지들은 당신 앞으로 온 거예요.
(you, letters, are, these, for)

➡ _____.

30
그는 거리에서 바이올린을 연주하고 있어요.
(is, playing, violin, he, the)

➡ _____
on the street.

여러 가지 의미를 가지는 단어

back	① 다시, 되돌아가[와]서	I will call you **back** later. 내가 다시 전화 할게.
	② 등	They stood **back** to **back**. 그들은 등을 맞대고 서 있었다.
book	① 책	My favorite **book** is *The Little Prince*. 내가 좋아하는 책은 '어린 왕자'예요.
	② 예약하다	I'd like to **book** a flight to New York. 뉴욕행 항공편을 예약하고 싶습니다.
break	① 휴식	Let's take a short **break**. 잠깐 쉬자.
	② 부수다	Ted **broke** his leg while he was skiing. Ted는 스키를 타다가 다리가 부러졌다.
bat	① 박쥐	Is a **bat** a bird or a mammal? 박쥐는 새니 포유류니?
	② 방망이, 배트	Sam hit a ball with a **bat**. Sam은 방망이로 공을 쳤다.
change	① 바꾸다, 변화다; 변화	Rachel **changes** her mind too often. Rachel은 자신의 마음을 너무 자주 바꾼다.
	② 거스름돈	Please keep the **change**. 거스름돈은 가지세요.
fall	① 가을	The leaves turn red and yellow in **fall**. 가을에 나뭇잎들이 빨갛고 노랗게 변한다.
	② 떨어지다	Rain and snow **fall** from the sky. 비와 눈은 하늘에서 떨어진다.
fire	① 불	The **fire** started in the bedroom. 불은 침실에서 시작됐다.
	② 해고하다	The boss **fired** him. 그 상사는 그를 해고했다.
fly	① 날다	Birds **fly** south for the winter. 새들은 겨울을 나기 위해 남쪽으로 날아간다.
	② 파리	There is a **fly** in my soup. 내 수프에 파리 한 마리가 있어요.
free	① 자유로운, 한가한	I'll be **free** tomorrow. 나는 내일 한가할 거야.
	② 무료의	I've got **free** concert tickets. 내게 무료 콘서트 티켓이 있어.
jam	① 교통 체증, 혼잡	There is a heavy traffic **jam**. 교통 체증이 심하다.
	② 잼	I spread apple **jam** on the bread. 나는 빵에 사과잼을 발랐다.
letter	① 편지	He is writing a love **letter** to Jennie. 그는 Jennie에게 연애편지를 쓰고 있다.
	② 글자, 문자	"C" is the third **letter** of the alphabet. C는 알파벳의 세 번째 글자이다.
light	① 전등, 불; 빛	Will you turn off the **light**? 불을 꺼줄래?
	② 가벼운	I'm looking for a **light** winter coat. 나는 가벼운 겨울 외투를 찾고 있어요.
move	① 움직이다	Don't **move** until I tell you. 내가 말할 때까지 움직이지 마.
	② 이사하다	We're going to **move** to Seattle. 우리는 시애틀로 이사할 것이다.
park	① 공원	The children are playing in the **park**. 아이들이 공원에서 놀고 있다.
	② 주차하다	I **parked** my car in front of my house. 나는 집 앞에 차를 주차했어.
pet	① 애완동물	Do you have any **pets**? 너는 애완동물이 있니?
	② 쓰다듬다	The boy is **petting** his puppy. 그 소년은 자신의 강아지를 쓰다듬고 있다.
ring	① 울리다; 전화 벨	The phone is **ringing**. 전화가 울리고 있다.
	② 반지	She has lost her wedding **ring**. 그녀는 결혼반지를 잃어버렸다.
run	① 달리다	He **ran** to the house fast. 그는 집으로 빨리 달려갔다.
	② 흐르다	All rivers **run** into the sea. 모든 강을 바다로 흐른다.
	③ 운영하다	My aunt **runs** a coffee shop. 이모는 커피숍을 운영하신다.

대명사 II

UNIT 01 부정대명사 I

부정대명사는 불특정한 사람이나 사물을 막연하게 지칭하는 대명사입니다.

1 one

one은 앞에서 언급한 명사와 같은 종류의 불특정한 것을 나타내는 대명사로 복수일 경우 ones를 씁니다. 반면 앞에서 언급한 바로 그 사물을 나타내는 경우 it을 씁니다.

	쓰임	예문
one	앞에 언급된 것과 같은 종류의 불특정한 것	I have a white cap. So I'll buy a black **one**. (one=cap) 나는 하얀 야구 모자가 있어. 그러니까 검은색으로 살 거야. He lost his smartphone, and his mother bought him a new **one**. 그가 스마트폰을 잃어버려서 그의 엄마가 새것을 사 주셨어. (one=smartphone) Kelly likes roses, especially red **ones**. (ones=roses) Kelly는 장미꽃 특히 빨간 장미를 좋아해요.
cf. it	앞에 언급된 것과 동일한 것	He has lost his smartphone. He is looking for **it** now. 그는 스마트폰을 잃어버렸어. 그는 지금 그것을 찾고 있어. Sam bought a red rose. He gave **it** to Kelly. Sam은 빨간 장미 한 송이를 샀어. 그는 그것을 Kelly에게 주었어.

2 some/any

전체 중 일부 또는 막연한 수나 양을 나타냅니다. 명사를 수식하는 부정수량 형용사로도 쓰입니다.

	쓰임 및 의미	예문
some	'조금(의)', '몇몇(의)', '어떤 사람들'이라는 의미로 주로 긍정문 또는 권유·부탁을 나타내는 의문문에서 사용	**Some** of the students are late for class. 학생들 중 몇몇은 수업에 늦었어요. I baked cookies. Would you like **some**? 내가 쿠키를 구웠어. 좀 먹을래? I'm going to buy **some** ice cream. 나는 아이스크림을 좀 살 거야.
any	'어떤/어느 ~도', '약간'이라는 의미로 부정문, 의문문, 조건문에서 사용	Catherine doesn't want **any** of these. Catherine은 이것들 중 어떤 것도 원치 않아요. Do you have **any** plans for this weekend? 이번 주말에 (어떤) 계획 있니? If you have **any** questions, raise your hand. (어떤) 질문이 있으면 손을 드세요.
cf. some과 any에 -thing/-body/-one 등과 함께 쓰여 불특정한 사람이나 사물을 지칭		The woman poured **something** in her soup. 그 여성은 수프에 무언가를 부었다. Is there **anyone** at home? 집에 누가 있나요?

Plus 1
- any가 긍정문에 쓰이면 '어떤 ~라도'라는 의미예요.
  Any students use the computer lab. 어떤 학생이라도 컴퓨터실을 이용할 수 있어요.

Warm up

정답 및 해설 p.20

① 다음 우리말과 같은 뜻이 되도록, 괄호 안에서 알맞은 것을 고르세요.

01 Do you have (some / (any)) ideas?
너 무슨 아이디어 있니?

02 Would you like (some / any) bread?
빵 좀 드실래요?

03 If you need a pencil, I will lend you (one / it).
연필이 필요하면 내가 너에게 연필을 빌려줄게.

04 There isn't (some / any) milk in the fridge.
냉장고에 우유가 하나도 없어요.

05 These cucumbers are fresh. I'll buy (some / any).
이 오이들이 신선하네요. 제가 몇 개 살게요.

06 If you need (some / any) help, please let me know.
도움이 필요하면 나에게 알려 줘.

07 Ted has saved (some / any) money for a new bike.
Ted는 새 자전거를 사려고 돈을 좀 모았어요.

08 Alison made me a muffler. I like (it / one) very much.
Alison이 나에게 목도리를 만들어줬어. 나는 그것이 정말 마음에 들어.

09 Alice sold her old computer and bought a new (one / it).
Alice는 자신의 낡은 컴퓨터를 팔고 새것을 샀어요.

10 These jeans are too tight. Do you have bigger (one / ones)?
이 청바지는 너무 껴요. 더 큰 사이즈 있나요?

11 This lamp is too expensive. Do you have a cheaper (one / it)?
이 램프는 너무 비싸네요. 더 싼 것이 있나요?

12 My computer is broken. I should take (it / one) to the repair center.
내 컴퓨터가 고장 났어. 나는 그것을 수리 센터가 가지고 가야 해.

· cucumber 오이   · muffler 머플러, 목도리   · cheap 싼(cheaper 더 싼)   · repair 수리, 수선

① 다음 괄호 안에서 알맞은 것을 고르세요.

01 I don't need (some / any) of these.

02 May I have (some / any) ice water?

03 I saw (something / anything) in the dark.

04 I lost my schoolbag. This is a new (one / it).

05 Was there (somebody / anybody) in the house?

06 (Some / Any) of the books are really interesting.

07 I couldn't solve (some / any) of these questions.

08 Are there (some / any) biscuits left in the kitchen?

09 Would you like (some / any) sugar in your coffee?

10 I'd like two blue pens and three black (one / ones).

11 This cake is delicious. Linda made (one / it) for me.

12 Ed is going to sell his car, and I'm going to buy (one / it).

13 These shoes are too old. I should buy new (one / ones).

14 Angela doesn't have a piano. She wants to have (one / it).

15 Clare chose a red dress, and Sylvia chose a green (one / it).

·(the) dark 어둠   · biscuit 비스킷   · choose 고르다, 선택하다(choose–chose–chosen)

❷ 다음 대화의 빈칸에 알맞은 말을 보기에서 찾아 쓰세요.

보기

      one   ones   it   some   any

01 A: Which coat is yours?

    B: The brown ____one____.

02 A: How was the movie?

    B: _____ was really fun.

03 A: Do you want _____ cake?

    B: Yes, please.

04 A: Mom, these towels are dirty.

    B: Okay. I'll get you clean _____.

05 A: Are there _____ letters for me?

    B: Yes, there is one.

06 A: Where did you get your new dress?

    B: Mom bought _____ for my birthday.

07 A: What are the stains on your shirt?

    B: I spilled _____ of the coffee on it.

08 A: Is there a post office near here?

    B: Yes, there is _____ around the corner.

09 A: Do you have _____ tips for staying healthy?

    B: Yes. I eat right and exercise.

10 A: I've left my wallet at home. I don't have _____ money.

    B: Don't worry. I will lend you _____.

11 A: Why are you so angry with your sister?

    B: Because she used _____ of the money in my piggy bank.

12 A: What will you buy for Mia's birthday?

    B: I heard she lost her umbrella. So I will buy her a new _____.

WORDS

• **towel** 수건, 타월   • **stain** 얼룩   • **spill** 쏟아지다, 흘리다   • **corner** 모퉁이, 구석   • **tip** 조언
• **right** 옳게, 맞게   • **piggy bank** 돼지 저금통

1 다음 우리말과 같은 뜻이 되도록, 부정대명사와 주어진 단어를 이용하여 문장을 완성하세요.

01 너는 팝콘을 좀 원하니? (popcorn)

→ Do you ___want___ ___some___ ___popcorn___ ?

02 당신에게 문제가 생기면 우리에게 이메일을 보내주세요. (have, problems)

→ If you _____ _____ _____, please email us.

03 냉장고에 얼음이 하나도 없어요. (there, ice)

→ _____ _____ _____ _____ in the fridge.

04 몇 명의 학생은 장학금을 받을 거예요. (students, get)

→ _____ _____ _____ _____ a scholarship.

05 연필이 필요하면 내가 너에게 하나 빌려줄게. (lend)

→ If you need a pencil, I will _____ _____ _____.

06 Mike의 개는 내 예전 개를 닮았어. (look like, old)

→ Mike's dog _____ _____ _____ _____ _____.

07 손님들 중 몇 명은 벌써 도착했어요. (the guests)

→ _____ _____ _____ _____ have already arrived.

08 나는 내 전화기를 잃어버렸어. 나는 아직도 그것을 찾고 있어. (look for)

→ I've lost my cell phone. I'm still _____ _____ _____.

09 너는 전에 그 책들 중 어떤 것을 읽은 적이 있니? (the books)

→ Have you _____ _____ _____ _____ _____ before?

10 나는 새 차를 살 형편이 못 돼. 나는 중고차를 살 거야. (a, used)

→ I can't afford a new car. I'm going to _____ _____ _____ _____.

11 Sue는 빨간 사과를 원하지 않아요. 그녀는 초록 사과들을 원해요. (green)

→ Sue doesn't want red apples. _____ _____ _____ _____.

12 어떤 것이 너의 가방이니, 큰 것이니 아니면 작은 것이니? (the, big, small, or)

→ Which is your bag, _____ _____ _____ _____ _____
_____ _____?

WORDS

• popcorn 팝콘   • email 이메일을 보내다   • scholarship 장학금   • afford 형편[여유]이 되다

② **다음 우리말과 같은 뜻이 되도록, 주어진 단어를 바르게 배열하여 문장을 완성하세요.**

01 내 안경이 산산조각 나서 나는 새것을 새야 해. (I, new, buy, ones, should)

➡ My glasses broke into pieces, so _____I should buy new ones_____.

02 너는 외국인 친구가 있니? (any, friends, foreign, have)

➡ Do you _____?

03 디저트 좀 드실래요? (some, would, dessert, like, you)

➡ _____?

04 이 셔츠는 너무 작아요. 큰 게 필요해요. (need, one, a, big, I)

➡ This shirt is too small. _____.

05 어젯밤에 누군가가 내 자전거를 가져갔어. (took, bike, somebody, my)

➡ _____ last night.

06 그 소식을 들었을 때 나는 아무 말도 할 수 없었어. (say, couldn't, anything)

➡ When I heard the news, I _____.

07 이 남자들 중 어떤 사람을 보면 경찰에 전화하세요. (these, of, any, see, men)

➡ If you _____, please call the police.

08 엄마가 나에게 새 침대를 사 주셨는데, 나는 그게 마음에 들지 않아. (I, it, like, don't)

➡ Mom bought me a new bed, but _____.

09 어떤 학생이라도 그 시험에 통과할 수 있어. (students, the, can, any, pass, test)

➡ _____.

10 저 두 소년은 내 남동생들이야. Steve는 왼쪽에 있는 애야. (on, is, the left, one, the)

➡ Those two boys are my brothers. Steve _____.

11 내 친구들 중 몇 명이 내가 이사하는 것을 도와주었어요. (of, friends, some, my, helped)

➡ _____ me move.

12 너는 갈색 장갑을 살 거니 아니면 회색을 살 거니? (buy, or, brown, ones, gloves, gray)

➡ Will you _____?

- **break into pieces** 산산조각이 나다   - **foreign** 외국의   - **dessert** 디저트   - **left** 왼쪽

UNIT 02

부정대명사 II

all, both, each/every, each other/one another는 수나 양 또는 대상의 범위를 나타내는 부정대명사입니다.

1 all, both, each, every

수나 양 또는 대상의 범위를 나타내는 부정대명사이며, 형용사로 쓰여 명사를 수식하기도 합니다.

	쓰임	예문
all	'모두', '모든 것'이라는 의미이며, 사람을 나타내면 복수. 사물이나 상황을 나타내면 단수 취급 *cf.* '모든 ~'이라는 의미로 형용사로 쓰일 경우 뒤에 오는 명사의 수에 따라 수 결정	**All** attended the meeting. 모든 사람들이 그 회의에 참석했어요. **All** of my friends like soccer. 내 친구들은 모두 축구를 좋아해요. **All** of his money is in the bank. 그의 모든 돈은 은행에 있어요. **All** these people are Koreans. 이 모든 사람들이 한국인이에요.
both	'둘 다', '양쪽(의)'이라는 의미이며, 복수 취급	**Both** look good. I can't choose one. 둘 다 좋아 보여. 하나를 못 고르겠어. **Both** of his parents are teachers. 그의 부모님은 두 분 다 선생님이셔. I've lost **both** of my shoes. 나는 내 신발 양쪽을 잃어버렸어요.
each	'각각(의)'이라는 의미이며, 단수 취급	**Each** of us has a different opinion. 우리들 각자는 다른 의견을 가지고 있어요. I said goodbye to **each** of the guests. 나는 각각의 손님에게 작별 인사를 했어요.
every	'모든'이라는 의미이며, 단수 취급 *cf.* 단수명사를 수식하는 형용사로만 쓰임	**Every** child likes ice cream. 모든 아이들이 아이스크림을 좋아해요. **Every** house in the village looks the same. 그 마을이 모든 집이 똑같아 보여.

Plus 1
• every가 '마다'라는 의미로 쓰인 경우는 뒤에 복수명사를 쓸 수 있어요.
The bus for downtown comes every **an** hour. 시내로 가는 버스는 한 시간마다 와요.
Sam calls me once every **three** days. Sam은 3일마다 한 번씩 나에게 전화해요.

2 each other, one another

'서로'라는 의미로 보통 둘일 경우 each other, 셋 이상일 경우 one another를 쓰지만, 종종 구별 없이 사용하기도 합니다.

	예문
each other	Romeo and Juliet loved **each other**. Romeo와 Juliet은 서로 사랑했어요. Jessica and I know **each other** very well. Jessica와 나는 서로 아주 잘 알아요.
one another	We should respect **one another**. 우리는 서로를 존중해야 해요. The children helped **one another** to find a solution. 그 아이들은 해결책을 찾기 위해 서로 도왔어요.

Warm up

① 다음 우리말과 같은 뜻이 되도록, 괄호 안에서 알맞은 것을 고르세요.

01 (All / Every) insects have six legs.
모든 곤충은 다리가 여섯 개예요.

02 (Each / Every) room has a bed.
각 방에는 침대가 하나 있어요.

03 (All / Each) was dark after sunset.
해가 지고 나자 모든 것이 어두웠어요.

04 I know (all / every) student in the school.
나는 학교의 모든 학생들을 알아요.

05 (Each / Both) of us want to win the game.
우리는 둘 다 그 경기에서 이기기를 원해요.

06 I answered (all / every) question carefully.
나는 모든 문제에 신중하게 답했어요.

07 (Both / Each) of us is unique and special.
우리 각자는 독특하고 특별해요.

08 (All / Each) of the students passed the test.
모든 학생들이 그 시험에 통과했어요.

09 (All / Both) my sisters are smart and pretty.
우리 언니 둘 다 똑똑하고 예뻐.

10 (Each / Every) child loves his or her parents.
모든 아이들은 자신들의 부모를 사랑해요.

11 The guests don't know (every / one another).
손님들은 서로 알지 못해요.

12 They don't talk to (each / each other) after a fight.
싸우고 나서 그들은 서로 말하지 않아요.

· insect 곤충   · sunset 일몰   · unique 유일한, 독특한   · special 특별한   · fight 싸움, (말)다툼

❶ 다음 괄호 안에서 알맞은 것을 고르세요.

01 All the work ((is) / are) done well.

02 Both (was / were) born in Canada.

03 My parents trust (each / every) other.

04 Every (day / days) seems the same to me.

05 Each child (has / have) his or her own talent.

06 Matt gets a haircut every two (week / weeks).

07 (Both / Each) of my brothers have blond hair.

08 All (look / looks) fine. Which one should I buy?

09 My three sons take care of (one / each) another.

10 The students listened to her every (word / words).

11 The little girl is holding a candy in each (hand / hands).

12 (All / Each) of the people in the room were watching TV.

13 You should wash (each / every) of them before you use.

14 I burned (both / every) of my hands when I baked bread.

15 Every child over six (has / have) to go to school in the US.

WORDS

· seem ~인 것 같다   · own 자신의   · talent 재능   · blond 금발의   · hold (손 등으로) 잡다, 잡고 있다

❷ 다음 우리말과 같은 뜻이 되도록, 밑줄 친 부분을 바르게 고치세요.

01 Both of us <u>likes</u> skating.　　　　　　　　　　　like
　　 우리는 둘 다 스케이트 타는 것을 좋아해요.

02 All <u>was</u> excited and happy.
　　 모든 사람들은 들뜨고 기뻐했어요.

03 Each question <u>are</u> worth 5 points.
　　 각 문제는 5점이에요.

04 We meet each other every five <u>day</u>.
　　 우리는 서로 5일마다 만나요.

05 I have two uncles. <u>Each</u> are doctors.
　　 나는 삼촌이 두 분 계셔. 두 분 다 의사셔.

06 <u>Both</u> of my friends has a different job.
　　 내 친구들 각각은 다른 직업을 가지고 있어요.

07 He has visited every <u>countries</u> in Asia.
　　 그는 아시아의 모든 나라를 방문했어요.

08 Please read <u>all</u> of the sentences aloud.
　　 각 문장을 소리 내어 읽으세요.

09 All the <u>person</u> in the town like Mrs. Johnson.
　　 마을의 모든 사람은 Johnson 부인을 좋아해요.

10 Every student in my class <u>have</u> a smartphone.
　　 우리 반 모든 학생은 스마트폰을 가지고 있어요.

11 I kiss <u>every</u> of my children before they go to bed.
　　 나는 아이들이 잠을 자기 전에 아이 한 명 한 명에게 뽀뽀를 해요.

12 My three children help <u>another</u> when they are in trouble.
　　 내 세 아이들은 문제가 생기면 서로 도와요.

· **worth** ~의 가치가 있는　　· **point** 점수; 의견　　· **sentence** 문장　　· **aloud** 소리 내어　　· **trouble** 문제, 곤란, 곤경

❶ 다음 우리말과 같은 뜻이 되도록, 부정대명사와 주어진 단어를 이용하여 문장을 완성하세요.

01 모두 같은 상황에 있어요. (be)

→ ____All____ ____are____ in the same situation.

02 모든 사람은 오래 살기를 원해요. (man)

→ _____ _____ wants to live long.

03 주말에는 모든 곳이 사람으로 붐벼요. (place)

→ _____ _____ is full of people on weekends.

04 Sam이 우리 각자에게 작은 선물을 줬어요. (us, of)

→ Same gave _____ _____ _____ a small gift.

05 너의 부모님은 두 분 다 일하시니? (work, of, both)

→ Do _____ _____ _____ _____ _____?

06 나는 두 명의 외국인을 만났어요. 두 명 모두 스페인어를 썼어요. (speak, Spanish)

→ I met two foreigners. _____ _____ _____.

07 Jessica와 Alison은 서로에게 미소를 지었어요. (smile at)

→ Jessica and Alison _____ _____ _____ _____.

08 네가 통에 있는 쿠키를 다 먹었니? (eat, the cookies)

→ Did you _____ _____ _____ _____ in the jar?

09 그는 자신의 모든 여가 시간을 집에서 보내요. (his free time)

→ He spends _____ _____ _____ _____ at home.

10 그녀의 모든 책은 베스트셀러예요. (of, books)

→ _____ _____ _____ _____ have been bestsellers.

11 내 세 딸은 항상 서로 다퉈요. (quarrel with)

→ My three daughters always _____ _____ _____ _____.

12 각각의 공은 색깔이 달라요. (be, different)

→ _____ _____ _____ _____ _____ color.

WORDS

· situation 상황   · long 오래, 오랫동안   · foreigner 외국인   · bestseller 베스트셀러   · quarrel 다투다, 싸우다

❷ **다음 우리말과 같은 뜻이 되도록, 주어진 단어를 바르게 배열하여 문장을 완성하세요.**

01 우리는 둘 다 요가 수업을 들어요. (us, take, of, yoga, both, classes)

→ _____Both of us take yoga classes_____.

02 저에게는 모든 순간은 소중해요. (precious, moment, every, is)

→ _____ to me.

03 그 사과는 전부 썩었어. (are, apples, of, all, the, rotten)

→ _____.

04 그들은 서로 오랫동안 알고 지냈어요. (known, they, have, each other)

→ _____ for a long time.

05 나에게는 모든 그림이 똑같이 보여. (picture, the same, looks, every)

→ _____ to me.

06 그가 우리들을 각각 청중에서 소개했어요. (each, us, of, introduced)

→ He _____ to the audience.

07 두 소년은 모두 총명한 학생이에요. (boys, are, students, both, brilliant)

→ _____.

08 나는 누나가 두 명 있어. 둘 다 패션에 관심이 있어. (interested, both, are)

→ I have two sisters. _____ in fashion.

09 나라마다 그 나라만의 문화가 있어요. (country, its, each, own, culture, has)

→ _____.

10 사람들이 서로 인사하고 있어요. (are, greeting, one another)

→ The people _____.

11 나는 파티에 모든 내 친구들을 초대하고 싶어요. (all, my, invite, friends)

→ I want to _____ to the party.

12 학생들은 각자 한 학기 동안 세 개의 보고서를 써야 합니다. (has to, each, write, student)

→ _____ three reports for one semester.

WORDS
· moment 잠깐, 순간 · precious 귀중한, 소중한 · rotten 썩은 · audience 청중 · fashion 패션, 유행
· culture 문화 · greet 인사를 나누다 · semester 학기

UNIT 03 부정대명사 III

> another는 '또 다른 하나'라는 의미를 나타내며, the other와 others를 이용해 다양한 부정대명사 표현을 나타낼 수 있습니다.

① another

'하나 더', '또 다른 하나'라는 의미로 같은 종류의 다른 하나를 언급할 때 사용합니다. 단수명사를 수식해 「another+단수명사」의 형태로 쓰이기도 합니다.

쓰임	예문
같은 종류의 다른 하나를 언급할 때	I don't like this shirt. Show me **another**. 나는 이 셔츠가 마음에 들지 않아요. 다른 것을 좀 보여주세요. Can I have **another** glass of water? 물을 한 잔 더 마셔도 될까요?

② one, the other, the others

전체 중 하나를 먼저 지칭하고 나머지를 나타내는 표현으로, 명사를 수식하는 부정수량 형용사로도 쓰입니다.

	쓰임 및 예문
「one ~, the other …」 ┌ one △ ○ → the other	(둘 중) 하나는 ~ 다른 하나는 … I have two brothers. **One** is a pianist, and **the other** is a painter. 나는 오빠가 두 명 있어. 한 명은 피아니스트이고, 다른 한 명은 화가야.
「one ~, the others …」 ┌ one △ ○○○○○ → the others	(여러 개 중) 하나는 ~ 나머지 모두는 … There are five books. **One** is mine, and **the others** are my sister's. 다섯 권의 책이 있어. 한 권은 내 것이고, 나머지 모두는 우리 언니 책이야.
「one ~, another, the other …」 ┌ one △ □ ○ → the other └ another	(세 개 중) 하나는 ~, 또 다른 하나는 …, 나머지 하나는 ~ Mrs. Glen has three daughters. **One** is 15, **another** is 18, and **the other** is 21. Glen 부인은 세 명의 딸이 있어요. 한 명은 15세, 또 다른 한 명은 18세, 나머지 한 명은 21세예요.

 Plus 1
- 「one ~, another, the others …」: (여러 개 중) 하나는 ~, 또 다른 하나는 …, 나머지 모두는 ~
  Jane has five pets. **One** is a dog, **another** is a cat, and **the others** are rabbits.
  Jane은 다섯 마리의 애완동물이 있어요. 한 마리는 개, 또 다른 하나는 고양이, 나머지 모두는 토끼예요.

③ some, others, the others

전체 중 일부를 먼저 지칭하고 나머지를 나타내는 표현으로, 명사를 수식하는 부정수량 형용사로도 쓰입니다.

형태	쓰임 및 예문
「some ~, others …」 △△△ □□□□ ○○○ └ some └ others	어떤 사람[것]들은 ~, 또 다른 어떤 사람[것]들은 … **Some** like pop music, and **others** like classical music. 어떤 사람들은 팝음악을 좋아하고, 또 다른 어떤 사람들은 고전음악을 좋아해요.
「some ~, the others …」 △△△△△ □□□□□ └ some └ the others	어떤 사람[것]들은 ~, 나머지 모두는 … **Some** students passed the test, and **the others** didn't. 어떤 학생들은 그 시험에 통과했고, 나머지 모두는 시험에 떨어졌어요.

Warm up

1 다음 우리말과 같은 뜻이 되도록, 괄호 안에서 알맞은 것을 고르세요.

01 Would you like (one / (another)) drink?
한 잔 더 드시겠어요?

02 Is there (another / other) door to this house?
이 집으로 들어가는 다른 문이 있나요?

03 (One / Some) like summer, and others like winter.
어떤 사람들은 여름을 좋아하고, 다른 어떤 사람들은 겨울을 좋아해요.

04 They moved their bed to (another / other) room.
그들은 자신들의 침대를 다른 방으로 옮겼어요.

05 (One / Some) said "Yes," and the others said "No."
어떤 사람들은 'Yes'라고 얘기했고, 나머지 모두는 'No'라고 말했어요.

06 Some drink coffee, and (others / the others) drink tea.
어떤 사람들은 커피를 마시고, 다른 어떤 사람들은 차를 마셔요.

07 Some agreed with the plan, and (the other / the others) didn't.
어떤 사람들은 그 계획에 동의했고, 나머지 모두는 동의하지 않았어요.

08 I have five pencils. (One / Another) is red, and the others are black.
나는 다섯 자루의 연필이 있어요. 하나는 빨간색이고, 나머지 모두는 검은색이에요.

09 I ate two apples. One was sweet, and (another / the other) was sour.
나는 사과 두 개를 먹었어요. 하나는 달고, 나머지 하나는 시었어요.

10 Look at those two boys. (One / Some) is my brother, and the other is my cousin.
저 두 소년을 봐. 한 명은 내 남동생이고, 나머지 한 명은 내 사촌이야.

11 Mary bought ten oranges. One is rotten, and (the other / the others) are fresh.
Mary는 오렌지 열 개를 샀어요. 하나는 썩고, 나머지 모두는 신선했어요.

12 The girl drew three shapes in her sketchbook. One is a heart, (other / another) is a star, and the other is a circle.
소녀는 자신의 스케치북에 세 가지 모양을 그렸어요. 하나는 하트고, 또 다른 하나는 별, 나머지 하나는 원이에요.

• agree 동의하다　　• sour 신　　• shape 모양　　• sketchbook 스케치북　　• circle 원

1 다음 괄호 안에서 알맞은 것을 고르세요.

01 (One / (Some)) people enjoy reading, and others don't.

02 Some like roses, and (other / others) like lilies.

03 I'm going to move to (one / another) city in June.

04 Chuck has two bike. (One / Another) is red, and the other is white.

05 I can't go there with you. I have (another / the other) appointment.

06 (One / Some) students gave the right answer, and the others didn't.

07 Some children studied, and (others / the other) did their homework.

08 I have two sisters. One is 13 years old, and (the other / another) is 10.

09 Sue wears two rings. One is silver, and (the other / the others) is gold.

10 Some like comedy movies, and (others / the other) like action movies.

11 My grandma has five pet dogs. One is a poodle, and (others / the others) are yorkshire terriers.

12 Fifteen people attended the meeting. Only one came on time, and (other / the others) were late.

13 I've got three letters. One is from my cousin, (other / another) is from my aunt, and the other is from Jessica.

14 My son has six toys in his bag. One is a robot, another is a teddy bear, and (the other / the others) are toy cars.

15 Ted made three cups of coffee. One was for his mom, another was for his sister, and (the other / the others) was for himself.

• appointment 약속　　• silver 은　　• gold 금　　• poodle 푸들　　• yorkshire terrier 요크셔테리어

② 다음 우리말과 같은 뜻이 되도록, 밑줄 친 부분을 바르게 고치세요.

01 I'd like to ask you <u>other</u> question.   another
다른 질문을 하고 싶어요.

02 These are my favorite cookies. Can I have <u>one</u>?
이거 내가 좋아하는 쿠키예요. 하나 더 먹어도 되나요?

03 Some prefer vegetables, while <u>other</u> prefer meat.
어떤 사람들은 야채를 좋아하는 반면, 또 다른 어떤 사람들은 고기를 좋아해요.

04 Some students like the new teacher, but <u>others</u> don't.
어떤 학생들은 그 새로 온 선생님을 좋아했지만, 나머지 모두는 좋아하지 않았어요.

05 Some people like to stay home, and <u>another</u> like to travel.
어떤 사람들은 집에 있는 걸 좋아하고, 또 다른 어떤 사람들은 여행하는 것을 좋아해요.

06 Two men came in. One was tall, and <u>the others</u> was short.
두 명의 남자가 들어왔어요. 한 명은 키가 컸고, 나머지 한 명은 키가 작았어요.

07 Bella is holding a doll in one hand and a lollipop in <u>other</u>.
Bella은 한 손에는 인형을 나머지 한 손에는 막대 사탕을 들고 있어요.

08 He won five medals. One was gold, and <u>others</u> were bronze.
그는 다섯 개의 메달을 땄어요. 하나는 금메달이고 나머지 모두는 동메달이에요.

09 The party began at six. <u>Some</u> came early, and the others came late.
파티는 5시에 시작했어. 한 명만 일찍 오고, 나머지 모두는 늦게 왔어.

10 There are three balls on the floor. One is red, <u>other</u> is blue, and the other is yellow.
바닥에 세 개의 공이 있어요. 하나는 빨간색, 또 다른 하나는 파란색, 나머지 하나는 노란색이에요.

11 There are ten pieces of fruit in the basket. <u>One</u> are oranges, and the others are peaches.
바구니에 열 개의 과일이 있어요. 몇 개는 오렌지이고, 나머지 모두는 복숭아예요.

12 I have three uncles. One is a pilot, another is a cook, and <u>the others</u> is a university student.
나는 세 명의 삼촌이 있어요. 한 명은 파일럿, 또 다른 한 명은 요리사, 나머지 한 명은 대학생이에요.

• **prefer** (더) 좋아하다, 선호하다   • **lollipop** 막대사탕   • **bronze** 청동; 구리 빛의

❶ 다음 보기에서 알맞은 말을 골라 문장을 완성하세요. (한 번 씩만 쓸 것)

보기
| some | the other | another | the others |

01 ___Some___ tourists went to beach, and others went shopping.

02 Sandra has two sisters. I've met one, and I haven't meet _____.

03 There were six books on the table. One is here, but where are _____?

04 Daniel can speak three languages. One is English, _____ is Korean, and the other is German.

보기
| one | others | some | another |

05 This cake is tasty. Can I have _____ piece?

06 _____ brought food to the party, but the others didn't.

07 Some are interested in sports, and _____ are interested in art.

08 We grow two kinds of vegetables in the garden. _____ is a carrot, and the other is a cucumber.

보기
| another | some | the other | one |

09 The plan has failed. We have to make _____ plan.

10 _____ answers are correct, and the others aren't.

11 There were six boys in the room. _____ boy slipped on the floor, and the others laughed.

12 There are three kinds of desserts. One is cake, another is ice cream, and _____ is brownie.

WORDS
- tourist 관광객 · tasty 맛있는 · correct 맞는, 정확한 · slip 미끄러지다 · brownie 브라우니

❷ 다음 우리말과 같은 뜻이 되도록, 주어진 단어를 이용하여 문장을 완성하세요.

01 네가 바쁘면 우리는 다른 날에 만나도 돼. (meet, day)

→ If you are busy, we can ___meet___ ___another___ ___day___ .

02 내 포크를 떨어뜨렸어요. 저에게 다른 것을 갖다 주시겠어요? (bring)

→ I dropped my fork. Could you _____ _____ _____?

03 어떤 뱀은 위험하지만, 다른 어떤 것들은 그렇지 않다. (snakes, dangerous)

→ _____ _____ _____ _____, but others are not.

04 어떤 사람들은 과일을 좋아하는 반면, 다른 어떤 사람들은 그렇지 않다. (fruits)

→ _____ people _____ _____, while _____ _____.

05 Ed는 장미를 좀 샀어요. 일부는 빨간색이었고, 나머지 전부는 분홍색이었어요. (red, pink)

→ Ed bought some roses. _____ _____ _____, and _____ _____ _____ _____.

06 우리는 네 명의 아이가 있어요. 한 명은 우리와 함께 살고, 나머지 모두는 혼자 살아요. (live)

→ We have four children. _____ _____ with us, and _____ _____ _____ by themselves.

07 나는 두 나라를 가 본 적이 있어. 하나는 중국이고, 나머지 하나는 캐나다야. (China, Canada)

→ I've been two foreign countries. _____ _____ _____, and _____ _____ _____ _____.

08 Brian은 지난주에 2권의 책을 읽었어. 한 권은 지루했고, 나머지 한 권은 재미있었어. (boring, interesting)

→ Brian read two books last week. _____ _____ _____, and _____ _____ _____ _____.

09 내 개가 강아지 다섯 마리를 낳았어요. 한 마리는 암컷이고, 나머지 모두는 수컷이에요. (female, male)

→ My dog had a birth to five puppies. _____ _____ _____, and _____ _____ _____ _____.

10 Sarah는 세 과목을 좋아해요. 하나는 영어, 또 다른 하나는 과학, 그리고 나머지 하나는 역사예요. (English, science, history)

→ Sarah likes three subjects. _____ _____ _____, _____ _____ _____, and _____ _____ _____ _____.

WORDS

• give a birth (to) 낳다　　• male 수컷의, 남성의　　• female 암컷의, 여성의　　• subject 과목, 학과

① 다음 괄호 안에서 알맞은 대명사를 고르세요.

01 (Any / (Some)) of his movies are very touching.

02 I don't like this coat. Show me (another / other).

03 I don't have an eraser. Can you lend me (one / it)?

04 (One / Some) people were kind, and others were not.

05 George and Lucy looked at (each other / one another).

06 Are there (any / some) interesting stories in the magazine?

07 I know the answer, but I'm not going to tell (one / it) to you.

08 (Each / Every) of the women is wearing a different color of dress.

09 (All / Every) the children are having a great time at summer camp.

10 I have two sisters. (Both / Every) have gone to London for vacation.

11 Here are six notebooks. One is mine, and (other / the others) are Sue's.

12 Sandra has two shirts. One is white, and (the other / the others) is blue.

13 There are 30 students in the class. Some students handed in their reports, but (other / the others) didn't.

14 My daughter has two nicknames. One is "Angel," (another / the other) is "Snow White."

15 I have three foreign friends. One is Chinese, (other / another) is Australian, and the other is Swiss.

· **touching** 감동적인   · **hand in** 제출하다, 내다   · **nickname** 별명

② **다음 우리말과 같은 뜻이 되도록, 밑줄 친 부분을 바르게 고치세요.**

01 Both my grandparents <u>is</u> alive.   are
우리 조부모님은 두 분 모두 살아 계셔.

02 Every boy in my school <u>like</u> Tina.
우리 학교의 모든 남학생은 Tina를 좋아해요.

03 I'll have toast. Would you like <u>any</u>?
나 토스트 먹을 거야. 너도 좀 먹으래?

04 I don't want to make <u>other</u> mistake.
나는 또 다른 실수를 하고 싶지 않아요.

05 I have written letters to <u>every</u> my friends.
나는 내 모든 친구에게 편지를 썼어요.

06 Will you give a piece of cake to <u>all</u> person?
각각의 사람에게 케이크를 한 조각씩 나눠줄래?

07 Rachel should buy a new skirt. Her old <u>it</u> is too small.
Rachel은 새 치마를 사야 해요. 오래된 것은 너무 작아요.

08 Ann is a new student. She doesn't have <u>some</u> friends.
Ann은 새로 온 학생이에요. 그녀는 친구가 한 명도 없어요.

09 My neighbor has five kids. One is a girl, and <u>others</u> are boys.
내 이웃은 5명의 아이가 있어요. 한 명은 딸이고, 나머지 전부는 아들이에요.

10 I like two authors. <u>Another</u> is J. K. Rowling, and the other
is Jeff Kinney.
나는 두 명의 작가를 좋아해. 한 명은 J. K. Rowling이고, 나머지 한 명은 Jeff Kinney야.

11 There were thirty people at my wedding. Some were my
friends, and <u>the other</u> were my relatives.
내 결혼식에 30명이 있었어요. 어떤 사람들은 내 친구였고, 나머지 전부는 내 친척이었어요.

12 Three of my friends live in Chicago. One is a teacher,
<u>other</u> is a reporter, and the other is a lawyer.
내 친구 중 3명이 시카고에 살아요. 한 명은 선생님이고, 다른 한 명은 기자이며,
나머지 한 명은 변호사예요.

•alive 살아 있는   •author 작가   •relative 친척   •reporter 기자   •lawyer 변호사

③ 다음 우리말과 같은 뜻이 되도록, 주어진 단어를 이용해서 문장을 완성하세요.

01 모든 아이들은 사랑을 필요로 해요. (child)

➔ ___Every___ ___child___ needs love.

02 나 목이 말라. 물을 좀 마실 수 있을까? (have, water)

➔ I'm thirsty. Can I _____ _____ _____?

03 나는 그것들 중 어떤 것도 먹지 않았어. (eat, them, of)

➔ I didn't _____ _____ _____ _____.

04 모든 호텔이 꽉 찼어. (the hotels)

➔ _____ _____ _____ are full.

05 내 형들은 모두 우체국에서 일해요. (my brothers)

➔ _____ _____ _____ work in a post office.

06 저에게 한 번 더 기회를 주세요. 더 열심히 할게요. (chance)

➔ Give _____ _____ _____. I'll try harder.

07 Grace와 Bill은 서로 많이 사랑해요. (love)

➔ Grace and Bill _____ _____ _____ very much.

08 이 청바지는 너무 비싸요. 싼 걸로 살게요. (cheap)

➔ These jeans are too expensive. I'll buy the _____ _____.

09 내 누나는 둘 다 아빠를 닮았어요. (sisters, of)

➔ _____ _____ _____ _____ look after my dad.

10 버스에 25명이 있어요. 몇 명은 서 있고, 나머지 모두는 앉아 있어요. (stand, sit)

➔ There are 25 people on the bus. _____ _____ _____, and _____ _____ _____ _____.

11 장미는 색이 다양해요. 어떤 것들은 빨간색이고, 또 다른 어떤 것들은 노란색이에요. (red, yellow)

➔ Roses have many colors. _____ _____ _____, and _____ _____ _____.

12 Brown 씨는 딸이 셋이에요. 한 명은 첼리스트, 또 다른 한 명은 화가, 나머지 한 명은 작가예요. (cellist, painter, writer)

➔ Mr. Brown has three daughters. _____ _____ _____ _____, _____ _____ _____ _____, and _____ _____ _____ _____.

· full 가득한　　· chance 기회　　· look after 닮다　　· cellist 첼리스트

④ 다음 우리말과 같은 뜻이 되도록, 주어진 단어를 바르게 배열하여 문장을 완성하세요.

01 모든 새는 날개가 있어요. (birds, wings, all, have)
→ _____ All birds have wings _____ .

02 나는 내 아들 둘 다 똑같이 사랑해요. (love, my sons, of, both)
→ I _____ equally.

03 우리는 크리스마스 날 서로 선물을 줘요. (each other, gifts, give)
→ We _____ on Christmas Day.

04 나는 이 방이 마음에 안 들어. 다른 방을 달라고 하자. (ask for, let's, another)
→ I don't like this room. _____ .

05 근로자들 몇 명은 일자리를 잃게 될 거야. (of, the, some, workers, lose, will)
→ _____ a job.

06 모든 학생들이 Jones 선생님을 존경해요. (respects, student, Mr. Jones, every)
→ _____ .

07 나는 돈이 하나도 없지만, Angela는 조금 있어. (don't, any, have, money)
→ I _____ , but Angela has some.

08 내 차가 자주 고장이 나. 그래서 곧 새 차를 살 거야. (going to, a, new, get, one, I'm)
→ My car often breaks down. So _____ soon.

09 그 세 남자는 서로 경제에 대해 이야기를 나누고 있어요. (one, talking to, another, are)
→ The three men _____ about the economy.

10 어떤 사람들은 걸어서 출근하고, 또 다른 어떤 사람들은 버스를 타요. (some, take, walk, others)
→ _____ to work, and _____ the bus.

11 그의 옷이 바닥에 아무렇게나 놓여 있어. 어떤 옷들은 깨끗하고, 나머지 모두는 더러워. (are, the others, are, some, clean, dirty)
→ His clothes are lying around on the floor. _____ , and _____ .

12 나는 두 개의 외국어를 배워. 하나는 일본어이고, 나머지 다른 하나는 독일어야. (is, the other, one, Japanese, is, German)
→ I learn two foreign languages. _____ , and _____ .

W O R D S

· wing 날개   · equally 똑같이, 동일하게   · respect 존경하다   · economy 경제

[1-4] 다음 빈칸에 들어갈 말로 알맞은 것을 고르세요.

1

> I've lost my smartphone. I need to buy a new _____.

① it   ② one   ③ ones
④ another   ⑤ the other

2

> I have two sisters. _____ are elementary school students.

① All   ② Both   ③ Each
④ Every   ⑤ Others

3

> _____ person has a different voice.

① All   ② Ones   ③ Each
④ Both   ⑤ Some

4

> Ben and I help _____ with homework.

① one   ② another   ③ the other
④ each other ⑤ one another

[5-6] 다음 빈칸에 들어갈 말이 바르게 짝지어진 것을 고르세요.

5

> • I made these cookies. Would you like ___(A)___ ?
> • Are there ___(B)___ questions for me?
> • Mom bought ___(C)___ fresh fish at the market.

	(A)		(B)		(C)
①	some	-	some	-	any
②	some	-	any	-	some
③	any	-	any	-	some
④	any	-	some	-	any
⑤	some	-	any	-	any

Note

1
앞에 언급된 사물과 같은 종류의 불특정한 하나를 나타내는 대명사가 필요해요.

2
두 명을 지칭하는 부정 대명사를 고르세요.

elementary school 초등학교

3
'각각'이라는 의미의 부정대명사를 고르세요.

4
Ben과 I로 두 명이며, '서로'라는 의미의 부정 대명사를 고르세요.

5
권유의문문, 의문문, 긍정문에 어떤 부정대명사를 쓰는지 생각해 보세요.

market 시장

정답 및 해설 p.24

Note

6
- I put my key on the table. Can you get ___(A)___ for me?
- This spoon is dirty. Can you bring me ___(B)___?

(A)	-	(B)
① it	-	another
② it	-	the other
③ one	-	another
④ one	-	the other
⑤ ones	-	another

6
앞에 있는 명사와 동일한 것을 지칭하는 대명사와, '또 다른 하나'라는 의미의 부정대명사를 고르세요.
spoon 숟가락, 수저

[7-8] 다음 우리말을 영어로 바르게 옮긴 것을 고르세요.

7
나는 두 개의 선물을 받았어. 하나는 엄마에게 받았고, 나머지 하나는 Ed 에게 받았어.

① I got two gifts. One was from Mom, and it was from Ed.
② I got two gifts. One was from Mom, and other was from Ed.
③ I got two gifts. One was from Mom, and another was from Ed.
④ I got two gifts. One was from Mom, and the other was from Ed.
⑤ I got two gifts. One was from Mom, and the others was from Ed.

7
둘 중 나머지 하나를 지칭하는 대명사를 생각해 보세요.

8
어떤 사람들은 소설을 좋아하고, 또 다른 어떤 사람들은 시를 좋아해요.

① One likes novels, and others like poems.
② One likes novels, and the others like poems.
③ Some like novels, and another like poems.
④ Some like novels, and others like poems.
⑤ Some like novels, and the others like poems.

8
'어떤 사람들은 ～, 또 다른 어떤 사람들은 …'에 해당하는 부정대명사 표현을 생각해 보세요.
novel 소설
poem 시

9 다음 밑줄 친 부분과 바꾸어 쓸 수 있는 말은?

This pie is really delicious. Can I have <u>one more</u> piece?

① it   ② each
③ every   ④ the other
⑤ another

9
'하나 더'라는 의미에 해당하는 부정대명사를 고르세요.

10 다음 빈칸에 들어갈 말이 나머지 넷과 <u>다른</u> 것은?

① Which is your car? The black _____?
② I only have big bags. I need a small _____.
③ Brian sold his old TV and bought a new _____.
④ I've lost my laptop computer. I can't find _____.
⑤ My sister doesn't have a cell phone. She wants to buy _____.

Note

10
앞에 언급한 대상과 동일한 것 지칭하는지, 명사와 같은 종류의 사물을 지칭하는지 생각해 보세요.

11 다음 밑줄 친 부분이 <u>잘못된</u> 것은?

① <u>All of us has</u> to go there.
② I gave a candy to <u>each child</u>.
③ <u>Both of my brothers are</u> good-looking.
④ Is there <u>another way</u> to get to the station?
⑤ I have a camera. You can use <u>it</u> if you need.

11
good-looking 잘생긴

[12-13] 다음 중 어법상 <u>어색한</u> 문장을 고르세요.

12 ① Each of the students has different homework.
② My family members love one another very much.
③ Every buildings in the city is beautiful.
④ Kate likes cats, especially black ones.
⑤ Some of the guests arrived late.

12
부정대명사가 지칭하는 대상의 수를 확인하세요.

13 ① People should be polite to one another.
② Some like soccer, and others like baseball.
③ Were there any calls for me while I was out?
④ These shoes are tight. Do you have bigger one?
⑤ Sue bought two dresses. One was red, and the other was purple.

13
부정대명사가 지칭하는 대상의 수를 확인하세요.
polite 예의 바른
purple 보라색(의)

14 다음 대화 중 자연스럽지 <u>않은</u> 것은?

① A: Would you like any coffee?
   B: Yes, please.
② A: Where are your parents from?
   B: Both of them are from England.
③ A: How do you two know each other?
   B: We go to the same church.
④ A: Do you have any brothers or sisters?
   B: No. I'm an only child.
⑤ A: Here are two questions. One is easy, and the other is difficult.
   B: I'll go for an easy one first.

15 다음 빈칸에 공통으로 들어갈 말을 쓰세요.

1)
• I don't like this sweater. Can you show me _____ one?
• Bob has three tests today. One is geography, _____ is math, and the other is physics.

2)
• Can I have _____ more tea?
• _____ students answered "Yes," and the others answered "No."

16 다음 대화에서 <u>잘못된</u> 부분을 찾아 바르게 고치세요.

1)
A: Who are the three people in this picture?
B: One is my mom, another is my aunt, and other is my sister.

2)
A: How many pets do you have?
B: I have five pets. One is a dog, and the other are cats.

Note

14
go for 선택하다

15
1) '또 다른 하나'라는 의미의 부정대명사가 필요하고, 2) 권유의문문에 사용하는 부정대명사와 전체 중 일부를 나타내는 부정대명사가 필요해요.
geography 지리학
physics 물리학

16
1) 세 가지를 열거할 때 맨 마지막에 사용하는 부정대명사, 2) 나머지 전부를 나타내는 부정대명사가 필요해요.

[17-18] 다음 우리말과 같은 뜻이 되도록, 주어진 단어를 이용하여 문장을 완성하세요.

Note

17

> 모든 사람이 그 결과에 행복해 했어요. (happy)

➡ _____ _____ _____ with the results.

17
result 결과

18

> 어떤 사람은 일찍 일어나고, 또 다른 어떤 사람들은 늦게 일어나요.
> (early, late)

➡ _____ _____ _____ _____, and

_____ _____ _____ _____.

18
전체 중 일부와 또 다른
일부를 나타내는 부정대
명사를 생각해 보세요.

[19-20] 다음 우리말과 같은 뜻이 되도록, 주어진 단어를 바르게 배열하여 문장을 완성하세요.

19

> 각 시험은 20문제가 있어요.
> (test, 20 questions, contains, each)

➡ _____.

19
contain 포함하다

20

> 나는 자전거 네 대가 있어. 하나는 새것이고, 나머지 모두는 오래된 거야.
> (is, the others, old, one, new, are)

➡ I have four bikes. _____,
and _____.

형용사와 부사

UNIT 01 형용사

> 형용사는 명사 또는 대명사를 수식하거나, 문장에서 주어나 목적어를 보충 설명하는 역할을 합니다.

1 형용사의 쓰임

형용사는 명사 또는 대명사의 앞이나 뒤에서 그 명사 또는 대명사를 수식하거나, 주격보어나 목적격보어로 쓰여 사람이나 사물의 상태나 성질을 나타냅니다.

쓰임	예문
명사 또는 대명사 수식	Sue has **big** eyes and **long** hair. Sue는 큰 눈과 긴 머리를 가졌어요. I'd like to drink something **warm**. 저는 따뜻한 것을 마시고 싶어요.
주어나 목적어 보충 설명	You look **beautiful** in the dress. 너 그 드레스를 입으니 아름다워 보여.(주격보어) I found the movie **interesting**. 나는 그 영화가 재미있는 것을 알았어요.(목적격보어)

Plus 1
- -thing/-one/-body로 끝나는 대명사는 형용사가 뒤에서 수식해요.
  I need someone **strong** like you. 나는 당신처럼 힘이 센 사람이 필요해요.

2 부정수량형용사

정해지지 않은 막연한 수나 양을 나타내는 형용사입니다.

의미			약간의	예문
수	많은	many	+ 셀 수 있는 명사의 복수형	Were there **many** people at the festival? 축제에 사람들이 많이 있었니?
	약간의	a few		I've invited **a few** friends to my house. 나는 몇 명의 친구를 우리 집에 초대했어요.
	거의 없는	few		The test was very hard. **Few** students passed it. 그 시험은 정말 어려웠어. 그것을 통과한 학생이 거의 없었어.
양	많은	much	+ 셀 수 없는 명사	There isn't **much** time left before the concert. 콘서트가 시작하기 전까지 남은 시간이 많지 않아.
	약간의	a little		Bob has saved **a little** money for a rainy day. Bob은 만일에 대비해서 돈을 조금 모으고 있어요.
	거의 없는	little		We had **little** rain during this summer. 이번 여름에는 비가 거의 오지 않았어요.
수·양	약간의	some, any	+ 둘 다	**Some** children are playing on the playground. 몇 명의 아이들이 놀이터에서 놀고 있어요.
				Is there **any** milk in the fridge? 냉장고에 우유가 있나요?
	많은	a lot of, lots of, plenty of		We had **a lot of**[lots of/plenty of] fun today. 오늘 정말 재미있었어요.
				A lot of[lots of/plenty of] tourists visit the Eiffel Tower every year. 많은 사람이 매년 에펠 탑을 방문해요.

Warm up

❶ 다음 문장에서 형용사를 찾아 동그라미 하세요.

01 That's a (great) idea.

02 I want something different.

03 Please leave the door open.

04 A strange noise woke me up.

05 There is little sugar in the jar.

06 The small boy is afraid of dogs.

07 Their new house is very cozy.

08 Mrs. Nora is always friendly to us.

09 Is there anything wrong with me?

10 The apples on the tree are not ripe.

11 A heavy snow blocked traffic in the city.

12 London is famous for its foggy weather.

13 Kate is wearing a black dress and a red hat.

14 They are having a wonderful time in Vancouver.

15 The food was good, but the service was terrible.

- strange 이상한   - noise 소리   - cozy 아늑한   - wrong 잘못된, 틀린   - block 막다, 차단하다
- service 서비스   - terrible 끔찍한, 형편없는

1 다음 괄호 안에서 알맞은 말을 고르세요.

01 I need some ((fresh) / freshly) air.

02 We don't have (many / much) time.

03 Richard has a (love / lovely) daughter.

04 Calvin always makes me (happy / happily).

05 There is (nothing special / special nothing).

06 I spilled (a few / a little) coffee on my dress.

07 (Few / Little) students understood his lecture.

08 Judy is new here. She has (few / little) friends.

09 Henry is a man with (many / plenty of) courage.

10 I've had (few / little) sleep since my baby was born.

11 If your food smells (bad / badly), you shouldn't eat it.

12 I ran into Gary on the street (a few / a little) days ago.

13 Lots of (person / people) are interested in their health.

14 Would you care for (sweet something / something sweet)?

15 Is there (interesting anything / anything interesting) in the paper?

• lecture 강의, 강연   • courage 용기   • sleep 잠, 수면   • baldy 심하게, 몹시   • care for 좋아하다

❷ 다음 밑줄 친 부분이 올바르면 ○표, 틀리면 바르게 고치세요.

01 Max is a very <u>luck</u> boy. lucky

02 People feel <u>safely</u> at home.

03 Is there <u>new anybody</u> here?

04 This tea will keep you <u>warmly</u>.

05 I have a few <u>idea</u> for the project.

06 Donald was born to <u>a rich family</u>.

07 We should protect <u>someone weak</u>.

08 Why am I always <u>sleep</u> after lunch?

09 Carrie spends <u>many</u> money on shoes.

10 Tim has <u>a problem serious</u> with money.

11 Melissa had some tea and <u>a little</u> bread.

12 If you see <u>dangerous something</u>, let me know.

13 There aren't <u>much</u> books about stars in this library.

14 Barbara is very busy this week. She has had <u>few</u> free time.

15 There were not many people at his wedding. He has <u>little</u> relatives.

· safely 무사히   · protect 보호하다   · weak 허약한, 약한   · serious 심각한, 진지한   · relative 친척

Check up & Writing

형용사가 있는 문장 쓰기

1 다음 우리말과 같은 뜻이 되도록, 주어진 단어를 이용하여 문장을 완성하세요.

01 내 물병이 비어 있어요. (empty)

→ My water bottle ____is____ ____empty____.

02 Travis는 결코 새로운 것을 시도하려고 하지 않아요. (try, anything)

→ Travis never _____ _____ _____.

03 염소들은 신선한 풀을 먹고 있어요. (fresh, grass)

→ The goats are _____ _____ _____.

04 너 걱정스러워 보여. 무슨 일이니? (worried)

→ _____ _____ _____. What's wrong?

05 나는 그녀를 위해 특별한 무언가를 하고 싶어요. (do, special)

→ I want to _____ _____ _____ for her.

06 밝은 태양이 눈을 녹였어요. (bright)

→ _____ _____ _____ melted the snow.

07 이 노래는 항상 나를 슬프게 해. (sad)

→ This song always _____ _____ _____.

08 우리는 명왕성에 대한 정보가 거의 없어요. (have, information)

→ We _____ _____ _____ about the Pluto.

09 나는 몇 시간 전에 Jennifer를 봤어. (hour)

→ I _____ _____ _____ _____ _____ ago.

10 우리는 예술에 관심 있는 사람을 찾고 있어요. (interested in, someone)

→ We are looking for _____ _____ _____ _____.

11 네가 파리에 있을 때 사진을 많이 찍었니? (pictures)

→ Did you _____ _____ _____ when you were in Paris?

12 더운 날에는 물을 많이 마셔야 해. (drink, water)

→ You should _____ _____ _____ _____ in a hot day.

WORDS

• try 노력하다; 시도하다   • goat 염소   • grass 풀, 잔디   • melt 녹이다; 녹다   • Pluto 명왕성

❷ 다음 우리말과 같은 뜻이 되도록, 주어진 단어를 바르게 배열하여 문장을 완성하세요.

01 Calvin은 연기 경험이 거의 없어요. (little, experience, has)

➜ Calvin _____ has little experience _____ in acting.

02 따뜻한 것 좀 마실 수 있을까요? (warm, have, something)

➜ Can I _____?

03 Carl은 매우 예의 바르게 보여. (polite, seems, very, Carl)

➜ _____.

04 규칙적인 운동이 우리를 건강하게 해 줄 거야. (us, keeps, healthy)

➜ Regular exercise _____.

05 지난겨울에 눈이 많이 내리지 않았어요. (much, didn't, snow, have)

➜ We _____ last winter.

06 저는 당신처럼 좋은 누군가를 만나고 싶어요. (someone, nice, meet)

➜ I want to _____ like you.

07 강한 바람이 거리의 나무를 쓰러뜨렸어요. (wind, a, blew down, strong)

➜ _____ the tree on the street.

08 형형색색의 연들이 하늘을 날고 있어요. (kites, the, flying, colorful, are)

➜ _____ in the sky.

09 John은 이 책이 유용하다는 것을 알게 되었어요. (this, useful, found, book)

➜ John _____.

10 Sarah는 친구들로부터 몇 개의 선물을 받았어요. (got, gifts, Sarah, few, a)

➜ _____ from her friends.

11 시끄러운 음악은 너의 귀를 아프게 할 수도 있어. (hurt, may, music, loud)

➜ _____ your ears.

12 Smith 선생님은 항상 우리에게 숙제를 많이 내 주세요. (us, homework, lots, gives, of)

➜ Mr. Smith always _____.

WORDS

• experience 경험   • acting 연기   • seem ~처럼 보이다   • regular 규칙적인   • blow down 불어 넘어뜨리다
• colorful 형형색색의, 다채로운   • loud 시끄러운, 소리가 큰

UNIT 02 부사

부사는 문장에서 동사, 형용사, 다른 부사 또는 문장 전체를 수식합니다.

1 부사의 쓰임

부사는 주로 동사 또는 형용사를 수식합니다. 다른 부사나 문장을 수식하기도 합니다.

쓰임	예문
동사 수식	He drives **carefully**. 그는 조심스럽게 운전해요.
형용사 수식	We had a **really** good time at the party. 우리는 파티에서 정말로 즐거운 시간을 보냈어요.
다른 부사 수식	Dolphins can swim **very** fast. 돌고래들은 정말 빨리 헤엄칠 수 있어요.
문장 수식	**Suddenly**, it started to rain heavily. 갑자기 비가 세차게 내리기 시작했어.

2 부사의 형태

대부분의 형용사: 형용사+-ly	careful**ly**　nice**ly**　kind**ly** sad**ly**　quick**ly**　real**ly**	I answered the question **quickly**. 나는 그 질문에 재빠르게 대답했어요.
y로 끝나는 형용사: y를 i로 고치고+-ly	easy - eas**ily**　happy - happi**ly** heavy - heav**ily**　lucky - luck**ily**	They won the game **easily**. 그들은 손쉽게 그 경기에서 우승했어요.
le로 끝나는 형용사: e를 빼고+-ly	simple - simp**ly**　terrible - terrib**ly** gentle - gent**ly**	I'm **terribly** sorry about all this. 이 모든 일에 대해 정말 미안해.
형용사와 형태가 같은 부사	fast(빠른) - **fast**(빨리)　early(이른) - **early**(일찍) high(높은) - **high**(높이)　near(가까운) - **near**(근처에) late(늦은) - **late**(늦게)　hard(열심히 하는) - **hard**(열심히)	Mike is a **fast** learner.(형용사) Mike는 빨리 배우는 사람이에요. Mike learns everything **fast**.(부사) Mike는 무엇이든지 빨리 배워요.
「부사+-ly」가 전혀 다른 뜻을 가지는 부사	**late**(늦게) - **lately**(최근에) **high**(높이) - **highly**(매우) **near**(가까이) - **nearly**(거의) **close**(가까이) - **closely**(면밀하게) **hard**(열심히) - **hardly**(거의~하지 않는)	My father works very **hard**. 우리 아버지는 정말 열심히 일하세요. Bill **hardly** eats breakfast. Bill은 아침을 거의 먹지 않아요.

 Plus 1 · good(좋은, 훌륭한)의 부사형 well(잘)은 '건강한'이라는 뜻의 형용사로도 쓰여요.

3 빈도 부사

어떤 일이 얼마나 자주 일어나는지를 나타내는 부사로 be 동사나 조동사의 뒤, 일반동사 앞에 씁니다.

0% never 절대 ~않는	hardly, rarely 거의 ~ 않는	seldom 좀처럼 ~않는	sometimes 가끔, 때때로	often 종종, 자주	usually 대게, 보통	always 100% 항상

My mom **always** sleeps early and gets up early. 우리 엄마는 항상 일찍 주무시고, 일찍 일어나세요.
Steven is **often** late for work. Steven은 종종 회사에 지각해요.
I will **never** forget your kindness. 너의 친절을 절대 잊지 않을게.

Warm up

1 다음 문장에서 부사를 찾아 동그라미 하세요.

01 Nick (sometimes) plays golf.

02 Could you say that again?

03 I'm really happy to meet you.

04 Luckily, I got free movie tickets.

05 Vicky sings and dances very well.

06 You should spend your time wisely.

07 Mrs. Smith speaks slowly and quietly.

08 Sadly, they lost their dog in the fire.

09 Read the following questions carefully.

10 He has very short legs, but he runs fast.

11 Daniel has studied very hard for the test.

12 Ellen always drinks coffee in the morning.

13 Richard petted his cat gently on the back.

14 The boy kindly helped me carry these chairs.

15 Ted usually has a sandwich and juice for lunch.

WORDS

• luckily 운 좋게도　• free 무료의　• wisely 현명하게　• following 다음에 나오는　• pet 어루만지다, 쓰다듬다
• gently 다정하게, 부드럽게

❶ 다음 괄호 안에서 알맞은 것을 고르세요.

01 Henry raised his voice (angry / (angrily)).

02 I (will always / always will) love you.

03 Anna looked at me (serious / seriously).

04 Kate sees Jones (near / nearly) every day.

05 Isabel behaves (good / well) all the time.

06 The moon is shining (beautiful / beautifully).

07 The mirror fell (heavyly / heavily) on the floor.

08 Walter tied the rope (tight / tightly) to the tree.

09 Dave (is never / never is) late for appointments.

10 (Sudden / Suddenly), the TV show has become popular.

11 The children are playing (happyly / happily) on the beach.

12 This book explains the Big Bang theory (simplely / simply).

13 My dog is (very sick / sick very). I should take him to the vet.

14 It's freezing outside. Dress (warm / warmly) when you go out.

15 My granddad sat (comfortably / comfortablely) on his armchair.

WORDS

• raise one's voice 언성을 높이다   • angrily 화내어   • seriously 심각하게, 진지하게   • tightly 단단히, 꽉
• explain 설명하다   • theory 이론   • simply 간단히   • freezing 정말 추운   • armchair 안락의자

❷ 다음 밑줄 친 부분이 올바르면 ○표, 틀리면 바르게 고치세요.

01 Sam reads her mind <u>easyly</u>.　　　　　　　　　　　　easily

02 Why are you driving so <u>fastly</u>?

03 I <u>often am</u> bored with my job.

04 I <u>real</u> hate the humid weather.

05 You <u>will hardly</u> notice the change.

06 I'm <u>terriblely</u> sorry for my late reply.

07 The movie started ten minutes <u>lately</u>.

08 Bill <u>stays usually</u> at home on Sundays.

09 He finished two bowls of soup <u>quickly</u>.

10 The new TV drama is <u>quite</u> interesting.

11 He had to jump <u>highly</u> to catch the ball.

12 The train arrived about half an hour <u>earlily</u>.

13 She <u>always parks</u> her car near the post office.

14 They have practiced <u>hardly</u> for the Olympics.

15 <u>Strange</u>, I wasn't happy at all when I won first prize.

- **mind** 마음, 생각　　• **bored** 지루한　　• **humid** 습한　　• **notice** 알아차리다　　• **change** 변화　　• **reply** 대답, 답장
- **quite** 꽤, 상당히　　• **park** 주차하다

❶ 다음 주어진 부사를 알맞은 곳에 넣어 문장을 다시 쓰세요.

01 My father comes home late. (often)
→ _____ My father often comes home late _____.

02 The bus is on time. (usually)
→ _____

03 Ed goes to a movie. (seldom)
→ _____

04 I could sleep last night. (hardly)
→ _____

05 Lucy and I talk to each other. (rarely)
→ _____

06 I will use bad language again. (never)
→ _____

07 He is at home on Friday evenings. (hardly)
→ _____

08 There is a bright side to everything. (always)
→ _____

09 She forgets her husband's birthday. (sometimes)
→ _____

10 You should listen to your teacher carefully. (always)
→ _____

11 They are worried about their children. (sometimes)
→ _____

12 Tim plays on the computer when he has free time. (usually)
→ _____

WORDS

• bad language 욕설, 나쁜 말   • side 쪽, 편

2 다음 우리말과 같은 뜻이 되도록, 주어진 단어를 배열하여 문장을 완성하세요.

01 해가 밝게 빛나고 있어요. (is, brightly, the, sun, shining)

→ _____ The sun is shining brightly _____.

02 Karen은 종종 수업에 일찍 가요. (is, Karen, early, often)

→ _____ for class.

03 그들은 서로 가까이 앉았어요. (sat, they, close)

→ _____ together.

04 나는 그의 무례한 태도에 정말 짜증이 났어. (really, annoyed, was)

→ I _____ at his rude manner.

05 바둑은 매우 지적인 게임이에요. (game, highly, a, intellectual)

→ Go is _____.

06 나는 최근에 Angela를 본 적이 없어요. (seen, Angela, haven't, lately)

→ I _____.

07 Ross는 자신의 마음을 빨리 바꿔요. (quickly, changes, mind, his)

→ Ross _____.

08 낯선 사람이 나를 친근하게 쳐다보았어요. (looked at, friendlily, me)

→ A stranger _____.

09 Kelly는 자신의 친구들과 시간을 거의 보내지 않아요. (hardly, time, any, spends)

→ Kelly _____ with her friends.

10 너는 정기적으로 치과에 가는 게 좋겠어. (had better, regularly, go to, the dentist)

→ You _____.

11 그 콘서트에 거의 3천명의 사람들이 있었어요. (three, nearly, people, thousand)

→ There were _____ at the concert.

12 놀랍게도, 그 성은 지어진 지 1000년이 되었어. (old, years, a thousand, surprisingly)

→ _____, the castle is _____.

WORD S

- annoyed 짜증이 난 • rude 무례한 • manner 태도 • go 바둑 • intellectual 지적인, 지능의
- friendlily 친절하게, 정답게 • thousand 천 • castle 성

1 다음 괄호 안의 말 중 알맞은 것을 골라 문장을 완성하세요.

01 (good/well)
Jim is a ___good___ dancer. He dances very ___well___.

02 (serious/seriously)
It's a _____ problem. We should take it _____.

03 (careless/carelessly)
Mr. Collins drives _____. He is a _____ driver.

04 (happily/happy)
The boy is smiling _____. He seems very _____.

05 (hungry/hungrily)
Brian was _____. He looked at my dinner _____.

06 (angry/angrily)
Mom was very _____. She shouted at me _____.

07 (perfect/perfectly)
Her Spanish is _____. She speaks Spanish _____.

08 (excellent/excellently)
Emma Watson acts _____. She is an _____ actress.

09 (kind/kindly)
Ben is a very _____ man. He _____ helps people in need.

10 (hard/hardly)
Ian studies _____. He _____ goes to bed before midnight.

11 (easy/easily)
These math problems are _____. You can solve them _____.

12 (heavy/heavily)
It rained _____ yesterday. Because of _____ rain, we had to stay home all day.

WORDS

· **careless** 조심성 없는, 부주의한　· **carelessly** 경솔하게, 부주의하게　· **hungrily** 배고픈 듯이　· **shout** 외치다, 소리치다
· **perfectly** 완벽하게　· **excellently** 탁월하게, 뛰어나게　· **in need** 어려움에 처한　· **midnight** 자정, 밤 열두 시

❷ 다음 밑줄 친 부분이 올바르면 ○표, 틀리면 바르게 고치세요.

01 I need <u>someone kind</u>.　　　　　　　　　　　　　　　○

02 The children are playing <u>noisyly</u>.

03 Did I do <u>wrong anything</u>, Mom?

04 <u>Lucky</u>, I could catch the last train.

05 The helicopter was flying so <u>highly</u>.

06 I'll call you back a few <u>minute</u> later.

07 The store <u>rarely is</u> open on Sundays.

08 This region produces <u>a lot of</u> apples.

09 She <u>never can</u> understand my feeling.

10 The boy ran very <u>fastly</u> to the finish line.

11 She <u>bad</u> hurt her leg while she was skating.

12 My mother <u>bakes usually</u> muffins on weekends.

13 Eric is only five years old. He can't read <u>fluently</u>.

14 I had <u>few</u> money, so I borrowed some from Jenny.

15 Did you meet <u>much</u> interesting people at the party?

· helicopter 헬리콥터　　· region 지역, 지방　　· produce 생산하다　　· feeling 느낌, 기분

❸ 다음 우리말과 같은 뜻이 되도록, 주어진 단어를 이용해서 문장을 완성하세요.

01 어젯밤에 눈이 조금 내렸어요. (have)

→ We ___had___ ___a___ ___little___ ___snow___ last night.

02 그 차는 놀라울 정도로 작았어. (surprising)

→ The car was _____ _____.

03 그녀는 자신의 아기를 다정하게 안았어요. (hold, gentle)

→ She _____ _____ _____ _____.

04 그의 과거에 대해 아는 사람은 거의 없어요. (know)

→ _____ _____ _____ about his past.

05 그 차가 갑자기 도로에서 멈췄어요. (stop, sudden)

→ _____ _____ _____ _____ on the street.

06 나는 내 가족과 함께할 때 항상 행복해요. (be, always)

→ _____ _____ _____ _____ when I'm with my family.

07 그의 친절은 가끔 나를 불편하게 만들어요. (make, uneasy)

→ His kindness _____ _____ _____ _____.

08 너는 그 파란 드레스를 입으니까 멋있어 보여. (great, the, dress)

→ You _____ _____ in _____ _____ _____.

09 나는 Jason을 자주 만나 커피를 마셔요. (meet)

→ _____ _____ _____ _____ for a cup of coffee.

10 금요일에는 차가 많이 막혀요. (traffic)

→ There is _____ _____ _____ _____ on Fridays.

11 엄마가 내 생일 선물로 나에게 특별한 것을 주셨어요. (give, special)

→ Mom _____ _____ _____ _____ for my birthday gift.

12 너는 최근에 Linda를 본 적이 있니? (see, late)

→ Have _____ _____ _____ _____?

WORDS

• surprisingly 놀랍게도; 이외로   • past 과거   • kindness 친절   • uneasy 불안한, 불편한

④ 다음 우리말과 같은 뜻이 되도록, 주어진 단어를 바르게 배열하여 문장을 완성하세요.

01 오늘 밤에 한가한 사람 있나요? (free, is, anyone, there)

→ _____ Is there anyone free _____ tonight?

02 그 강은 바다로 천천히 흘러요. (flows, the, slowly, river)

→ _____ to the ocean.

03 차분하게 분명히 말해줄래? (calmly, speak, clearly, and)

→ Will you _____?

04 이 식물은 습한 지역에서 잘 자라요. (grows, in, wet, well, places)

→ This plant _____.

05 이 포도는 새콤달콤해요. (taste, these, sweet and sour, grapes)

→ _____.

06 우리는 이번 주말에 재미있는 것을 할 거야. (will, something, do, fun)

→ We _____ this weekend.

07 James는 우스꽝스러운 모자를 쓰고 있어. (is, a, wearing, hat, silly)

→ James _____.

08 우리 이웃들은 우리에게 매우 친절해요. (friendly, are, very)

→ Our neighbors _____ to us.

09 나는 이 순간을 절대 잊지 못할 거예요. (never, this, will, moment, forget)

→ I _____.

10 운 좋게, 그는 그의 병에서 완전히 회복되었어요. (recovered, happily, fully)

→ _____, he _____ from his illness.

11 그는 자신의 아내와 같이 거의 쇼핑하러 가지 않아요. (hardly, shopping, goes)

→ He _____ with his wife.

12 어린 아이들에게는 충분한 수면이 필요해요. (need, children, plenty of, young, sleep)

→ _____.

WORDS
· ocean 바다   · calmly 차분하게, 침착하게   · clearly 또렷하게, 분명히   · wet 습한   · silly 우스꽝스러운; 바보 같은
· moment 순간   · fully 완전히, 충분히   · recover 회복되다   · illness 병, 질환

1 다음 중 형용사와 부사가 잘못 짝지어진 것은?

① real - really   ② lucky - luckily
③ early - earlily   ④ simple - simply
⑤ strange - strangely

2 다음 빈칸에 들어갈 말로 알맞은 것은?

> I found Kate _____.

① nicely   ② cutely
③ wisely   ④ friendly
⑤ honestly

[3-5] 다음 빈칸에 들어갈 말로 알맞지 <u>않은</u> 것을 고르세요.

3

> Isabel showed me _____ pictures of hers.

① a few   ② many
③ much   ④ lots of
⑤ a lot of

4

> She speaks English _____.

① good   ② slowly
③ clearly   ④ fluently
⑤ perfectly

5

> A _____ boy is helping the old man.

① tall   ② strong
③ brave   ④ young
⑤ kindly

Note

1
부사의 형태가 「형용사 +-ly」가 아닌 것을 찾아보세요.

2
목적어를 보충 설명하는 말이 필요해요.
cutely 귀엽게
honestly 정직하게

3
뒤에 복수명사가 있어요.

4
동사를 수식하는 말이 필요해요.

5
명사를 수식하는 말이 필요해요.

[6-7] 다음 빈칸에 들어갈 말이 바르게 짝지어진 것을 고르세요.

정답 및 해설 p.29

Note

6

• It's a _____(A)_____ day today.
• I want to drink _____(B)_____.

	(A)		(B)
①	love	-	something cold
②	lovely	-	something cold
③	lovely	-	cold something
④	lovelily	-	cold something
⑤	lovelily	-	something cold

6
(A)에는 명사를 수식하는 말이 필요하고, (B) 형용사의 위치에 주의하세요.

7

• The service at the restaurant was _____(A)_____.
• The children are smiling _____(B)_____.

	(A)		(B)
①	slow	-	happy
②	slowly	-	happy
③	slow	-	happily
④	slowly	-	happily
⑤	slowly	-	happyly

7
(A) 빈칸에는 주어의 성질이나 상태를 보충 설명하는 말이 와야 해요.
(B) 동사를 수식하는 말이 필요해요.
service 서비스

8 다음 밑줄 친 부분의 쓰임이 나머지 넷과 <u>다른</u> 것을 고르세요.

① I don't feel <u>well</u> today.
② Jessica plays tennis <u>well</u>.
③ Richard doesn't sing <u>well</u>.
④ Anna gets along <u>well</u> with boys.
⑤ This medicine works <u>well</u> on toothaches.

8
well은 형용사와 부사로 쓰여요.
get along with ~
와 어울리다
medicine 약
toothache 치통

[9-10] 다음 중 어법상 옳은 문장을 고르세요.

9
① Ian ate breakfast quickly.
② There may be heavily rain tonight.
③ My sister studies hardly these days.
④ I read a newspaper near every day.
⑤ The bees are flying busy from flower to flower.

10　① This problem is easy very.
　　② This stew smells deliciously.
　　③ Jeremy is always kind and polite.
　　④ There are a lot of park in London.
　　⑤ Francesca wears usually a black dress.

[11-12] 다음 중 밑줄 친 부분이 잘못된 것을 고르세요.

11　① Please listen to me <u>carefully</u>.
　　② We <u>will never</u> lose our hope.
　　③ <u>Suddenly</u>, I heard a strange sound.
　　④ Mr. Smith is a <u>highly</u> unusual teacher.
　　⑤ It's too <u>lately</u> now. Let's go back home.

12　① There is <u>little</u> time left.
　　② I invited <u>a few</u> friends to my house.
　　③ Were there <u>many</u> people at the concert?
　　④ You should drink <u>lots of</u> water every day.
　　⑤ She bought some cheese and <u>a little</u> apples.

13　다음 우리말을 영어로 옮긴 것 중 잘못된 것은?

　　① 시간을 참 빨리 흘러요.
　　　➜ Time is moving fastly.
　　② Sam은 공을 높이 던졌어요.
　　　➜ Sam threw a ball high.
　　③ 그 영화는 꽤 길었어요.
　　　➜ The movie was quite long.
　　④ 신문에는 새로운 것이 하나도 없어.
　　　➜ There is nothing new in the newspaper.
　　⑤ 그녀는 아침에 좀처럼 일찍 일어나지 않아요.
　　　➜ She rarely gets up early in the morning.

Note

11
형용사와 부사의 형태에
유의하세요.
hope 희망
sound 소리
unusual 특이한, 흔
치 않은

12
수량형용사의 쓰임에 유
의하세요.

13
부사의 형태와 쓰임에
유의해서 답을 찾아보세
요.

14 다음 대화 중 자연스럽지 <u>않은</u> 것은?

① A: When did Ryan leave?
   B: He left a few minutes ago.
② A: Do you have any plans for tonight?
   B: No, nothing special.
③ A: My brother makes me so angrily.
   B: What did he do to you?
④ A: What do you do after school?
   B: I usually go home and do my homework.
⑤ A: The baby is sleeping. Will you talk quietly?
   B: Okay.

15 다음 빈칸에 알맞은 말을 보기에서 찾아 쓰세요.

[보기] few   many   a little

1) The test was very difficult. There were _____ correct answers.

2) Every Monday, I get _____ pocket money from my mom.

3) There weren't _____ empty seats in the theater.

15
1) 빈칸 뒤에 복수명사가 있어요.
2) 빈칸 뒤에 셀 수 없는 명사가 있어요.
3) 부정문이고 빈칸 뒤에 복수명사가 있어요.
correct 맞는, 정확한
pocket money 용돈

16 다음 문장에서 어법상 <u>어색한</u> 부분을 찾아 바르게 고치세요.

1) There is new someone in the class.

2) Dave drinks seldom coffee at night.

16
1) 형용사의 위치를 확인해 보세요.
2) 부사의 위치를 확인해 보세요.

[17–18] 다음 우리말과 같은 뜻이 되도록, 주어진 단어를 이용하여 문장을 완성하세요.

Note

17

너는 잘 먹고 규칙적으로 운동을 해야 해. (eat, and, exercise)

→ You should _____.

17
eat과 exercise를 수식하는 부사가 필요해요.

18

지난겨울에 눈이 거의 내리지 않았어요. (we, have, snow)

→ _____ last winter.

18
'거의 없는'이라는 의미로 셀 수 없는 명사를 수식하는 수량형용사가 필요해요.

[19–20] 다음 우리말과 같은 뜻이 되도록, 단어를 바르게 배열하여 문장을 완성하세요.

19

다시는 너에게 거짓말하지 않을게. (never, I, lie, will)

→ _____ to you again.

19
빈도부사의 위치를 생각해 보세요.
lie 거짓말하다

20

다행히도, 나는 새벽 열차를 탈 수 있었어요.
(I, catch, an, train, could, luckily, early)

→ _____.

20
문장을 수식하는 부사와, 명사를 수식하는 형용사의 위치를 생각해 보세요.

Chapter 6

비교

UNIT 01 비교급, 최상급 만드는 법

> '~보다 더 …한/하게'라는 의미의 비교급과, '가장 ~한/하게'라는 의미의 최상급을 만들 때는 보통 형용사와 부사에 -er/-est를 붙입니다.

❶ 규칙 변화

① 형용사/부사+-er/-est: 형용사와 부사의 원급에 -er 또는 -est를 붙인 형태

대부분의 단어	+-er/-est	tall - taller - tallest fast - faster - fastest	long - longer - longest smart - smarter - smartest
e로 끝나는 단어	+-r/-st	large - larger - largest safe - safer - safest	nice - nicer - nicest wise - wiser - wisest
「단모음+단자음」으로 끝나는 단어	자음을 한 번 더 쓰고 +-er/-est	big - bigger - biggest fat - fatter - fattest	hot - hotter - hottest thin - thinner - thinnest
「자음+-y」로 끝나는 단어	y를 i로 바꾸고 +-er/-est	easy - easier - easiest pretty - prettier - prettiest	early - earlier - earliest

② more/most+형용사/부사: 형용사와 부사의 원급 앞에 more와 most를 붙인 형태

-ful/-ing/-ed/-ous/-ive 등으로 끝나는 2음절, 3음절 이상의 단어	beautiful - **more** beautiful - **most** beautiful interesting - **more** interesting - **most** interesting famous - **more** famous - **most** famous popular - **more** popular - **most** popular
-ly로 끝나는 부사	easily - **more** easily - **most** easily carefully - **more** carefully - **most** carefully

❷ 불규칙 변화

비교급과 최상급의 형태가 원급과 전혀 다른 경우입니다.

원급		비교급	최상급
good	좋은	**better**	**best**
well	건강한		
bad/badly	나쁜/나쁘게	**worse**	**worst**
ill	아픈		
many	많은(수)	**more**	**most**
much	많은(양)		
little	적은(양)	**less**	**least**
old	늙은, 나이가 많은(시간)/낡은	**older**	**oldest**
	손위의(순서)	**elder**	**eldest**
far	먼/멀리(거리)	**farther**	**farthest**
	훨씬/아주(정도)	**further**	**furthest**

Warm up

정답 및 해설 p.30

1 다음 단어의 비교급과 최상급을 쓰세요.

01	big	bigger		26	rich		
02	tall			27	famous		
03	hot			28	new		
04	bad			29	difficult		
05	busy			30	beautiful		
06	cute			31	smart		
07	good			32	popular		
08	easy			33	clever		
09	loud			34	friendly		
10	noisy			35	well		
11	fast			36	carefully		
12	large			37	expensive		
13	small			38	early		
14	light			39	poor		
15	heavy			40	dirty		
16	little			41	dangerous		
17	much			42	important		
18	happy			43	interesting		
19	hard			44	fresh		
20	thin			45	crowded		
21	pretty			46	slowly		
22	young			47	handsome		
23	long			48	funny		
24	cheap			49	bright		
25	high			50	healthy		

- light 밝은; 가벼운   - thin 얇은; 마른   - important 중요한   - crowded 붐비는, 복잡한

① 다음 주어진 단어를 알맞은 형태로 바꿔 문장을 완성하세요.

01 James is _____shorter_____ than I am. (short) 비교급

02 Honey is _____ than sugar. (sweet) 비교급

03 I drink _____ tea than Dave does. (much) 비교급

04 Girls are physically _____ than boys. (weak) 비교급

05 The movie was _____ than I thought. (boring) 비교급

06 The cold weather makes me _____ than usual. (lazy) 비교급

07 I think smartphones are _____ than computers. (useful) 비교급

08 Brian is the _____ man in the town. (shy) 최상급

09 Today is the _____ day of the year. (cold) 최상급

10 Laura is the _____ girl in the class. (quiet) 최상급

11 He has the _____ room in the dorm. (messy) 최상급

12 Harry must be the _____ boy in the world. (lucky) 최상급

13 Rachel is the _____ teacher in the school. (popular) 최상급

14 A hippo has the _____ mouth of all land animals. (wide) 최상급

15 Christmas is the _____ holiday of the year for me. (exciting) 최상급

WORDS

• physically 육체적으로, 신체적으로   • usual 평상시의, 보통의   • messy 지저분한   • dorm 기숙사   • wide 넓은

❷ 다음 우리말과 같은 뜻이 되도록, 밑줄 친 부분을 바르게 고치세요.

01 I hope you'll get <u>gooder</u> soon.　　　　　　　　　　　better
　　빠른 쾌유를 빌게요.

02 Pitt is <u>fater</u> than he was last year.
　　Pitt는 작년보다 더 살이 쪘어요.

03 Vicky may be <u>wiseer</u> than you think.
　　Vicky는 네가 생각하는 것보다 더 현명할지도 몰라.

04 Don't make things <u>badder</u> than they are.
　　지금보다 상황을 더 안 좋게 만들지 마.

05 He can't solve even the <u>easyest</u> question.
　　그는 심지어 가장 쉬운 문제도 못 풀어요.

06 Russia is the <u>bigest</u> country in the world.
　　러시아는 세계에서 가장 큰 나라예요.

07 My legs are killing me! I can't walk <u>farer</u>.
　　다리가 너무 아파! 나는 더 멀리는 못 걷겠어.

08 Irene plays the piano <u>wellest</u> in her school.
　　Irene는 그녀의 학교에서 피아노를 제일 잘 연주해요.

09 Homemade food is <u>healthyer</u> than fast food.
　　집에서 만든 음식이 패스트푸드보다 더 건강에 좋아요.

10 Kyle spends the <u>most little</u> money on clothes.
　　Kyle은 옷에 가장 적은 돈을 써요.

11 This is the <u>most quick</u> way to get into the city.
　　이곳이 도시로 들어가는 가장 빠른 길이야.

12 She ordered the <u>expensivest</u> food on the menu.
　　그녀는 메뉴에서 가장 비싼 음식을 주문했어요.

• homemade 집에서 만든　　• menu 메뉴

Check up & Writing

문장에서 비교급, 최상급 형태 쓰기

❶ 다음 우리말과 같은 뜻이 되도록, 보기에서 알맞은 단어를 골라 알맞은 형태로 바꿔 쓰세요.

보기

| lovely | thin | safe | far | important | dangerous |
| rich | early | difficult | old | heavy | uncomfortable |

01 너는 전보다 말라 보여.

→ You look _____thinner_____ than before.

02 벌이 거미보다 더 위험해요.

→ Bees are _____ than spiders.

03 건강이 내게 가장 중요한 것이에요.

→ Heath is the _____ thing to me.

04 Jennifer는 모든 사람들 중에서 가장 사랑스러운 미소를 가졌어요.

→ Jennifer has the _____ smile of all.

05 너는 실제보다 더 체중이 많이 나가게 보여.

→ You look _____ than you really are.

06 나는 비행기에서 가장 불편한 자리에 앉았어요.

→ I sat on the _____ seat on the plane.

07 나는 스페인어가 영어보다 더 어려운 것 같아.

→ I think Spanish is _____ than English.

08 나는 내 부모님과 함께 있을 때 가장 안전하다고 느껴요.

→ I feel _____ when I'm with my parents.

09 Annie가 나보다 더 일찍 파티에 도착했어요.

→ Annie arrived at the party _____ than I.

10 Bill Gates가 미국에서 가장 부유한 사람이에요.

→ Bill Gates is the _____ person in the US.

11 극장이 마을에서 가장 오래된 건물이에요.

→ The theater is the _____ building in the town.

12 더 자세한 정보는 고객 서비스 부에 문의하세요.

→ Please contact customer service for _____ information.

WORDS

· uncomfortable 불편한   · contact 연락하다   · customer 손님, 고객

❷ 다음 우리말과 같은 뜻이 되도록, 문장을 완성하세요.

01 나는 James보다 빨리 달릴 수 있어요.

→ I can run _____faster_____ than James.

02 여름은 봄보다 더 더워요.

→ Summer is _____ than spring.

03 거북이는 토끼보다 더 느려요.

→ The turtle is _____ than the rabbit.

04 나는 오렌지보다 사과를 더 좋아해요.

→ I like apples _____ than oranges.

05 Max는 다섯 자녀들 중 막내예요.

→ Max is the _____ of five children.

06 나는 내 인생에서 최악의 결정을 내렸어요.

→ I made the _____ decision of my life.

07 세상에서 가장 긴 강은 무엇인가요?

→ What is the _____ river in the world?

08 부다페스트는 유럽에서 가장 아름다운 도시예요.

→ Budapest is the _____ city in Europe.

09 나에게는 책이 영화보다 더 재미있어.

→ Books are _____ than movies for me.

10 가을은 일 년 중 가장 좋은 계절이에요.

→ Autumn is the _____ season of the year.

11 기린은 지구상에서 가장 키가 큰 육지 동물이에요.

→ A giraffe is the _____ land animal on earth.

12 태양이 태양계에서 가장 밝은 별이에요.

→ The sun is the _____ star in the solar system.

• **decision** 결정   • **season** 계절   • **land** 육지, 땅   • **solar system** 태양계

UNIT 02

원급, 비교급, 최상급

> 형용사와 부사를 비교하는 방법에는 원급(~만큼 …한/하게), 비교급(~보다 …한/하게),
> 최상급(가장 ~한/하게)이 있습니다.

❶ 원급

비교 대상의 정도나 성질이 동등함을 나타냅니다.

형태와 의미	예문
「as+원급+as」: ~만큼 …한/하게 • 「not as[so]+원급+as」: ~만큼 …하지 않은/않게	Today is **as hot as** yesterday. 오늘은 어제만큼 더워. Joan can play the piano **as well as** Tina. Joan은 Tina만큼 피아노를 잘 쳐요. This book is not **as[so] interesting as** that one. 이 책은 저것만큼 재미있지 않아.

❷ 비교급

두 개 대상 중 하나가 다른 하나보다 우등하거나 열등함을 나타냅니다.

형태와 의미	예문
「비교급+than」: ~보다 …한/하게	Susie looks **younger than** she actually is. Susie는 실제 나이보다 어려 보여요. Dave plays soccer **better than** I (do). Dave는 저보다 축구를 잘해요.

Plus 1 • 원급과 비교급에서 비교 대상은 동등한 형태가 와야 해요. 하지만 구어체에서는 목적격을 쓰기도 해요.
I read as many books as **he** (does).
I read more books than **he** (does).
I read as many books as **him**.

Plus 2 • 비교급 앞에 much, even, still, a lot, far 등을 써서 '훨씬'이라는 의미로 비교급을 강조할 수 있어요.
Jason is **much taller** than I. Jason은 나보다 훨씬 키가 커요.

❸ 최상급

세 개 이상을 비교하여 정도나 성질이 가장 우등하거나 열등함을 나타냅니다. 형용사의 최상급 앞에는 보통 the를 붙이고, of(~중에서)와 in/on(~에서)을 써서 비교 범위를 한정합니다.

형태와 의미	예문
• 「the+최상급 in/on 범위나 장소를 나타내는 명사」: ~에서 가장 …한 • 「the+최상급 of 비교 대상이 되는 명사」: ~중에서 가장 …한	He bought **the most expensive** watch in the shop. 그는 그 가게에서 가장 비싼 손목시계를 샀어요. Jacob is **the youngest** child of the four. Jacob이 그 넷 중 막내야.

Plus 3 • 보통 부사의 최상급 앞에는 the를 쓰지 않지만, 생활영어에서는 the를 쓰기도 해요.
I like winter (the) **most** among four seasons. 나는 사계절 중 겨울을 가장 좋아해요.
Patrick runs (the) **fastest** in the school. Patrick은 학교에서 가장 빨리 달려요.

Warm up

1 다음 우리말과 같은 뜻이 되도록, 괄호 안에서 알맞은 것을 고르세요.

01 Paul studies ((as) / so) hard as Monica does.
Paul은 Monica만큼 열심히 공부해요.

02 She is (as friendly / friendlier than) her sisters.
그녀는 언니들보다 더 상냥해요.

03 You drive (as carefully / more carefully) as I do.
너는 나만큼 신중하게 운전하는 구나.

04 Kevin is as (lazy / lazier / laziest) as my brother.
Kevin은 우리 오빠만큼 게을러요.

05 Her hair is as (short / shorter / shortest) as mine.
그녀의 머리는 내 머리만큼 짧아요.

06 Jake is the funniest guy (as / than / of) my friends.
Jake는 내 친구들 중에 가장 재미있는 녀석이야.

07 My car is (cheap / cheaper / cheapest) than yours.
내 차는 네 것보다 더 싸.

08 Meg is the (good / better / best) player on the team.
Meg는 그 팀에서 최고의 선수예요.

09 Carl always arrives at work earlier (as / than) Steven.
Carl은 항상 Steven보다 일찍 회사에 도착해요.

10 This movie looks (interesting / more interesting) than that one.
이 영화가 저것보다 더 재미있어 보여.

11 A cheetah is (fast as / faster than / the fastest) animal in the world.
치타는 세상에서 가장 빠른 동물이에요.

12 My grandma makes (more delicious / the most delicious) pancake in the world.
우리 할머니는 세상에서 가장 맛있는 팬케이크를 만드세요.

WORDS
· pancake 팬케이크

1 다음 괄호 안에서 알맞은 것을 고르세요.

01 Mrs. Gray is the (kinder /(kindest)) person in the town.

02 Seoul is the (larger / largest) city in Korea.

03 Your shoes cost (far / so) more than mine.

04 Anna is (more / most) charming than Isabel.

05 My aunt is (very / much) older than my uncle.

06 She had as (little / less / least) money as I did.

07 She is the most famous actress (in / of) England.

08 The boy eats as (much / more / most) as an adult does.

09 This is the (much / more / most) crowded cafe in the city.

10 I can't hear you. Can you speak (as loudly / more loudly)?

11 My birthday is (happier than / the happiest) day of the year.

12 Final exams were not (as / much / most) difficult as midterms.

13 My grandfather is as (healthy / healthier / healthiest) as a man of thirty.

14 I studied (little / less) than Tom, but I got (better / best) grades than he.

15 My new bed isn't so (comfortable as / more comfortable than) the old one.

· **cost** 값이 ~이다[들다]   · **charming** 매력적인   · **adult** 성인, 어른   · **midterm** 중간의

❷ 다음 빈칸에 알맞은 말을 보기에서 고르고, 주어진 지시에 따라 문장을 완성하세요.

보기 01-04

well   new   fluently   boring   (원급으로 쓸 것)

01 These jeans are _____ as new as _____ those ones.

02 This book isn't _____ that one.

03 Can you play tennis _____ Brandon?

04 Bruno speaks English _____ a native.

보기 05-08

popular   peaceful   late   good   (비교급으로 쓸 것)

05 Sue paints far _____ Eric.

06 Cats are _____ birds as a pet.

07 Country life is usually _____ city life.

08 We arrived at the concert _____ Brian.

보기 09-12

intelligent   busy   impressive   scary   (최상급으로 쓸 것)

09 This is _____ part of the movie.

10 A dolphin is _____ animal in the sea.

11 The dentist's office is _____ place for me.

12 Mom is always _____ person in my family.

WORDS
• native 현지인   • peaceful 평화로운   • intelligent 총명한, 지능이 있는   • impressive 인상적인   • scary 무서운, 겁나는

Check up & Writing

원급, 비교급, 최상급 문장 쓰기

1 다음 주어진 문장의 내용과 맞도록, 주어진 단어를 이용하여 문장을 완성하세요.

01 Emma is 55 kg. Rachel is 50 kg. Susie is 53 kg. (heavy)

→ Emma is _____the heaviest_____ girl of the three.

→ Rachel is not _____ Susie.

02 Ted got an A on the test. Bill got a B. Jessica got a C. (well)

→ Ted did _____ on the test of the three.

→ Bill did _____ Jessica on the test.

03 I'm 165 cm tall. Smith is 170 cm tall. Luise is 173 cm tall. (tall)

→ Smith is _____ I am.

→ Luise is _____ boy among us.

04 I'm 15 years old. Mike is 15 years old. Steve is 17 years old. (old)

→ I'm _____ Mike.

→ Steve is _____ boy of us.

05 Moscow is -3 degrees. Paris is 4 degrees. Seoul is 6 degrees. (cold)

→ Moscow is _____ place of the three.

→ Seoul is not _____ Paris.

06 The blue hat is $10. The red one is $15. The black one is $20. (expensive)

→ The black hat is _____ hat among them.

→ The red hat is _____ the blue one.

07 I have 30 books. My sister has 50 books. My brother has 30 books.
(many books)

→ My brother has _____ I do.

→ My sister has _____ among us.

08 Isabel swims 100 meters in 1 minute. Christine swims 100 meters in
2 minutes. Sylvia swims 100 meters in 2 minutes. (fast)

→ Sylvia swims _____ Christine does.

→ Isabel swims _____ of the three.

· degree 도

❷ 다음 우리말과 같은 뜻이 되도록, 주어진 단어를 이용하여 문장을 완성하세요.

01 그의 계획이 너의 것만큼 좋았어. (good)

➡ His plan was ____as____ ____good____ ____as____ ____yours____ .

02 이곳이 도시에서 가장 높은 건물이에요. (high, building)

➡ This is _____ _____ _____ in the city.

03 그녀는 바비 인형보다 훨씬 예뻐. (pretty)

➡ She is _____ _____ _____ a Barbie doll.

04 나는 스케이트를 타는 것보다 스키 타는 것을 더 좋아해요. (skiing, skating)

➡ I like _____ _____ _____ _____ .

05 Betty는 반에서 가장 총명한 학생이에요. (smart)

➡ Betty is _____ _____ _____ in the class.

06 돈은 사랑만큼 중요하지는 않아요. (important)

➡ Money isn't _____ _____ _____ _____ .

07 다이아몬드가 세상에서 가장 단단한 금속이에요. (hard, metal)

➡ Diamond is _____ _____ _____ in the world.

08 오늘 나는 내 인생에서 최악의 실수를 저질렀어. (bad, mistake)

➡ Today, I made _____ _____ _____ of my life.

09 Irene는 Silvia보다 시간을 지혜롭게 관리해요. (wisely)

➡ Irene manages time _____ _____ _____ Silvia.

10 이 문제가 지난 것보다 더 심각해요. (serious)

➡ This problem is _____ _____ _____ the last one.

11 Vicky는 그녀의 언니만큼 춤을 잘 출 수 있어. (well)

➡ Vicky can _____ _____ _____ _____ her sister.

12 나는 내 친구들 사이에서 정치에 가장 관심이 적어요. (little, interest)

➡ I have _____ _____ _____ in politics among my friends.

WORDS

• hard 단단한, 딱딱한　• metal 금속　• manage 관리하다　• interest 관심　• politics 정치

UNIT 03

비교 구문을 이용한 표현

문장의 의미에 따라 원급은 비교급으로, 비교급은 최상급으로 바꿔 쓸 수 있습니다. 그리고 다양한 원급, 비교급, 최상급의 관용 표현이 있습니다.

① 원급을 이용해 비교급 표현하기

「A not as[so]+원급+as B」 = 「B is 비교급 than A」	The earth is **not as big as** the sun. 지구는 태양만큼 크지 않아요. = The sun is **bigger than** the earth. 태양을 지구보다 커요. Mark doesn't run **as fast as** Bill does. Mark는 Bill만큼 빨리 달리지 않아요. = Bill runs **faster than** Mark. Bill은 Mark보다 빨리 달려요.

② 비교급을 이용해 최상급 표현하기

「비교급 than+any other+ 단수명사」 = 「the+최상급+명사」	Humans are **more dangerous than any other animal** on the earth. 인간은 지구상에서 다른 어떤 동물보다도 더 위험해요. = Humans are **the most dangerous animal** on the earth. 인간은 지구상에서 제일 위험한 동물이에요. Carrie is **smarter than any other student** in her school. Carrie는 자신의 학교에서 다른 어떤 학생보다도 더 똑똑해요. = Carries is **the smartest student** in her school. Carrie는 자신의 학교에서 가장 똑똑해요.

③ 비교 구문을 이용한 표현

형태	예문
「배수사+as+원급+as」: ～의 …배로 ～한 = 「배수사+비교급+than」 *cf.* 배수사로 twice가 온 경우는 「배수사 비교급+than」으로 바꿔 쓸 수 없음	My aunt is **three times as old as** I. 우리 이모는 나의 세 배만큼 나이가 많아요. = My aunt is **three times older than** I. 우리 이모는 나보다 나이가 세 배 더 많아요.
「as+원급+as possible」: 가능한 ～한/하게 = 「as+원급+as 주어 can」	Please call me **as soon as possible**. = Please call me **as soon as you can**. 가능한 한 빨리 저에게 전화해 주세요.
「the 비교급, the 비교급」: ～하면 할수록 더 …하다	**The more** you practice, **the better** you will do. 연습을 하면 할수록 너는 더 잘하게 될 거야. **The more** you have, **the more** you want. 가지면 가질수록 더 갖고 싶어져.
「비교급+and+비교급」: 점점 더 ～한	It's getting **warmer and warmer**. 점점 따뜻해지고 있어. **More and more** people have pets. 점점 더 많은 사람들이 애완동물을 가지고 있다.
「Which/Who ～ 비교급, A or B」: A와 B 중 어떤 것/사람이 더 ～하니?	**Which** is **more important** to you, money **or** health? 돈과 건강 중 너에게 어떤 것이 더 중요하니? **Who** do you resemble **more**, your mom **or** your dad? 너는 엄마와 아빠 중 누굴 더 닮았니?
「one of the+최상급+복수명사」: 가장 ～한 것들 중의 하나	She is **one of the best painters** in the world. 그녀는 세계에서 가장 훌륭한 화가들 중 한 명이에요. Thanksgiving is **one of the biggest holidays** in the US. 추수감사절은 미국에서 가장 큰 명절들 중 하나예요.

Warm up

정답 및 해설 p.32

1 다음 우리말과 같은 뜻이 되도록, 괄호 안에서 알맞은 것을 고르세요.

01 Read as many books (as / than) you can.
가능한 한 많은 책을 읽으세요.

02 His room is (two / twice) as big as mine.
그의 방은 내 것보다 두 배만큼 커요.

03 Who looks happier, Kelly (and / or) Betty?
Kelly와 Betty 중 누가 더 행복해 보이니?

04 I ran to school as (fast / faster) as possible.
나는 가능한 한 빨리 학교로 달렸어요.

05 The more I exercise, the (slim / slimmer) I will be.
운동을 하면 할수록 나는 더 날씬해질 거야.

06 Which color do you like (more / most), blue or red?
너는 파란색과 빨간색 중 어떤 색깔이 더 좋으니?

07 The more you know Ian, the (more / most) you will like him.
네가 Ian을 알면 알수록 너는 그를 좋아하게 될 거야.

08 Things are getting (worse and worse / worst and worst) for us.
상황이 우리에게 점점 불리해지고 있어.

09 Stephen Hawking is one of the (more / most) famous scientists.
Stephen Hawking은 가장 유명한 과학자 중 하나예요.

10 Vatican City is (small / smaller) than any other country in the world.
바티칸은 세상에서 다른 어떤 나라보다도 작아요.

11 This coat is four times (expensive / more expensive) than that one.
이 코트는 저것보다 4배 더 비싸요.

12 Mount Everest is higher than any other (mountain / mountains) in the world.
에베레스트 산은 세계에서 다른 어떤 산보다 높아요.

• possible 가능한　　• slim 날씬한

1 다음 주어진 단어를 이용하여 문장을 완성하세요.

01 Who is _____nicer_____ to you, Chuck or Paula? (nice)

02 Which one is _____, a fox or a wolf? (clever)

03 My dog is _____ as heavy as your cat. (twice)

04 My mother is _____ than me. (three times, old)

05 Wash your hands as _____ as you can. (often)

06 Will you come here as _____ as possible? (quickly)

07 London is one of the _____ cities in the world. (big)

08 Computers are becoming _____. (cheap and cheap)

09 Can you set the volume as _____ as possible? (high)

10 The more you sleep, the _____ tired you'll feel. (little)

11 The more books we read, the _____ we learn. (much)

12 The sooner we leave, the _____ we will arrive. (early)

13 _____ students take online courses. (many and many)

14 Brad Pitt is one of the _____ actors in Hollywood. (great)

15 Which dress looks _____ on me, this one or that one? (good)

• clever 영리한, 똑똑한   • online 온라인의, 온라인으로   • course 강의, 강좌

❷ 다음 밑줄 친 부분을 어법에 맞게 고쳐 쓰세요.

01 Who sings <u>best</u>, Charlie or Justine?   better

02 The more you work, the <u>most</u> you earn.

03 My father weighs twice as <u>more</u> as I do.

04 Hold your breath as <u>longer</u> as possible.

05 I have five times <u>many</u> friends than he has.

06 The more you study, the <u>smart</u> you will be.

07 Skydiving is one of the <u>more</u> dangerous sports.

08 Sadly, my grandfather is getting <u>weak and weaker</u>.

09 Which subject do you like <u>most</u>, history or science?

10 The new bridge is five times <u>wide</u> than the old one.

11 The soccer match is getting <u>more and most</u> exciting.

12 Rick is more handsome than any other <u>men</u> in the town.

13 Spaghetti is one of the <u>more popular</u> foods in the world.

14 He plays soccer better than any other <u>players</u> in his country.

15 The One World Trade Center is <u>tall</u> than any other building in New York.

· **earn** (돈을) 벌다　　· **weigh** 무게가 나가다　　· **hold** 참다　　· **breath** 숨, 호흡　　· **subject** 과목

❶ 다음 두 문장이 같은 뜻이 되도록, 빈칸에 알맞은 말을 쓰세요.

01 Mt. Jiri isn't as high as Mt. Halla. 비교급 이용

→ Mt. Halla is _____ higher than _____ Mt. Jiri.

02 Math is the hardest subject for me. 비교급 이용

→ Math is _____ for me.

03 Jupiter is ten times bigger than the Earth. 원급 이용

→ Jupiter is _____ the Earth.

04 This tree is four times taller than that one. 원급 이용

→ This tree is _____ that one.

05 She is greater than any other violinist in France. 최상급 이용

→ She is _____ in France.

06 This dress is five times as expensive as that one. 비교급 이용

→ This dress is _____ that one.

07 Russia is larger than any other country in the world. 최상급 이용

→ Russia is _____ in the world.

08 Tim has three times as much money as Michael does. 비교급 이용

→ Tim has _____ Michael does.

09 Antarctica is colder than any other continent in the world. 최상급 이용

→ Antarctica is _____ in the world.

10 I play the piano better than Greg. 원급 이용

→ Greg doesn't play the piano _____ I do.

11 I speak French more fluently than Sarah does. 원급 이용

→ Sarah doesn't speak French _____ I do.

12 The Yellow River is not as long as the Amazon River. 비교급 이용

→ The Amazon river is _____ the Yellow River.

WORDS

• hard 어려운   • Antarctica 남극   • continent 대륙

❷ 다음 우리말과 같은 뜻이 되도록, 주어진 단어를 이용하여 문장을 완성하세요.

01 밖이 점점 어두워지고 있어. (get, dark)

➡ It's __getting__ __darker__ __and__ __darker__ outside.

02 체스와 바둑 중 무엇이 더 재미있니? (interesting)

➡ _____ _____ _____ _____, chess or go?

03 나는 가능한 한 크게 말하고 있어. (speak, loud)

➡ I'm _____ _____ _____ _____ _____.

04 너는 매년 점점 키가 자라는 구나. (get, tall)

➡ You are _____ _____ _____ _____ each year.

05 이 영화는 저것의 두 배만큼 길어요. (twice, long)

➡ This movie is _____ _____ _____ _____ that one.

06 내가 그녀에 대해 생각하면 할수록 나는 그녀가 더 그리워요. (the, much)

➡ _____ _____ I think of her, _____ _____ I miss her.

07 너의 누나와 형 중 누가 더 너와 친하니? (close)

➡ _____ _____ _____ to you, your sister or your brother?

08 금성은 하늘에게 가장 밝은 별들 중 하나예요. (bright, star)

➡ Venus is _____ _____ _____ _____ _____ in the sky.

09 나는 당신을 가능한 한 빨리 뵙고 싶어요. (see, soon)

➡ I'd like to _____ _____ _____ _____ _____ _____.

10 네가 야채를 많이 먹으면 먹을수록 너는 건강해져. (healthy, become)

➡ The more vegetables you eat, _____ _____ _____ _____.

11 뉴욕은 가장 복잡한 도시들 중 하나예요. (crowded, city)

➡ New York is _____ _____ _____ _____ _____ _____.

12 카타르는 세계에서 다른 어떤 나라보다도 더 부유해요. (rich, country)

➡ Qatar is _____ _____ _____ _____ _____ in the world.

WORDS

· Venus 금성   · bright 밝은, 똑똑한

❶ 다음 주어진 단어를 이용하여 문장을 완성하세요.

01 Josh has as ___bad___ handwriting as I do. (bad)

02 My father is twice as _____ as I am. (tall)

03 Why am I always _____ than you? (busy)

04 The lecture was _____ than I thought. (boring)

05 I have much _____ homework than he. (much)

06 Which is _____, honey or maple syrup? (sweet)

07 The drama is not as _____ as it was. (interesting)

08 The more you know, the _____ you forget. (much)

09 We stayed at the _____ hotel in the city. (expensive)

10 The sun is _____ than the moon away from the earth. (far)

11 This cafe serves the _____ coffee in the town. (delicious)

12 Mozart is one of the _____ composers in history. (good)

13 Take as _____ photos as possible while you travel. (many)

14 Steven learns _____ than any other student in the class. (fast)

15 The world is getting _____ and _____ every day. (small)

WORDS
• handwriting 육필, 친필 • maple syrup 메이플 시럽 • serve (식당에 음식을) 제공하다 • composer 작곡가

② 다음 문장에서 <u>어색한</u> 곳을 찾아 바르게 고치세요.

01 Eat as less salt as you can.   less → little

02 Oceans are deeper to rivers.

03 I can dance as well than Jessica.

04 Emma got gooder grades than I did.

05 The subway is very faster than the bus.

06 Lisa is the beautifulest girl in the class.

07 Which is best as a pet, a dog or a cat?

08 Yesterday was the worse day of my life.

09 My aunt is as more generous as my uncle.

10 The faster we work, the soon we will finish.

11 Joel gets three as much pocket money as I.

12 Mr. Collin owns the bigest farm in the town.

13 He is more polite than any other boys in the school.

14 Bridget exercises these days. She is getting slim and slim.

15 The temple is one of the oldest building in our country.

· ocean 대양, 바다   · deep 깊은   · generous 관대한   · own 소유하다   · temple 절, 사원

❸ 다음 우리말과 같은 뜻이 되도록, 주어진 단어를 이용해서 문장을 완성하세요.

01 이 케이크는 보기만큼 맛있지 않아. (taste, delicious)

→ This cake doesn't ___taste___ ___as___ ___delicious___ ___as___ it looks.

02 나는 너보다 높이 뛸 수 있어. (jump, high)

→ I can _____ _____ _____ you can.

03 이건 내 인생에서 가장 행복한 순간이에요. (happy, moment)

→ This is _____ _____ _____ of my life.

04 지구상에서 가장 작은 동물은 무엇인가요? (small, animal)

→ What is _____ _____ _____ on the earth?

05 기차역에 도착하려면 더 멀리 걸어야 해요. (walk, far)

→ We have to _____ _____ to get the train station.

06 Vicky와 Sue 중 누구의 머리가 더 기니? (have, long)

→ _____ _____ _____ _____, Vicky or Sue?

07 너의 영어 실력이 점점 좋아지고 있어. (get, good)

→ Your English is _____ _____ _____ _____.

08 많이 먹으면 먹을수록 너는 더 뚱뚱해져. (fat, become)

→ The more you eat, _____ _____ _____ _____.

09 내 책은 네 것보다 세 배 더 두꺼워. (three, thick)

→ My book is _____ _____ _____ _____ yours.

10 축구는 가장 인기 있는 운동들 중 하나예요. (popular, sport)

→ Soccer is _____ _____ _____ _____ _____ _____.

11 너는 내일 가능한 한 일찍 일어나야 해. (early, possible)

→ You should get up _____ _____ _____ _____ tomorrow.

12 Wilson 부인은 내 이웃에서 다른 어떤 사람보다 더 수다스러워요. (talkative, person, other)

→ Mrs. Wilson is _____ _____ _____ _____ _____ _____ in my neighborhood.

• **moment** 순간　• **thick** 두꺼운　• **talkative** 수다스러운, 말하기를 좋아하는　• **neighborhood** 근처, 이웃

4 다음 우리말과 같은 뜻이 되도록, 주어진 단어를 바르게 배열하여 문장을 완성하세요.

01 날씨가 점점 더워지고 있어요. (hotter, getting, is, and hotter)

→ The weather _____ is getting hotter and hotter _____.

02 웃으면 웃을수록 너는 더 행복해져. (you, the, become, happier)

→ The more you smile, _____.

03 내 컴퓨터는 그녀의 것만큼 새것이 아니에요. (as, not, new, hers, as)

→ My computer is _____.

04 가능한 한 천천히 얘기해 주실래요? (as, possible, speak, slowly, as)

→ Could you _____?

05 공기 오염은 우리가 생각하는 것보다 훨씬 심각해요. (than, a lot, worse)

→ Air pollution is _____ we think.

06 책과 영화 중 너는 어떤 것을 더 좋아하니? (do, more, which, like, you)

→ _____, movies or books?

07 그의 신발은 내 것의 두 배만큼 비싸요. (as, mine, twice, as, expensive)

→ His shoes are _____.

08 이 사과들이 저것들보다 더 신선해 보여요. (those, look, ones, fresher, than)

→ These apples _____.

09 나는 모든 것 중에서 바퀴벌레가 제일 싫어요. (hate, I, most, cockroaches)

→ _____ of all.

10 우리 아빠가 우리 가족 중 가장 부지런한 사람이야. (person, the, diligent, most)

→ My dad is _____ in my family.

11 피카소는 역사상 가장 위대한 예술가들 중 한 명이에요. (the, of, artists, one, greatest)

→ Picasso is _____ of all time.

12 Peter는 그 경기에서 다른 어떤 선수보다 잘 했어요. (better, any, than, player, other, played)

→ Peter _____ in the game.

· pollution 오염   · hate 싫어하다   · cockroach 바퀴벌레

Note

[1–2] 다음 중 원급, 비교급, 최상급이 잘못 짝지어진 것을 고르세요.

1
① good - better - best
② wide - wider - widest
③ thin - thinner - thinnest
④ healthy - healthyer - healthyest
⑤ beautiful - more beautiful - most beautiful

2
① little - less - least
② fast - faster - fastest
③ hard - harder - hardest
④ much - mucher - muchest
⑤ useful - more useful - most useful

[3–5] 다음 빈칸에 들어갈 말로 알맞은 것을 고르세요.

3

| Jason plays baseball as _____ as Tony. |

① well   ② better
③ best   ④ most
⑤ more

4

| My new room is _____ than the old one. |

① large   ② larger
③ largest   ④ more large
⑤ most large

5

| Ryan is the _____ student in the school. |

① popular   ② popularer
③ popularest   ④ more popular
⑤ most popular

3
빈칸 앞뒤에 as가 있어
요.

4
빈칸 뒤에 than이 있어
요.

5
빈칸 앞에 the가 있고,
뒤에 장소를 나타내는
명사가 있어요.

정답 및 해설 p.34

6 다음 빈칸에 들어갈 말로 알맞지 <u>않은</u> 것은?

> Snowboarding is _____ more interesting than skiing to me.

① far   ② very
③ even   ④ a lot
⑤ much

Note

6
뒤에 비교급이 있으므로
비교급 강조하는 말이
와야 해요.
snowboarding 스
노보드 타기

7 다음 빈칸에 들어갈 말이 순서대로 바르게 짝지어진 것은?

> • Which do you like _____(A)_____, coffee or tea?
> • Please send me the report as _____(B)_____ as possible.

(A)   (B)
① much   -   soon
② more   -   soon
③ more   -   sooner
④ most   -   sooner
⑤ most   -   soonest

7
(A) '어떤 것이 더 ~하
니?'라는 의미의 표현,
(B) '가능한 한 ~한/하
게'라는 의미의 표현이
에요.

[8-9] 다음 우리말과 같은 뜻이 되도록, 빈칸에 들어갈 말을 고르세요.

8
그와 얘기하면 할수록 나는 그를 더 존경하게 돼요.
→ The more I talk with him, _____.

① more I respect him   ② most I respect him
③ the much I respect him   ④ the more I respect him
⑤ the most I respect him

8
'~하면 할수록 더 …하
다'라는 의미의 비교급
표현을 생각해 보세요.
respect 존경하다

9
점점 더 추워지고 있어.
→ It is getting _____.

① cold and cold   ② cold and colder
③ colder and colder   ④ colder and coldest
⑤ coldest and coldest

9
'점점 더 ~한'이라는 의
미의 비교급 표현을 생
각해 보세요.

10 다음 짝지어진 두 문장의 의미가 서로 <u>다른</u> 것은?

① Emma and Anna both have $10.
= Emma has as much money as Anna.
② My house is three times as big as his.
= My house is three times bigger than his.
③ Spanish isn't so difficult as German.
= Spanish is more difficult than German.
④ He ran to the bus stop as fast as possible.
= He ran to the bus stop as fast as he could.
⑤ Mr. Green is the nicest person in the town.
= Mr. Green is nicer than any other person in the town.

Note

10
짝지어진 두 문장의 비교 대상에 유의하세요.

11 다음 중 옳은 문장을 고르면?

① I feel much better than yesterday.
② He is the richer guy in our country.
③ I can't swim as fast than my sister can.
④ My sister goes shopping most often than I do.
⑤ Sam is brighter than any other students in his school.

11
원급, 비교급, 최상급의 형태를 생각해 보세요.

[12–13] 다음 밑줄 친 부분이 <u>잘못된</u> 것을 고르세요.

12 ① Today is <u>the happiest day</u> of my life.
② My dad cooks <u>better than</u> my mom.
③ Lemons are usually <u>sourer than</u> oranges.
④ This is <u>the quickest way</u> to get downtown.
⑤ I don't have <u>as more friends as</u> Denis has.

12
lemon 레몬
sour 신
downtown 시내로, 시내에

13 ① I'll finish this <u>as soon as</u> possible.
② I'm getting <u>more and more nervous</u>.
③ Who <u>studies harder</u>, Ben or Daniel?
④ It is one of <u>the taller buildings</u> in the world.
⑤ The earlier we leave, <u>the sooner</u> we'll arrive there.

정답 및 해설 p.35

14 다음 대화 중 자연스럽지 <u>않은</u> 것은?

① A: Who is more famous, Picasso or Warhol?
   B: I think Picasso is more famous.
② A: Today will be the coldest day of the year.
   B: Really? I had better dress warmly.
③ A: The days are getting long and longer.
   B: Yes. Summer is coming.
④ A: How can I improve my writing skills?
   B: The more you practice, the more you will improve.
⑤ A: Why do you like *Star Wars*?
   B: Because it is one of the greatest movies.

14
비교 구문을 이용한 표현 중 형태가 잘못된 것을 고르세요.
dress 옷을 입다
warmly 따뜻하게
day 낮, 주간
improve 향상하다
skill 기술, 실력

15 다음 표와 주어진 단어를 이용하여 빈칸에 알맞은 말을 쓰세요.

	Jacob	Brian	Ted
age	8	15	16
height	130 cm	154 cm	170 cm
weight	25 kg	43 kg	62 kg

1) Jacob is _____ _____ of the three. (short)

2) Brian is _____ _____ Jacob. (heavy)

3) Ted is _____ _____ _____ _____ Jacob. (twice, old)

16 다음 두 문장이 같은 뜻이 되도록, 비교급을 이용하여 빈칸에 알맞은 말을 쓰세요.

1) This cell phone is five times as expensive as that one.
   = This cell phone is _____ that one.

2) The Sahara is the largest desert in the world.
   = The Sahara is _____ in the world.

[17-18] 다음 우리말과 같은 뜻이 되도록, 주어진 단어를 이용하여 문장을 완성하세요.

Note

17 그 뮤지컬은 내가 예상했던 것보다 훨씬 더 재미있었어. (exciting)

→ The musical was _____ I expected.

17
비교급과 비교급 강조
표현을 사용하세요.

18 Aiden은 그 학교에서 가장 훌륭한 학생 중 한 명이에요. (good)

→ Aiden is _____ in the school.

18
최상급을 사용하세요.

[19-20] 다음 우리말과 같은 뜻이 되도록, 주어진 단어를 바르게 배열하여 문장을 완성하세요.

19 Eric은 내 모든 친구들 중에서 가장 재미있는 사람이야.
(person, the, funniest, of)

→ Eric is _____ all my friends.

20 그녀는 영어를 너처럼 유창하게 말할 수 없어.
(can't, English, as, speak, as, fluently)

→ She _____ you.

Review test

정답 및 해설 p.36

1 다음 괄호 안에서 알맞은 것을 고르세요.

01 (She / Her) house is around the corner.

02 I waited for (their / them) for (a / an) hour.

03 Two (thiefs / thieves) stole (I / my / me) car.

04 I'm teaching (me / myself) French these days.

05 (The / A) handbag on the table is (she / her / hers).

06 (She / Her) bought two bottles of (water / waters).

07 (A / The / ×) sun is high up in (a / the / ×) sky.

08 (The children' / The children's) eyes were shining brightly.

09 They took a lot of (photos / photoes) in (Tokyo / a tokyo).

10 Mary goes to (school / the school) by (bus / a bus) every day.

11 (This / These) jeans are not mine. Are they (Jenny's / Jennys')?

12 (This / That / It) is cold. Will you close (the / a) window, please?

13 I don't have (a / an / the) pen. Can I borrow (you / your / yours)?

14 This is between (ours / ourselves). Don't talk to anyone about this.

15 We grow (tomatos / tomatoes) and (potatos / potatoes) in our garden.

Words   corner 모퉁이, 구석   handbag 핸드백

① 다음 우리말과 같은 뜻이 되도록, 주어진 단어를 이용하여 문장을 완성하세요. `Chapter 1-3`

01 저것들이 너의 운동화니? (sneaker)

➡ <u>Are</u> <u>those</u> <u>your</u> <u>sneakers</u> ?

02 아이들은 해변에서 즐거운 시간을 보내고 있어요. (enjoy)

➡ The kids are ＿＿＿＿＿ ＿＿＿＿＿ at the beach.

03 이 가게는 남성복을 판매해요. (store, men, clothing)

➡ ＿＿＿＿＿ ＿＿＿＿＿ ＿＿＿＿＿ ＿＿＿＿＿.

04 어제가 너의 생일이었니? (birthday)

➡ ＿＿＿＿＿ ＿＿＿＿＿ ＿＿＿＿＿ ＿＿＿＿＿ yesterday?

05 우리는 두 조각의 치즈 케이크를 주문했어요. (order, cheesecake)

➡ We ＿＿＿＿＿ ＿＿＿＿＿ ＿＿＿＿＿ ＿＿＿＿＿ ＿＿＿＿＿.

06 내가 이 사진들을 이메일로 보내줄게. (send, picture, by, email)

➡ I will ＿＿＿＿＿ ＿＿＿＿＿ ＿＿＿＿＿ ＿＿＿＿＿ ＿＿＿＿＿.

07 우리 할아버지의 농장에는 사슴 다섯 마리가 있어요. (deer, my grandfather)

➡ There are ＿＿＿＿＿ ＿＿＿＿＿ on ＿＿＿＿＿ ＿＿＿＿＿ ＿＿＿＿＿.

08 Sandra는 일주일에 세 번 테니스를 쳐요. (tennis, time, week)

➡ Sandra plays ＿＿＿＿＿ ＿＿＿＿＿ ＿＿＿＿＿ ＿＿＿＿＿.

09 나는 외투를 하나 샀어. 그 외투는 정말 따뜻해. (coat)

➡ I bought ＿＿＿＿＿ ＿＿＿＿＿. ＿＿＿＿＿ ＿＿＿＿＿ is very warm.

10 요즘 많은 사람들이 인터넷으로 쇼핑을 해요. (shop, on, Internet)

➡ A lot of people ＿＿＿＿＿ ＿＿＿＿＿ ＿＿＿＿＿ ＿＿＿＿＿ these days.

11 저 사람이 내 사촌 Jennifer야. 그녀는 대학생이야. (cousin, university)

➡ ＿＿＿＿＿ ＿＿＿＿＿ ＿＿＿＿＿ ＿＿＿＿＿, Jennifer. She is ＿＿＿＿＿
＿＿＿＿＿ ＿＿＿＿＿.

12 나는 아침밥으로 사과 하나와 우유 한 잔을 먹어요. (apple, milk)

➡ I have ＿＿＿＿＿ ＿＿＿＿＿ and ＿＿＿＿＿ ＿＿＿＿＿ ＿＿＿＿＿
for breakfast.

1 다음 밑줄 친 부분을 어법에 맞게 고쳐 쓰세요.

Chapter 4

01 All of my relatives <u>lives</u> in Canada.   live

02 Both her <u>parent</u> are kind to me.

03 Carrie and Ben don't know <u>the other</u>.

04 Every student <u>have</u> to wear a uniform.

05 I sold my old car and bought a new <u>it</u>.

06 She didn't want <u>some</u> of these luxuries.

07 I baked these cookies. Will you have <u>any</u>?

08 This is not my style. Can you show me <u>other</u>?

09 Some like horror movies, and <u>the other</u> like action movies.

10 I have two brothers. One is a vet, and <u>another</u> is an engineer.

2 다음 우리말과 같은 뜻이 되도록, 주어진 단어를 이용하여 문장을 완성하세요.

01 물을 한 잔 더 마실 수 있을 까요? (have, glass)

→ Can I have __another__ __glass__ __of__ __water__?

02 각각의 사람은 생김새가 달라요. (person, have, looks)

→ _____ _____ _____ _____ _____.

03 그 학생들 중 몇 명은 시험에 통과했어요. (the students, of)

→ _____ _____ _____ _____ passed the test.

04 우리는 둘 다 매우 바빠요. (us, of, very, busy)

→ _____ _____ _____ _____ _____.

05 나에게는 작은 상자밖에 없어. 나는 큰 것이 필요해. (bigger)

→ I only have a small box. I _____ _____ _____ _____.

06 어떤 사람들은 내 아이디어에 동의했고 나머지 모두는 동의하지 않았어요. (people)

→ _____ _____ agreed to my idea, _____ _____ didn't.

07 Susan은 다섯 명의 아이가 있어요. 한 명은 여자 아이고, 나머지 모두는 남자 아이예요. (boys)

→ Susan has five children. One is a girl, and _____ _____ _____ _____.

Words   relative 친척   luxury 사치(품); 호화   looks 외모

1 다음 괄호 안에서 알맞은 것을 고르세요.

Chapter 5

01 Have you seen Joanna (late / (lately))?

02 Listen to this song (careful / carefully).

03 I (will never / never will) do that again.

04 (Few / Little) friends know my nickname.

05 Jones hit the ball (high / highly) in the air.

06 (Lucky / Luckily), Tony found an empty seat.

07 There isn't (many / much) cheese in this sandwich.

08 We (take usually / usually take) a walk after dinner.

09 She always makes people around her (happy / happily).

10 Silvia forgot (important something / something important).

2 다음 우리말과 같은 뜻이 되도록, 주어진 단어를 이용하여 문장을 완성하세요.

01 Mike가 내 가까이에 앉아 있어요. (near)

→ Mike is __sitting__ __near__ __me__.

02 기차가 아주 빨리 움직이고 있어요. (move)

→ The train is _____ _____ _____.

03 그들은 외식을 거의 하지 않아요. (go out)

→ They _____ _____ _____ for dinner.

04 너는 주말 동안 특별한 거 했니? (do, special)

→ Did you _____ _____ _____ during the weekend?

05 많은 사람들이 종이컵을 사용해요. (lots, paper cups)

→ _____ _____ _____ _____ _____ _____.

06 내 아이들은 항상 일찍 자요. (go to bed)

→ My children _____ _____ _____ _____ _____.

07 나는 며칠 전에 우연히 옛 친구를 만났어. (few, day)

→ I ran across an old friend _____ _____ _____ ago.

Words   nickname 별명   air 공중   around 주변에 있는   run across 우연히 만나다

1 다음 주어진 단어를 이용하여 문장을 완성하세요.

Chapter 6

01 Today is as _____warm_____ as yesterday. (warm)

02 Sam is _____ than Jake. (diligent)

03 Gregory is the _____ person in the town. (wise)

04 The more I meet her, the _____ I like her. (much)

05 Andrew is not so _____ as his father. (handsome)

06 Isabel has the _____ smile in the world. (beautiful)

07 This gray coat looks _____ than the black one. (nice)

08 Which is _____ from the Earth, Venus or Mars? (far)

09 This is one of the _____ books in the series. (interesting)

10 You should finish your homework as _____ as possible. (quickly)

2 다음 우리말과 같은 뜻이 되도록, 주어진 단어를 이용하여 문장을 완성하세요.

01 나는 너만큼 힘이 세지 않아. (strong)

→ I'm not ___as___ ___strong___ ___as___ you are.

02 James가 너보다 훨씬 더 정직해. (honest, even)

→ James is _____ _____ _____ _____ you are.

03 Chuck과 Chris 중 누가 더 인기가 있니? (who, popular)

→ _____ _____ _____ _____, Chuck or Chris?

04 내 일이 점점 어려워. (get, difficult)

→ My job is _____ _____ _____ _____ _____.

05 일찍 도착하면 할수록 너는 더 좋은 자리를 얻을 수 있어. (early, arrive)

→ _____ _____ _____ _____, the better seat you can get.

06 남아프리카공화국은 독일보다 세 배 더 커요. (three, big, than)

→ South Africa is _____ _____ _____ _____ Germany.

07 그는 학교에서 다른 어떤 학생보다 열심히 공부해요. (harder)

→ He studies _____ _____ _____ _____ in the school.

Words   diligent 부지런한, 근면한   series 연속, 시리즈

Review test

Chapter 4-6

1 다음 우리말과 같은 뜻이 되도록, 어법상 <u>어색한</u> 부분을 찾아 바르게 고치세요.

01 I hope you have a well day.   well → good
   네가 즐거운 하루 보내길 바라.

02 She gave a hug to each children.
   그녀는 각각의 아이를 안아주었어요.

03 All the guest have already arrived.
   모든 손님들이 벌써 도착했어요.

04 The history test was the easier of all.
   역사 시험이 모든 시험 중에서 가장 쉬웠어요.

05 We are looking for patient someone.
   우리는 참을성 있는 누군가를 찾고 있어요.

06 You should work hardly for your dream.
   당신은 꿈을 위해서 열심히 일해야 해요.

07 Some read novels, the others read poems.
   어떤 사람들은 소설을 읽고, 또 다른 어떤 사람들은 시를 읽어요.

08 You'd better see a doctor as sooner as possible.
   너는 가능한 한 빨리 의사의 진찰을 받는 게 좋겠어.

09 My shoes are worn down. I should buy new one.
   내 신발이 닳았어. 나는 새것을 사야 해.

10 Air is one of the most important thing on the earth.
   공기는 지구상에서 가장 중요한 것들 중 하나예요.

11 Bella talked too fastly, so I couldn't understand her.
   Bella가 너무 빨리 말해서 나는 그녀의 말을 이해할 수 없었어요.

12 My grandparents usually are at home in the evening.
   우리 조부모님은 대게 저녁에 집에 계세요.

Words   hug 포옹   give a hug 안아주다, 포옹하다   patient 참을성 있는

2 다음 우리말과 같은 뜻이 되도록, 주어진 단어를 바르게 배열하여 문장을 완성하세요.

01 내 이모는 두 분 다 파리에 사세요. (my, live, both, aunts, of)

➡ _____Both of my aunts live_____ in Paris.

02 샐러드에 약간의 올리브 오일을 넣으세요. (olive oil, add, little, a)

➡ _____ into the salad.

03 그와 얘기를 하면 할수록 나는 더 화가 났어요. (I, the, became, angrier)

➡ The more I talked to him, _____.

04 당신의 충고를 항상 기억할게요. (always, your, remember, will, advice)

➡ I _____.

05 Matt는 그의 나라에게 가장 빠른 달리기 선수예요. (is, runner, fastest, the)

➡ Matt _____ in his country.

06 세 명의 아이가 서로 잡으려고 뛰어 다니고 있어요. (are, another, one, chasing)

➡ Three kids _____.

07 그녀는 내가 상상했던 것만큼 예쁘지 않다. (not, as, beautiful, so, is)

➡ She _____ I imagined.

08 너는 항상 너의 손을 깨끗이 유지해야 해. (always, clean, keep, should, hands, your)

➡ You _____.

09 Josh는 나보다 네 배 더 많은 사탕을 가지고 있어요. (times, than, candies, more, four, has)

➡ Josh _____ I do.

10 너는 하얀색 모자를 살 거니 아니면 노란색 모자를 살 거니? (white, the, one, cap, the, yellow, or)

➡ Will you buy _____?

11 그 사람들 중 일부는 유명한 가수들이었어요. (singers, people, some, famous, were, of, the)

➡ _____.

12 Tina는 다섯 개의 컵케이크를 샀어요. 하나는 자기 것, 나머지 모두는 오빠들 것이었어요. (were, her, others, brothers, the, for)

➡ Tina bought five cupcakes. One was for herself, and _____

_____.

[1-2] 다음 중 원급, 비교급, 최상급이 잘못 짝지어진 것을 고르세요.

1
① fat - fatter - fattest
② great - greater - greatest
③ slim - slimmer - slimmest
④ busy - more busy - most busy
⑤ difficult - more difficult - most difficult

2
① well - better - best
② hot - hoter - hotest
③ pretty - prettier - prettiest
④ happily - more happily - most happily
⑤ delicious - more delicious - most delicious

3 다음 중 단어의 관계가 나머지와 다른 것은?
① careful - carefully
② heavy - heavily
③ simple - simply
④ quiet - quietly
⑤ love - lovely

[4-8] 다음 빈칸에 들어갈 말로 알맞은 것을 고르세요.

4
I don't have a pencil. Can I borrow _____?

① it ② one
③ ones ④ any
⑤ some

5
Sarah has two brothers. _____ of them study music at college.

① Both ② Each
③ Every ④ Any
⑤ Another

6
A cat isn't as _____ as a dog.

① friendly ② friendlier
③ friendliest ④ more friendly
⑤ most friendly

7
This winter coat is three times _____ than that one.

① expensive ② expesnvier
③ expensviest ④ more expensive
⑤ most expensive

8
Brian is the _____ of all his friends.

① diligent people
② more diligent person
③ more diligent people
④ most diligent person
⑤ most diligent people

9 다음 밑줄 친 부분을 바르게 고친 것으로 알맞은 것은?

> • Can I bring <u>a little</u> friends to your party?
> • His careless words made me <u>angrily</u>.

① a few - anger   ② a few - angry

③ much - anger   ④ much - angry

⑤ any - anger

[10-11] 다음 중 빈칸에 들어갈 말로 알맞지 <u>않은</u> 것을 고르세요.

10

> The movie was _____ interesting than I thought.

① very   ② much   ③ far

④ even   ⑤ still

11

> Christine speaks very _____.

① quietly   ② slowly

③ fastly   ④ clearly

⑤ loudly

[12-13] 다음 우리말을 영어로 <u>잘못</u> 옮긴 것을 고르세요.

12 ① 경제가 점점 좋아지고 있어요.

    → The economy is getting better and better.

② 날씨가 따뜻할수록 나는 기분이 더 좋아져요.

    → The warmer it is, better I feel.

③ 우리 언니의 방은 내 것의 두 배만큼 커요.

    → My sister's room is twice as big as mine.

④ 지금이 내 인생에서 가장 행복한 순간이에요.

    → This is the happiest moment in my life.

⑤ 그는 가끔 혼잣말을 해요.

    → He sometimes talks to himself.

13 ① 우리 모두는 재즈 음악을 좋아해요.

    → All of us like Jazz music.

② 또 다른 램프를 보여주시겠어요?

    → Can you show me other lamp?

③ 질문 있으면 손을 들어주세요.

    → If you have any questions, raise your hand.

④ 모든 학생들이 이 책을 읽어야 해요.

    → Every student has to read this book.

⑤ Ben과 Jason은 서로를 좋아하지 않아요.

    → Ben and Jason don't like each other.

[14-16] 다음 밑줄 친 부분이 <u>잘못된</u> 것을 고르세요.

14 ① Physics is <u>the hardest</u> subject to me.

② My brother is <u>a lot taller</u> than my father is.

③ He is the <u>popularest</u> singer in our country.

④ French food is as <u>tasty</u> as Italian food.

⑤ Sydney is <u>sunnier</u> than London.

15 ① I didn't do <u>wrong anything</u>.

② <u>Both of them</u> are from Australia.

③ She made some sandwiches, but he didn't <u>eat any</u>.

④ <u>A lot of people</u> visit the Grand Canyon every year.

⑤ This spoon is dirty. Can you bring me <u>a clean one</u>?

16 ① Each country <u>has</u> its own history.
② Every girl in my school <u>likes</u> Dylan.
③ All of my money <u>were</u> in my pocket.
④ Mia <u>always goes</u> to the gym after work.
⑤ I have two uncles. One is a writer, and <u>the other</u> is a pianist.

[17-18] 다음 중 어법상 옳은 문장을 고르세요.

17 ① The bird is flying highly in the sky.
② There were few people at the restaurant.
③ Bennet doesn't sing as better as Sue.
④ It is one of the longer bridges in the world.
⑤ Sam is smarter than any other boys in the school.

18 ① She gave each child a small gift.
② There isn't some milk in the fridge.
③ Luckyly, I could catch the last train.
④ Ted found the magazine interestingly.
⑤ I want to visit every countries in the world.

19 다음 대화 중 자연스럽지 <u>않은</u> 것은?

① A: Who is youngest, Greg or Ryan?
B: I think Greg is younger.
② A: How do the three of you know one another?
B: We went to middle school together.
③ A: You look happy. What's up?
B: I got the best grade in the class.
④ A: Would you like some tea?
B: Yes, please.
⑤ A: Is there a drugstore near here?
B: Yes. There is one over there.

20 다음 두 문장이 같은 뜻이 되도록, 비교급을 이용하여 빈칸에 알맞은 말을 쓰세요.

1)
This box is five times as heavy as that one.
= This box is _____ than that one.

2)
A blue whale is the biggest animal in the world.
= A blue whale is _____ in the world.

3)
He doesn't earn as much as I do.
= I _____ he does.

21 다음 문장의 빈칸에 알맞은 말을 쓰세요.

1)
I have three foreign friends. _____ is from Japan, _____ is from Spain, and _____ is from France.

2)
There were 30 students in the class. _____ passed the test, and _____ didn't.

[22–24] 다음 밑줄 친 부분을 바르게 고치세요.

22 You are talking too ⓐ quiet. Can you speak ⓑ loudlier?

ⓐ _____

ⓑ _____

23 I've gained ⓐ a few weight. I should do ⓑ any exercise.

ⓐ _____

ⓑ _____

24 It is ⓐ cold than last year. We have had ⓑ much snow than last year, too.

ⓐ _____

ⓑ _____

[25–27] 다음 우리말과 같은 뜻이 되도록, 주어진 단어를 이용하여 문장을 완성하세요.

25 나는 너와 다시는 말하지 않을 거야. (will, talk to)

➔ _____ again.

26 어떤 사람들은 커피를 좋아하고, 또 다른 어떤 사람들은 차를 좋아해요. (coffee, tea)

➔ _____, and _____.

27 이곳이 마을에서 가장 흥미로운 곳 중 하나예요. (interesting, place)

➔ This _____ _____ in the town.

[28–30] 다음 우리말과 같은 뜻이 되도록, 주어진 단어를 바르게 배열하여 문장을 완성하세요.

28 학생들 중 몇 명은 지각을 했어요. (were, some, late, the students, of)

➔ _____ for school.

29 나는 아빠 생신을 위해 특별한 무언가를 준비하고 있어요. (preparing, special, I, something, am)

➔ _____ for my dad's birthday.

30 나에게 월요일은 일주일 중 가장 바쁜 날이에요. (is, day, the, Monday, busiest)

➔ _____ _____ of the week to me.

[14-15] 다음 우리말을 영어로 바르게 옮긴 것을 고르시오.

14

나의 의견은 나의 것과 매우 비슷해.

① Your opinion is very similar to I.
② Your opinion is very similar to my.
③ Your opinion is very similar to me.
④ Your opinion is very similar to mine.
⑤ Your opinion is very similar to myself.

15

우리는 두 그릇의 닭고기 수프를 주문했어요.

① We ordered two chicken soup.
② We ordered two chicken soups.
③ We ordered two bowl of chicken soups.
④ We ordered two bowls of chicken soup.
⑤ We ordered two bowls of chicken soups.

[16-18] 다음 밑줄 친 부분이 잘못된 것을 고르시오.

16

① I need three empty boxes.
② My little brother has five teeth.
③ Will you bring me a piece of paper?
④ A water is very important in our lives.
⑤ We don't have enough money for a new car.

17

① Is that Julie' boyfriend?
② I got these flowers from Patrick.
③ I don't like this skirt. Please show me another one.
④ My computer is very old. I should buy a new one.
⑤ I have two pets. One is a cat, and the other is a parrot.

18

① Isabel is a lovely girl.
② I had a green salad for lunch.
③ Will you close window, please?
④ We have an exam on Wednesday.
⑤ Look at the beautiful kites in the sky.

19 다음 짝지어진 대화가 어색한 것은?

① A: Excuse me. What time is it now?
　 B: Sorry, but I'm busy now.
② A: What are you drawing?
　 B: I'm drawing myself.
③ A: Did you make this muffler by yourself?
　 B: No. My sister made it for me.
④ A: Do you listen to the radio often?
　 B: Yes. I always listen to it on my way to school.
⑤ A: Have you heard from Laura lately?
　 B: Yes. We talked on the phone yesterday.

20 다음 대화의 빈칸에 공통으로 들어갈 말을 쓰시오.

A: Look out the window! ＿＿＿＿ is snowing outside.
B: Wow! ＿＿＿＿ is a white Christmas! My wish has come true.

21 다음 두 문장이 같이 뜻이 되도록 빈칸에 알맞은 말을 쓰시오.

5점

The penguin is more popular than any other animal in this zoo.

→ The penguin is ＿＿＿＿ animal in this zoo.

22

5점

이 가게는 아동용 도서들을 판매해요. (sell, children)

→ This store ＿＿＿＿ .

[22-23] 다음 우리말과 같은 뜻이 되도록, 주어진 단어를 이용하여 문장을 완성하시오.

23

5점

Eliot은 역사상 가장 위대한 시인들 중 한 명이다. (good, poet)

→ Eliot is ＿＿＿＿ of all time.

[24-25] 다음 우리말과 같은 뜻이 되도록, 주어진 단어를 바르게 배열하여 문장을 완성하시오.

24

5점

그는 프랑스어와 스페인어를 독학했어요.
(taught, he, French, himself, Spanish, and)

→ ＿＿＿＿ .

25

5점

저는 당신의 친절을 절대 잊지 않을 게요.
(never, your, I, kindness, forget, will)

→ ＿＿＿＿ .

Grammar Mentor Joy | 실전모의고사 1회
Plus 2

· 3점: 5문항
· 4점: 15문항
· 5점: 5문항

이름 :

점수 :

1 다음 중 명사의 복수형이 잘못 연결된 것은?

3점

① city - cities
② class - classes
③ thief - thieves
④ person - persons
⑤ tomato - tomatoes

2 다음 중 단어의 관계가 나머지와 다른 것은?

3점

① luck - lucky
② easy - easily
③ slow - slowly
④ careful - carefully
⑤ amazing - amazingly

[3~6] 다음 빈칸에 들어갈 말로 알맞은 것을 고르시오.

3 I have two brothers. _____ are high school students.

3점

① Both
② Each
③ Some
④ Every
⑤ Ones

4 Ted plays baseball as _____ as I do.

3점

① well
② good
③ better
④ best
⑤ most

5 There is a _____.

3점

① news
② sand
③ water
④ butter
⑤ fish

6 Some like Chinese food, _____ like Italian food.

① one
② another
③ others
④ the other
⑤ the others

[7~9] 다음 빈칸에 들어갈 말로 알맞지 않은 것을 고르시오.

7 I read _____ books last month.

① few
② many
③ lots of
④ a little
⑤ a lot of

8 She always has a _____ smile on her face.

① lovely
② pretty
③ happy
④ friendly
⑤ sweetly

9 My brother's room is _____ bigger than mine.

① far
② much
③ 필요 없음
④ very
⑤ a lot

[10~11] 다음 빈칸에 들어갈 말이 바르게 짝지어진 것을 고르시오.

10 There is _____ apple tree in _____ garden.

① a - my
② a - mine
③ an - my
④ an - mine
⑤ 필요 없음 - my

11 _____ my friends came to the party, and we enjoyed _____.

① All - us
② All - ourselves
③ Each - ourself
④ Every - ourselves
⑤ Every - ourself

[12~13] 다음 빈칸에 들어갈 말이 나머지 넷과 다른 것을 고르시오.

12 ① Are there _____ questions for me?
② Would you like _____ warm water?
③ She doesn't want _____ of these gifts.
④ Let me know if there is _____ problems.
⑤ Do you have _____ plans for the weekend?

13 ① Planes are faster _____ trains.
② Nick works harder _____ Nancy.
③ Brian got better grades _____ I did.
④ My dress is as expensive _____ yours.
⑤ Angelina is more famous _____ Jennifer.

Grammar Mentor Joy | 실전모의고사 2회
Plus 2

이름 :

점수 :

• 3점: 5문항
• 4점: 15문항
• 5점: 5문항

1 3점

다음 중 형용사의 비교급, 최상급이 잘못 연결된 것은?

① well - better - best
② hot - hotter - hottest
③ high - higher - highest
④ easily - easilier - easiliest
⑤ exciting - more exciting - most exciting

[2~6] 다음 빈칸에 들어갈 말로 알맞은 것을 고르시오.

2 3점

We saw a few _____ in the forest.

① deers　② gooses　③ wolfes
④ sheep　⑤ foxs

3 3점

I looked at _____ in the mirror.

① I　② my　③ me
④ mine　⑤ myself

4 3점

_____ takes an hour from here to City Hall by bus.

① It　② This　③ That
④ These　⑤ Those

5 3점

_____ has a different voice.

① All　② Both　③ Every
④ Each　⑤ Some

6

Today was the _____ day of life.

① bad　② bader　③ badest
④ worse　⑤ worst

[7~8] 다음 빈칸에 들어갈 말로 알맞지 않은 것을 고르시오.

7

There are _____ on the table.

① salts　② spoons
③ five knives　④ ten oranges
⑤ three pieces of cheese

8

I need a piece of _____.

① water　② pizza
③ bread　④ advice
⑤ cheese

[9~10] 다음 우리말과 같은 뜻이 되도록 빈칸에 알맞은 말을 고르시오.

9

점점 더 많은 사람들이 SNS를 사용하고 있어요.

→ _____ people are using SNS.

① Many and many　② Many and more
③ More and more　④ More and most
⑤ Most and most

* SNS: Social Network Service

10

어떤 학생들은 그 시험에 통과했고, 나머지 모두는 통과하지 못했다.

→ Some students passed the test, and _____ didn't.

① other　② others
③ another　④ the other
⑤ the others

[11~12] 다음 중 빈칸에 들어갈 말이 나머지 넷과 다른 것을 고르시오.

11

① Do you have a pen? I need _____.
② I don't have a cell phone. I'll buy _____ soon.
③ I like this hat, but do you have a black _____?
④ Ed lost his backpack. He's looking for _____.
⑤ Their new house is much bigger than the old _____.

2-1

12
① ____ letter on the table is for you.
② Please don't play ____ piano at night.
③ This is the most boring book in ____ world.
④ Jones always goes to ____ bed at ten o'clock.
⑤ I watched a movie yesterday. ____ movie was great.

[13-14] 다음 우리말과 의미가 같은 문장을 고르시오.

13
> 내 친구들과 나는 일주일에 한 번 야구해요.

① My friends and I play baseball once week.
② My friends and I play baseball once a week.
③ My friends and I play a baseball once a week.
④ My friends and I play a baseball once an week.
⑤ My friends and I play the baseball once the week.

14
> 저 운동화는 그녀의 것이야.

① That sneakers are hers.
② That sneakers are her.
③ Those sneakers are her.
④ Those sneakers are hers.
⑤ Those sneakers are she.

[15-17] 다음 밑줄 친 부분이 잘못된 것을 고르시오.

15
① Which do you like more, soccer or basketball?
② The hotel room is much smaller than I thought.
③ The more you exercise, the healthy you become.
④ Will you finish the work as soon as possible?
⑤ This bridge is twice as wide as that one.

16
① They want peace not war.
② Brandon is from a California.
③ Please put some sugar in my coffee.
④ I bought three pairs of jeans at the mall.
⑤ Sandy drinks two glasses of milk every day.

17
① My work keeps me busily.
② Mark threw the ball high.
③ She sometimes skips breakfast.
④ I hardly know anything about him.
⑤ Suddenly, it started to rain heavily.

[18-19] 다음 중 어법상 옳은 문장을 고르시오.

18
① I need someone patient.
② George tells never a lie.
③ You should be proud of your.
④ Do you have some good ideas?
⑤ Nancy sent these photo by email.

19
① Will you buy red roses or pink one?
② They get along well with each another.
③ Some like movies, and others like books.
④ I have two sons. One is eight, and anther is five.
⑤ This cake is delicious. Can I have other piece?

20 다음 주어진 단어를 이용하여 빈칸에 알맞은 말을 쓰시오.

- I have tiny ____. (foot)
- My sister made six ____. (sandwich)
- Rachel is popular with ____. (man)
- There are a lot of ____ in the old house. (mouse)

21 [5점] 다음 두 문장이 같이 뜻이 되도록 빈칸에 알맞은 말을 쓰시오.

My father is four times as old as I am.
→ My father is ____ than I am.

[22-23] 다음 우리말과 같은 뜻이 되도록, 주어진 단어를 이용하여 문장을 완성하시오.

22 [5점]
우리 부모님은 두 분 다 너그러우세요. (generous)

→ ____

23 [5점]
그 소녀가 직접 그 이야기를 썼어요. (the story)

→ ____

[24-25] 다음 주어진 단어를 바르게 배열하여 대화를 완성하시오.

24 [5점]
A: Are you ready to order?
B: Yes. I'll have ____.

(an, sandwich, egg, glass, a, and, juice, of)

25 [5점]
A: How often do you get a haircut?
B: I ____.

(get, two, a haircut, weeks, every)

Grammar Mentor Joy | Plus 2

실전모의고사 **3회**

· 3점: 5문항
· 4점: 15문항
· 5점: 5문항

이름 :

점수 :

1
3점

다음 명사의 복수형이 잘못 짝지어진 것은?

① fish - fish
② leaf - leaves
③ photo - photos
④ woman - women
⑤ monkey - monkeies

[2-5] 다음 빈칸에 들어갈 말로 알맞은 것을 고르시오.

2
3점

My puppy is wagging _____ tail.

① it
② its
③ itself
④ them
⑤ their

3
3점

Let's keep this _____ ourselves.

① in
② for
③ of
④ beside
⑤ between

4
3점

I have two exams today. One is math, and _____ is English.

① other
② another
③ others
④ the other
⑤ the others

5
3점

_____ you rest, the better you feel.

① Much
② More
③ Most
④ The more
⑤ The most

6

· Someone left _____ bag on the bus.
· I visit my grandparents once _____ month.

① a
② an
③ the
④ any
⑤ some

[6-7] 다음 빈칸에 공통들 들어갈 말을 고르시오.

7

· Would you like to have _____ biscuits?
· I borrowed _____ money from Harry.

① it
② one
③ ones
④ them
⑤ some

[8-9] 다음 두 문장이 같은 뜻이 되도록 할 때 빈칸에 알맞은 말을 고르시오.

8

Gold is not as hard as diamond.
= Diamond is _____ gold.

① as hard as
② harder than
③ the hardest
④ more hard than
⑤ the most hard

9

Sue is the brightest student in the class.
= Sue is _____ in the class.

① as bright as any other student
② brighter than any other student
③ brighter than any other students
④ as brighter than any other student
⑤ not so bright as any other student

[10-11] 다음 빈칸에 들어갈 말이 바르게 짝지어진 것을 고르시오.

10

· Chemistry is a _____ difficult subject to me.
· The test was _____ more difficult than I expected.

① very - much
② very - many
③ really - many
④ much - a lot
⑤ much - much

11

· The girl is cutting a piece of paper with a _____ of scissors.
· Please give me three _____ of bread.

① loaf - pairs
② slice - pieces
③ pair - loaves
④ bowl - pounds
⑤ pound - slices

12

다음 중 an 또는 a가 필요 없는 문장은?

① Are they speaking _____ Chinese?
② I have _____ idea of Jane's birthday party.
③ We have stayed in Paris for _____ month.
④ You should take _____ umbrella with you.
⑤ Amy has three cups of coffee _____ day.

[13–14] 다음 밑줄 친 부분의 쓰임이 나머지 넷과 다른 것을 고르시오.

13
① I burned <u>myself</u> on the stove.
② "I can do it," she talked to <u>herself</u>.
③ Please help <u>yourself</u> to food and drinks.
④ My brother fixed the computer <u>himself</u>.
⑤ He hurt <u>himself</u> while he was playing football.

14
① <u>It</u> was cold and windy yesterday.
② <u>It</u> is already dark outside.
③ <u>It</u> is ten after seven.
④ <u>It</u> is Tuesday today.
⑤ <u>It</u> is my mistake.

[15–17] 다음 밑줄 친 부분이 잘못된 것을 고르시오.

15
① She gave me a few <u>candies</u>.
② He needs some new <u>furnitures</u>.
③ We don't much <u>time</u>. Please hurry up.
④ Peter spread butter on two pieces of <u>toast</u>.
⑤ I saw some <u>children</u> playing in the park.

16
① This river is very <u>deep</u>.
② You are driving too <u>fastly</u>.
③ I'm <u>terribly</u> sorry for my mistake.
④ I could solve these questions <u>easily</u>.
⑤ Please read it <u>carefully</u> before you sign it.

17
① Susie is <u>more pretty</u> than her sister.
② Brandon is the <u>tallest</u> boy in the school.
③ The more I know him, <u>the more</u> I like him.
④ London is one of the <u>busiest</u> cities in the world.
⑤ He is spending <u>more and more</u> money on clothes.

18 다음 밑줄 친 부분을 잘못 고친 것은?
① It is getting warm and warm.
　→ <u>warmer and warmer</u>
② I'm not as stronger as you are.
　→ <u>strong</u>
③ She gave every of us a small gift.
　→ <u>each</u>
④ Every students must take a math class.
　→ <u>All</u>
⑤ Bill and Grace are very different from one another.
　→ <u>the other</u>

19 다음 짝지어진 대화가 어색한 것은?
① A: Please make yourself at home.
　B: Thank you.
② A: Did you travel to Japan by yourself?
　B: Yes. I want to visit Japan.
③ A: How was the movie?
　B: The movie itself was a lot of fun.
④ A: Did you enjoy yourself at the party?
　B: Yes. I met a lot of interesting people.
⑤ A: How did you feel when you won first prize?
　B: I was beside myself with joy.

20 다음 빈칸에 알맞은 관사를 쓰시오. (필요 없는 경우 ×)
- I'll buy you _____ dinner tonight.
- There is _____ post office on the corner.
- Please turn down _____ radio. It's too loud.
- Luckily, I found _____ empty seat on the bus.

21 다음 문장에서 어색한 부분을 모두 찾아 바르게 고치시오. 5점

I'll introduce me. My name is an Albert. I'm an university student.

[22–23] 다음 우리말과 같은 뜻이 되도록, 주어진 단어를 이용하여 문장을 완성하시오.

22 5점
나는 일 년에 세 번 치과에 가요. (go to the dentist)
→ I _____.

23 5점
그녀는 세 개의 티셔츠를 샀어요. 하나는 검은색. 또 다른 하나는 흰색, 그리고 나머지 하나는 회색이었어요. (black, white, gray)
→ She bought three T-shirts. _____.

[24–25] 다음 우리말과 같은 뜻이 되도록, 주어진 단어를 바르게 배열하여 문장을 완성하시오.

24 5점
저 사람들에게는 음식과 집이 필요해.
(people, food, those, houses, and, need)
→ _____.

25 5점
나는 가능한 한 빨리 결승선으로 달렸어요.
(as, possible, as, fast)
→ I ran to the finish line _____.

Vocabulary 미니북

GRAMMAR MENTOR JOY

plus 2

01	activity 활동; 활기 [æktívəti]	My favorite summer activity is surfing. 내가 여름에 좋아하는 활동은 파도타기이다.
02	belief 믿음, 믿는 사항 [bilíːf]	She has a strong belief in God. 그녀는 신에 대한 강한 믿음이 있다.
03	hunt 사냥하다 [hʌnt]	Lions hunt in groups. 사자들은 무리 지어 사냥한다.
04	tiny 아주 작은 [táini]	The girl covered her face with her tiny hands. 소녀는 작은 손으로 얼굴을 가렸다.
05	rich 풍부한 [ritʃ]	Kiwis are rich in vitamin C and E. 키위는 비타민 C와 E가 풍부하다.
06	newborn 갓 난 [njúːbɔ́ːrn]	Newborn babies sleep about 18 hours a day. 갓 난 아기들은 하루에 약 18시간을 잔다.
07	ripe 익은 [raip]	The peaches are nearly ripe. 복숭아가 거의 익었다.
08	sharp 날카로운, 뾰족한 [ʃɑːrp]	Be careful. The knife is very sharp. 조심해. 칼이 정말 날카로워.
09	kindergarten 유치원 [kíndərgàːrtən]	My little brother goes to kindergarten. 내 어린 남동생은 유치원에 다닌다.
10	village 마을 [vílidʒ]	Jacob was from a small village in Utah. Jacob은 유타의 작은 마을 출신이다.
11	area 지역 [έəriə]	This area is famous for its beautiful lake. 이 지역은 아름다운 호수로 유명하다.
12	ache 아프다 [eik]	My legs ache from mountain climbing. 등산을 했더니 다리가 아프다.
13	clerk 점원, 직원 [kləːrk]	Perry works as a clerk in a shoe store. Perry는 신발 가게 점원으로 일한다.
14	product 제품, 상품 [prádəkt]	The company's new product is selling well. 그 회사의 새 제품이 잘 팔리고 있다.
15	real 진짜의, 진실의 [ríːəl]	This ring is not a real diamond. 이 반지는 진짜 다이아몬드가 아니다.

16	friendship 우정 [fréndʃip]	Our friendship means a lot to me. 우리의 우정은 내게 큰 의미가 있다.
17	contain 들어있다, [kəntéin] 함유하다	This book contains 30 short stories. 이 책에는 30개의 단편 소설을 담고 있다.
18	information 정보 [ìnfərméiʃən]	The website has a lot of useful information. 그 웹사이트에는 유용한 정보가 많다.
19	slip 미끄러지다 [slip]	Sue slipped on the wet floor and fell. Sue는 젖은 바닥에서 미끄러져 넘어졌다.
20	grab 움켜잡다, 붙잡다 [græb]	The boy grabbed my bag and ran away. 그 소년이 내 가방을 움켜쥐고 도망쳤다.
21	furniture 가구 [fə́:rnitʃər]	We bought some furniture for the new house. 우리는 새집에 넣을 가구를 좀 샀다.
22	climate 기후 [kláimit]	The climate here is hot and dry. 이곳 기후는 덥고 건조하다.
23	account 계좌 [əkáunt]	I want to put some money into my account. 제 계좌에 돈을 좀 입금하고 싶어요.
24	cheerful 쾌활한, [tʃíərfəl] 발랄한	Isabel is a cute and cheerful girl. Isabel은 귀엽고 쾌활한 소녀이다.
25	excitement 흥분, [iksáitmənt] 신남	The children shouted with excitement. 아이들은 흥분하여 소리를 질렀다.
26	suit 어울리다 [sju:t]	The green dress really suits you well. 그 녹색 드레스가 너한테 정말 잘 어울린다.
27	article 기사 [á:rtikl]	I read an interesting article about space travel. 나는 우주여행에 관한 재미있는 기사를 읽었다.
28	opinion 의견 [əpínjən]	He asks my opinion on every decision. 그는 모든 결정에 내 의견을 묻는다.
29	similar 비슷한 [símələr]	We have similar taste in clothes. 우리는 옷 입는 취향이 비슷하다.
30	chase 뒤쫓다, 추적하다 [tʃeis]	Steve chased the thief and caught him. Steve는 도둑을 뒤쫓아서 그를 붙잡았다.

Check Up

① 다음 우리말 뜻에 해당하는 영어 단어를 쓰세요.

01 의견

02 흥분, 신남

03 들어있다, 함유하다

04 유치원

05 미끄러지다

06 믿음, 믿는 사항

07 풍부한

08 비슷한

09 뒤쫓다, 추적하다

10 익은

11 아주 작은

12 점원, 직원

13 가구

14 날카로운, 뾰족한

15 우정

② 다음 영어 단어에 해당하는 우리말 뜻을 쓰세요.

01 product

02 ache

03 village

04 area

05 newborn

06 information

07 grab

08 account

09 article

10 real

③ 다음 우리말과 일치하도록, 빈칸에 알맞은 단어를 쓰세요.

01 Lions _____ in groups.
이곳 기후는 덥고 건조하다. 사자들은 무리 지어 사냥한다.

02 The _____ here is hot and dry.
이곳 기후는 덥고 건조하다.

03 Isabel is a cute and _____ girl.
Isabel은 귀엽고 쾌활한 소녀이다.

04 The green dress really _____ you well.
그 녹색 드레스가 너한테 정말 잘 어울린다.

05 My favorite summer _____ is surfing.
내가 여름에 좋아하는 활동은 파도타기이다.

Chapter 2

관사

01	needle 바늘, (pl.) 솔잎 [níːdl]	A button has come off. I need a needle and thread. 단추가 떨어졌어. 바늘과 실이 필요해.
02	mammal 포유류 [mǽməl]	Whales are mammals, and sharks are fish. 고래는 포유류이고 상어는 어류이다.
03	intelligent 똑똑한, [intélidʒənt] 지능이 있는	Sandra is a calm and intelligent woman. Sandra는 침착하고 똑똑한 여성이다.
04	unhappy 불행한; [ʌnhǽpi] 불만족스러운	They were unhappy with the game results. 그들은 경기 결과가 불만족스러웠다.
05	inventor 발명가 [invéntər]	Martin Cooper is the inventor of the cell phone. Martin Cooper는 휴대 전화의 발명가이다.
06	bite 물기, 한 입 [bait]	Can I have a bite of your hamburger? 너의 햄버거를 한 입 먹어도 되니?
07	human 인간의, 사람의 [hjúːmən]	There are 206 bones in the human body. 인간의 몸에는 206개의 뼈가 있다.
08	middle 가운데 [mídl]	My car suddenly stopped in the middle of the road. 내 차가 갑자기 길 한가운데 멈춰버렸다.
09	tropical 열대의 [trɑ́pikəl]	Indonesia has a tropical climate. 인도네시아는 열대성 기후이다.
10	peel 껍질을 벗기다 [piːl]	Can you peel an orange for me? 나를 위해 오렌지 껍질을 벗겨줄래?
11	gentle 온순한, 순한 [dʒéntl]	Alice is a gentle and quiet girl. Alice는 온화하고 조용한 소녀이다.
12	across 가로질러, 건너서 [əkrɔ́ːs]	We saw him swimming across the river. 우리는 그가 강을 가로질러 수영하는 것을 보았다.
13	stylish 멋진, 세련된 [stáiliʃ]	Bella was wearing a stylish black dress. Bella는 세련된 검은색 드레스를 입고 있었다.
14	go bad 썩다, 나빠지다	This egg has gone bad. It smells so bad. 이 계란은 썩었다. 냄새가 지독하다.
15	spare 여가의, 여분의 [spɛ́ər]	I like to play tennis in my spare time. 나는 여가 시간에 테니스를 치는 걸 좋아한다.

16	midnight 자정 [mídnàit]	He never goes to bed before midnight. 그는 결코 자정이 되기 전에 잠을 자지 않는다.
17	still 여전히, 아직 [stil]	Spring has come, but it is still cold. 봄이 왔는데 여전히 춥다.
18	orchestra 오케스트라, [ɔ́ːrkistrə] 관현악단	I play the flute in the school orchestra. 나는 학교 오케스트라에서 플루트는 연주한다.
19	hometown 고향 [hóumtáun]	He spent the rest of his life in his hometown. 그는 여생을 고향에서 보냈다.
20	be made of ~로 만들어지다	My house is made of wood. 우리 집은 나무로 만들어졌다.
21	capital 수도 [kǽpitəl]	Seoul is the capital of Korea. 서울은 한국의 수도이다.
22	perfectly 완전히, [pə́ːrfiktli] 완벽하게	He threw away perfectly good shoes. 그는 완전히 멀쩡한 신발을 버렸다.
23	documentary 다큐 [dɑ̀kjəméntəri] 멘터리	I like to watch documentaries about space. 나는 우주에 대한 다큐멘터리를 보는 것을 좋아한다.
24	universe 우주 [júːnəvə̀ːrs]	I want to be a scientist and study the universe. 나는 과학자가 되어서 우주를 연구하고 싶다.
25	amazing 놀라운 [əméiziŋ]	Melbourne is an amazing city with beautiful scenery. 멜버른은 아름다운 경관을 가진 놀라운 도시이다
26	sight 보기; 광경; 시야 [sait]	The kids screamed at the sight of ghost. 아이들은 유령을 보자 소리쳤다.
27	haircut 머리 깎기, 이발 [hɛ́ərkʌ̀t]	I think you should get a haircut. 너 머리 잘라야 할 것 같아.
28	get together 만나다, 모이다	Let's get together sometime next month. 다음 달에 언제 한 번 모이자.
29	nephew 조카(아들) [néfjuː]	I have two nephews and a niece. 나는 두 명의 조카아들과 한 명의 조카딸이 있다.
30	species 종(種) [spíːʃiːz]	There are about 8640 species of birds in the world. 세상에는 약 8640 종의 새가 있다.

Check Up

1 다음 우리말 뜻에 해당하는 영어 단어를 쓰세요.

01 온순한, 순한

02 완전히, 완벽하게

03 보기; 광경; 시야

04 포유류

05 가로질러, 건너서

06 썩다, 나빠지다

07 가운데

08 불행한; 불만족스러운

09 오케스트라, 관현악단

10 우주

11 발명가

12 물기, 한 입

13 ~로 만들어지다

14 머리 깎기, 이발

15 종

2 다음 영어 단어에 해당하는 우리말 뜻을 쓰세요.

01　nephew

02　documentary

03　capital

04　tropical

05　amazing

06　get together

07　needle

08　stylish

09　midnight

10　human

3 다음 우리말과 일치하도록, 빈칸에 알맞은 단어를 쓰세요.

01　Can you ＿＿＿＿＿＿＿ an orange for me?
　　내게 오렌지 껍질을 벗겨줄래?

02　Spring has come, but it is ＿＿＿＿＿＿＿ cold.
　　봄이 왔는데 여전히 춥다.

03　I like to play tennis in my ＿＿＿＿＿＿＿ time.
　　나는 여가 시간에 테니스를 치는 걸 좋아한다.

04　Sandra is a calm and ＿＿＿＿＿＿＿ woman.
　　Sandra는 침착하고 똑똑한 여성이다.

05　He spent the rest of his life in his ＿＿＿＿＿＿＿.
　　그는 여생을 고향에서 보냈다.

대명사 Ⅰ

01	judge 판단하다 [dʒʌdʒ]	Don't judge a man by his looks. 사람을 외모로 판단하지 마.
02	fault 잘못, 책임 [fɔːlt]	The accident was not my fault. 그 사고는 내 잘못이 아니다.
03	trouble 문제, 곤란 [trʌ́bl]	They had trouble finding my house. 그들은 우리 집을 찾느라 애를 먹었다.
04	scenery 풍경, 경치 [síːnəri]	The scenery of the lake is beautiful. 그 호수의 경치는 아름답다.
05	planet 행성 [plǽnit]	Is there life on other planets? 다른 행성에 생명체가 있을까?
06	different 다른 [dífərənt]	We are twins, but we are different in many ways. 우리는 쌍둥이지만 많은 면에서 다르다.
07	text 글, 문자 [tekst]	I'll send you a text message later. 내가 나중에 너에게 문자 메시지를 보낼게.
08	amusement 놀이, [əmjúːzmənt] 재미	They had a lot of fun at the amusement park. 그들은 놀이 공원에서 아주 재미있게 놀았다.
09	elderly 나이가 지긋한, [éldərli] 연세가 든	Mrs. Smith is an elderly woman about seventy. Smith 부인은 나이가 칠순에 가까운 나이가 지긋한 분이다.
10	water 물을 주다 [wɔ́ːtər]	Mom is watering the flowers in the garden. 엄마는 정원에서 꽃에 물을 주고 있다.
11	plant 식물 [plænt]	Plants need water and sunlight. 식물들은 물과 햇빛을 필요로 한다.
12	grandchild 손주 [grǽndtʃàild]	Mr. Brown has fifteen grandchildren. Brown 씨는 15명의 손주가 있다.
13	downtown 시내에, [dàuntáun] 시내로	Is this bus going downtown? 이 버스 시내로 가나요?
14	relative 친척 [rélətiv]	My family and relatives spend Christmas together. 우리 가족과 친척들은 크리스마스를 함께 보낸다.
15	nearly 거의 [níərli]	I haven't seen Kelly for nearly three years. 나는 거의 3년 동안 Kelly를 보지 못했다.

16	lick 핥다 [lik]	Jenny is licking her ice cream. Jenny는 아이스크림을 핥고 있다.
17	suspicion 의심, 불심; [səspíʃən] 혐의	He treats everyone with suspicion. 그는 모든 사람들을 의심을 가지고 대한다.
18	decorate 장식하다 [dékərèit]	We decorated our house for Christmas. 우리는 크리스마스를 맞아 집을 장식했다.
19	huge 거대한 [hju:dʒ]	A whale is a huge sea animal. 고래는 거대한 바다 동물이다.
20	recipe 요리[조리]법 [résəpì:]	Can you give me a recipe for chicken soup? 치킨 수프 요리법을 가르쳐 줄래?
21	blame 탓하다 [bleim]	He often blames others for his problems. 그는 종종 자신의 문제에 대해서 다른 사람을 탓한다.
22	injury 부상, 상처 [índʒəri]	Owen didn't play because of his leg injury. Owen은 다리 부상으로 경기에서 뛰지 못했다.
23	cottage 오두막 [kátidʒ]	He lived in a tiny cottage by the lake. 그는 호수 근처 작은 오두막에 살았다.
24	possible 가능한 [pásəbl]	Believe in yourself. Everything is possible. 자신을 믿으세요. 모든 것이 가능합니다.
25	scratch 긁다 [skrætʃ]	Will you scratch my back? 내 등을 좀 긁어 줄래?
26	ashamed 부끄러운, [əʃéimd] 창피한	Max felt ashamed for telling a lie. Max는 거짓말 한 것이 부끄러웠다.
27	complete 완벽한, [kəmplí:t] 완전한	This meeting is complete waste of time. 이번 회의는 완전히 시간 낭비이다.
28	principal 교장 [prínsəpəl]	He is the new principal of our school. 그가 우리 학교에 새로 오신 교장 선생님이세요.
29	beverage 음료 [bévəridʒ]	Coffee is a popular beverage all over the world. 커피는 전 세계적으로 인기 있는 음료이다.
30	sadness 슬픔 [sǽdnis]	She felt deep sadness at his death. 그녀의 그의 죽음에 깊은 슬픔을 느꼈다.

Check Up

1 다음 우리말 뜻에 해당하는 영어 단어를 쓰세요.

01 식물

02 판단하다

03 놀이, 재미

04 글, 문자

05 거대한

06 부상, 상처

07 물을 주다

08 손주

09 핥다

10 완벽한, 완전한

11 부끄러운, 창피한

12 의심, 불심; 혐의

13 교장

14 음료

15 잘못, 책임

2 다음 영어 단어에 해당하는 우리말 뜻을 쓰세요.

01 scratch

02 trouble

03 elderly

04 nearly

05 possible

06 recipe

07 decorate

08 cottage

09 planet

10 sadness

3 다음 우리말과 일치하도록, 빈칸에 알맞은 단어를 쓰세요.

01 Is this bus going _____?
이 버스 시내로 가나요?

02 The _____ of the lake is beautiful.
그 호수의 경치는 아름답다.

03 He often _____ others for his problems.
그는 종종 자신의 문제에 대해서 다른 사람을 탓한다.

04 My family and _____ spend Christmas together.
우리 가족과 친척들은 크리스마스를 함께 보낸다.

05 We are twins, but we are _____ in many ways.
우리는 쌍둥이지만 많은 면에서 다르다.

01	repair 수리, 수선 [ripέər]	I need to take my computer to a repair shop. 나는 내 컴퓨터를 수리점에 맡겨야 한다.
02	choose 고르다, 선택하다 [tʃuːz]	Anna always chooses her words carefully. Anna는 항상 말을 신중히 골라서 한다.
03	stain 얼룩 [stein]	There's a coffee stain on my silk blouse. 내 실크 블라우스에 커피 얼룩이 묻었다.
04	corner 모퉁이, 구석 [kɔ́ːrnər]	The gas station is right around the corner. 주유소는 모퉁이만 돌면 바로 있다.
05	tip 조언 [tip]	This blog has some tips on healthy lives. 이 블로그에 건강한 삶에 대한 몇 가지 조언이 있다.
06	scholarship 장학금 [skɑ́lərʃip]	Kelly went to college on a scholarship. Kelly는 장학금으로 대학을 다녔다.
07	afford 형편[여유]이 되다 [əfɔ́ːrd]	We can't afford to buy a new house. 우리는 새집을 살 형편이 안 된다.
08	sunset 일몰 [sʌ́nsèt]	I've never seen a beautiful sunset like this. 나는 이처럼 아름다운 일몰을 본 적이 없다.
09	unique 유일한, 독특한 [juːníːk]	The opera singer has a unique voice. 그 오페라 가수는 독특한 목소리를 가지고 있다.
10	special 특별한 [spéʃəl]	I have a special plan for the summer vacation. 나는 여름방학에 특별한 계획이 있다.
11	seem ~인 것 같다 [siːm]	Silvia seemed very upset yesterday. Silvia는 어제 기분이 아주 언짢은 것 같았다.
12	own 자신의 [oun]	She lives in her own world. 그녀는 자신만의 세계에 살고 있다.
13	talent 재능 [tǽlənt]	Jacob has a great talent for music. Jacob은 음악에 대단한 재능을 가지고 있다.
14	blond 금발의 [blɑnd]	Nancy has long blond hair and green eyes. Nancy는 긴 금발머리를 하고 눈이 초록색이다.
15	worth ~의 가치가 있는 [wəːrθ]	All of her books are worth of reading. 모든 그녀의 책은 읽을 가치가 있다.

16	sentence 문장 [séntəns]	Write a few sentences about yourself. 당신에 대해서 몇 문장으로 쓰시오.
17	aloud 소리 내어 [əláud]	The boy read his poem aloud to his classmates. 그 소년은 자신의 시를 반 친구들에게 큰 소리로 읽었다.
18	quarrel 다투다, 싸우다 [kwɔ́(:)rəl]	My sister and I often quarrel over small things. 내 언니와 나는 종종 작은 것을 갖고 다툰다.
19	moment 잠깐, 순간 [móumənt]	Will you wait a moment, please? 잠깐만 기다려 주시겠어요?
20	precious 귀중한, 소중한 [préʃəs]	Don't waste your precious time. 너의 귀중한 시간을 낭비하지 마라.
21	rotten 썩은 [rátən]	One of my teeth is rotten. 내 이 하나가 썩었다.
22	audience 청중 [ɔ́:diəns]	There was a large audience at the concert. 콘서트에 많은 청중이 있었다.
23	culture 문화 [kʌ́ltʃər]	I love meeting people from different cultures. 나는 다른 문화권에서 온 사람들은 만나는 것을 좋아한다.
24	greet 인사를 나누다 [gri:t]	The two women greeted each other with a hug. 그 두 여성은 인사로 껴안았다.
25	semester 학기 [siméstər]	The spring semester begins in March. 봄 학기는 3월에 시작한다.
26	prefer (더) 좋아하다, [prifə́:r] 선호하다	Some people like dogs, but I prefer cats. 어떤 사람들은 개를 좋아하지만 나는 고양이를 더 좋아한다.
27	tasty 맛있는 [téisti]	The food in the restaurant is tasty and fresh. 그 식당에 음식은 맛있고 신선하다.
28	touching 감동적인 [tʌ́tʃiŋ]	The movie is a touching love story. 그 영화는 감동적인 사랑 이야기이다.
29	alive 살아 있는 [əláiv]	A few people could stay alive during the war. 몇 명의 사람들이 그 전쟁에서 살아남을 수 있었다.
30	economy 경제 [ikánəmi]	Our economy is in trouble these days. 요즘 우리 경제는 곤경에 처해 있다.

Check Up

1 다음 우리말 뜻에 해당하는 영어 단어를 쓰세요.

01 맛있는

02 재능

03 고르다, 선택하다

04 소리 내어

05 경제

06 살아 있는

07 자신의

08 일몰

09 조언

10 인사를 나누다

11 썩은

12 청중

13 문화

14 모퉁이, 구석

15 수리, 수선

2 다음 영어 단어에 해당하는 우리말 뜻을 쓰세요.

01 sentence

02 afford

03 blond

04 special

05 semester

06 worth

07 moment

08 stain

09 seem

10 touching

3 다음 우리말과 일치하도록, 빈칸에 알맞은 단어를 쓰세요.

01 Don't waste your _____ time.
너의 귀중한 시간을 낭비하지 마라.

02 Kelly went to college on a(n) _____.
Kelly는 장학금으로 대학을 다녔다.

03 The opera singer has a(n) _____ voice.
그 오페라 가수는 독특한 목소리를 가지고 있다.

04 Some people like dogs, but I _____ cats.
어떤 사람들은 개를 좋아하지만 나는 고양이를 더 좋아한다.

05 My sister and I often _____ over small things.
내 언니와 나는 종종 작은 것을 갖고 다툰다.

Chapter 5

형용사와 부사

01	cozy 아늑한 [kóuzi]	Her new apartment is cozy and clean. 그녀의 새 아파트는 아늑하고 깨끗하다.
02	block 막다, 차단하다 [blɑk]	Heavy snow blocked roads. 폭설로 길이 막혔다.
03	terrible 끔찍한, [térəbl] 형편없는	She had a terrible accident when she was young. 어렸을 때 그녀는 끔찍한 사고를 당했다.
04	lecture 강의, 강연 [léktʃər]	He gives lectures on the world economy at university. Glenn은 대학에서 세계 경제에 대해 강의한다.
05	courage 용기 [kə́:ridʒ]	Eric showed great courage in difficult situations. Eric은 어려운 상황에서 큰 용기를 보여줬다.
06	care for 좋아하다	Steven doesn't care for sports. 그는 운동을 좋아하지 않는다.
07	weak 허약한, 약한 [wi:k]	My grandfather has a weak heart. 우리 할아버지는 심장이 약하다.
08	melt 녹이다; 녹다 [melt]	As the sun rose, the snow started to melt. 해가 뜨자, 눈이 녹기 시작했다.
09	experience 경험 [ikspí(:)əriəns]	They need someone with experience. 그들은 경험이 있는 누군가가 필요하다.
10	regular 규칙적인 [régjələr]	Regular exercise is good for our health. 규칙적인 운동은 우리 건강에 좋다.
11	pet 어루만지다, [pet] 쓰다듬다	He patted his baby son on his back. 그는 어린 아들의 등을 쓰다듬었다.
12	explain 설명하다 [ikspléin]	Smith explained his situation to his teacher. Smith는 자신의 상황을 선생님께 설명했다.
13	theory 이론 [θí(:)əri]	He found his theory after he saw an apple falling down. 그는 사과가 떨어지는 것을 보고 나서 이론을 발견했다.
14	freezing 정말 추운 [frí:ziŋ]	It's freezing here. Can I turn on the heather? 여기 정말 춥다. 히터를 틀어도 되니?
15	mind 마음, 생각 [maind]	A short walk and fresh air cleared my mind. 짧은 산책과 신선한 공기가 내 마음을 맑게 해주었다.

16	humid 습한 [hjú:mid]	Summer in Korea is very hot and humid. 한국의 여름은 무덥고 습하다.
17	notice 알아차리다 [nóutis]	I changed my hairstyle, but nobody noticed. 내가 머리 모양을 바꿨는데, 아무도 알아차리지 못했다.
18	reply 대답, 답장 [riplái]	Carl is writing in reply to his grandma. Carl은 할머니께 답장을 쓰고 있다.
19	quite 꽤, 상당히 [kwait]	My mom is quite busy with her housework. 우리 엄마는 집안일로 꽤 바쁘다.
20	annoyed 짜증이 난 [ənɔ́id]	She was annoyed at loud noises. 그녀는 시끄러운 소음 때문에 짜증이 났다.
21	manner 태도; 방식 [mǽnər]	Her manner was polite and friendly. 그녀의 태도는 예의 바르고 다정하다.
22	thousand 천 [θáuzənd]	About six thousand people were at the concert. 약 6천 명이 사람들이 콘서트 장에 있었다.
23	careless 조심성 없는, [kέərlis]　부주의한	The accident happened because of careless driving. 부주의한 운전으로 그 사고가 발생했다.
24	shout 외치다, 소리치다 [ʃaut]	He shouted, "Fire! There is a fire in the kitchen." 그는 "불이야! 부엌에 불이 났어요."라고 외쳤다.
25	region 지역, 지방 [ríːdʒən]	Coconut trees grow in tropical regions. 코코아나무는 열대 지역에서 자란다.
26	produce 생산하다 [prádjuːs]	The factory produces 200 bicycles in an hour. 그 공장은 한 시간에 200대의 자전거를 생산한다.
27	uneasy 불안한, 불편한 [ʌníːzi]	I feel uneasy about meeting them again. 나는 그들을 다시 만나기가 불편하다.
28	recover 회복되다 [rikʌ́vər]	My daughter has recovered from a bad cold. 내 딸은 독감에서 회복되었다.
29	illness 병, 질환 [ílnis]	She is thin and weak from her illness. 그녀는 병으로 마르고 허약해져 있다.
30	medicine 약 [médisin]	You should take medicine before each meal. 너는 식전에 약을 복용해야 한다.

Check Up

1 다음 우리말 뜻에 해당하는 영어 단어를 쓰세요.

01 강의, 강연

02 규칙적인

03 녹이다; 녹다

04 회복되다

05 막다, 차단하다

06 약

07 알아차리다

08 천

09 대답, 답장

10 지역, 지방

11 용기

12 꽤, 상당히

13 좋아하다

14 설명하다

15 허약한, 약한

2 다음 영어 단어에 해당하는 우리말 뜻을 쓰세요.

01 manner

02 careless

03 shout

04 cozy

05 annoyed

06 terrible

07 mind

08 pet

09 uneasy

10 theory

3 다음 우리말과 일치하도록, 빈칸에 알맞은 단어를 쓰세요.

01 They need someone with _____.
그들은 경험이 있는 누군가가 필요하다.

02 She is thin and weak from her _____.
그녀는 병으로 마르고 허약해져 있다.

03 Summer in Korea is very hot and _____.
한국의 여름은 무덥고 습하다.

04 The factory _____ 200 bicycles in an hour.
그 공장은 한 시간에 200대의 자전거를 생산한다.

05 It's _____ here. Can I turn on the heather?
여기 정말 춥다. 히터를 틀어도 되니?

01	crowded 붐비는, 복잡한 [kráudid]	Waikiki Beach is crowded with people. 와이키키 해변은 사람들로 붐빈다.
02	physically 육체적으로, 신체적으로 [fízikəli]	I'm very tired mentally and physically. 나는 정신, 육체적으로 많이 피곤하다.
03	usual 평상시의, 보통의 [júːʒuəl]	Let's meet at the usual time and place tomorrow. 내일 평상시에 만나는 시간과 장소에서 만나자.
04	wide 넓은 [waid]	The lake is very wide and deep. 그 호수는 정말 넓고 깊다.
05	homemade 집에서 만든 [hóumméid]	She brought homemade cookies to the party. 그녀가 파티에 집에서 만든 쿠키를 가져왔다.
06	uncomfortable 불편한 [ʌnkʌ́mfərtəbl]	These new sneakers are really uncomfortable. 이 새 운동화가 정말 불편해.
07	contact 연락하다 [kántækt]	Please contact me, if you have any questions. 질문이 있으시면 저에게 연락주세요.
08	customer 손님, 고객 [kʌ́stəmər]	The customer is always right. 고객의 왕이다.
09	adult 성인, 어른 [ədʌ́lt]	This movie is only for adults. 이 영화는 성인용이다.
10	midterm 중간의 [mídtəːrm]	My midterm exam is only two days away. 내 중간고사가 이틀 남았어.
11	peaceful 평화로운 [píːsfəl]	We enjoy quiet and peaceful life in the country. 우리는 시골에서 조용하고 평화로운 생활을 즐긴다.
12	impressive 인상적인 [imprésiv]	Their first concert was very impressive. 그들의 첫 콘서트는 매우 인상적이었다.
13	scary 무서운, 겁나는 [skέ(ː)əri]	I had a very scary dream last night. 나는 어젯밤 정말 무서운 꿈을 꿨다.
14	degree (온도·각도) 도, 정도 [digríː]	Bake bread at 150 degrees for 20 minutes. 빵을 150도에서 20분간 구우세요.
15	metal 금속 [métəl]	Ships are made of metal. 선박은 금속으로 만들어진다.

16	manage 관리하다 [mǽnidʒ]	They manage money and time wisely. 그들은 시간과 돈을 현명하게 관리해요.
17	interest 관심 [íntərəst]	My daughter has shown interest in music. 내 딸은 음악에 관심을 보인다.
18	politics 정치 [pálitiks]	He has been in politics for over ten years. 그는 10년 넘게 정치계에 몸담고 있다.
19	slim 날씬한 [slim]	She was slim, tall, and really beautiful. 그녀는 날씬하고 키가 컸으며 매우 아름다웠다.
20	weigh 무게가 나가다; [wei] 무게를 달다	Lisa is 150 cm tall and weighs 40 kg. Lisa는 키가 150cm이고, 체중이 40kg이다.
21	breath 숨, 호흡 [breθ]	Ed took a deep breath and jump into the sea. Ed는 심호흡을 하고 바다로 뛰어들었다.
22	continent 대륙 [kántənənt]	There are six continents and five oceans in the world. 세상에는 여섯 개의 대륙과 다섯 개의 바다가 있다.
23	serve 제공하다 [sə:rv]	Dinner is served from six to eight. 저녁은 6시부터 8시까지 제공됩니다.
24	composer 작곡가 [kəmpóuzər]	My favorite composer is Mozart. 내가 좋아하는 작곡가는 모차르트이다.
25	generous 관대한 [dʒénərəs]	Mr. White is very generous and friendly. White 씨는 매우 관대하고 친절하다.
26	temple 절 [témpl]	There used to be an old temple here. 예전에는 이곳에 오래된 절이 있었다.
27	thick 두꺼운, 두툼한; [θik] 짙은	It's freezing outside. You had better wear a thick coat. 밖이 정말 추워. 너는 두꺼운 외투를 입는 게 좋겠어.
28	neighborhood 근처, [néibərhùd] 이웃; 주위	Is there a good restaurant in the neighborhood? 근처에 괜찮은 식당이 있니?
29	pollution 오염 [pəljú:ʃən]	Thousands of fish died from water pollution. 수천 마리의 물고기가 수질 오염으로 죽었다.
30	skill 기술, 실력 [skil]	The job needs a lot of skill and knowledge. 그 직업은 많은 기술과 지식을 필요로 한다.

Check Up

1 다음 우리말 뜻에 해당하는 영어 단어를 쓰세요.

01 집에서 만든

02 오염

03 대륙

04 붐비는, 복잡한

05 날씬한

06 무게가 나가다; 무게를 달다

07 육체적으로, 신체적으로

08 중간의

09 작곡가

10 절

11 손님, 고객

12 불편한

13 (온도각도) 도, 정도

14 관대한

15 평화로운

2 다음 영어 단어에 해당하는 우리말 뜻을 쓰세요.

01 breath

02 serve

03 usual

04 thick

05 interest

06 manage

07 skill

08 adult

09 wide

10 neighborhood

3 다음 우리말과 일치하도록, 빈칸에 알맞은 단어를 쓰세요.

01 Ships are made of _____.
선박은 금속으로 만들어진다.

02 I had a very _____ dream last night.
나는 어젯밤 정말 무서운 꿈을 꿨다.

03 Their first concert was very _____.
그들의 첫 콘서트는 매우 인상적이었다.

04 He has been in _____ for over ten years.
그는 10년 넘게 정치계에 몸담고 있다.

05 Please _____ me, if you have any questions.
질문이 있으시면 저에게 연락주세요.

Chapter 01. 명사

① 01 opinion 02 excitement 03 contain 04 kindergarten 05 slip
06 belief 07 rich 08 similar 09 chase 10 ripe
11 tiny 12 clerk 13 furniture 14 sharp 15 friendship

② 01 제품, 상품 02 아프다 03 마을 04 지역 05 갓 난
06 정보 07 움켜잡다, 붙잡다 08 계좌 09 기사 10 진짜의, 진실의

③ 01 hunt 02 climate 03 cheerful 04 suits 05 activity

Chapter 02. 관사

① 01 gentle 02 perfectly 03 sight 04 mammal 05 across
06 go bad 07 middle 08 unhappy 09 orchestra 10 universe
11 inventor 12 bite 13 be made of 14 haircut 15 species

② 01 조카(아들) 02 다큐멘터리 03 수도 04 열대의 05 놀라운
06 만나다, 모이다 07 바늘, (pl.) 솔잎 08 멋진, 세련된 09 자정
10 인간의, 사람의

③ 01 peel 02 still 03 spare 04 intelligent 05 hometown

Chapter 03. 대명사 ⅠⅠ

① 01 plant 02 judge 03 amusement 04 text 05 huge
06 injury 07 water 08 grandchild 09 lick 10 complete
11 ashamed 12 suspicion 13 principal 14 beverage 15 fault

② 01 굵다 02 문제, 곤란 03 나이가 지긋한, 연세가 든 04 거의
05 가능한 06 요리[조리]법 07 장식하다 08 오두막 09 행성
10 슬픔

③ 01 downtown 02 scenery 03 blames 04 relative 05 different

Chapter 04. 대명사 II

① 01 tasty   02 talent   03 choose   04 aloud   05 economy
   06 alive   07 own   08 sunset   09 tip   10 greet
   11 rotten   12 audience   13 culture   14 corner   15 repair

② 01 문장   02 형편[여유]이 되다   03 금발의   04 특별한
   05 학기   06 ~의 가치가 있는   07 잠깐, 순간   08 얼룩
   09 ~인 것 같다   10 감동적인

③ 01 precious   02 scholarship   03 unique   04 prefer   05 quarrel

Chapter 05. 형용사와 부사

① 01 lecture   02 regular   03 melt   04 recover   05 block
   06 medicine   07 notice   08 thousand   09 reply   10 region
   11 courage   12 quite   13 care for   14 explain   15 weak

② 01 태도; 방식   02 조심성 없는, 부주의한   03 외치다, 소리치다
   04 아늑한   05 짜증이 난   06 끔찍한, 형편없는   07 마음, 생각
   08 어루만지다, 쓰다듬다   09 불안한, 불편한   10 이론

③ 01 experience   02 illness   03 humid   04 produces   05 freezing

Chapter 06. 비교

① 01 homemade   02 pollution   03 continent   04 crowded   05 slim
   06 weigh   07 physically   08 midterm   09 composer   10 temple
   11 customer   12 uncomfortable   13 degree   14 generous
   15 peaceful

② 01 숨, 호흡   02 제공하다   03 평상시의, 보통의
   04 두꺼운, 두툼한; 짙은   05 관심   06 관리하다   07 기술, 실력
   08 성인, 어른   09 넓은   10 근처, 이웃; 주위

③ 01 metal   02 scary   03 impressive   04 politics   05 contact

GRAMMAR
MENTOR
JOY

롱맨
그래머
멘토
조이
시리즈

최신개정판
400만부 돌파
롱맨 JOY
시리즈

plus 2

GRAMMAR

MENTOR 영어교재

Chapter 1 명사

Unit 01 셀 수 있는 명사

Warm up p.013

①

01	glass	glasses	26	leaf	leaves
02	beach	beaches	27	color	colors
03	factory	factories	28	child	children
04	wife	wives	29	dolphin	dolphins
05	boss	bosses	30	season	seasons
06	mystery	mysteries	31	tomato	tomatoes
07	photo	photos	32	classmate	classmates
08	newspaper	newspapers	33	goose	geese
09	machine	machines	34	company	companies
10	spoon	spoons	35	kangaroo	kangaroos
11	mouse	mice	36	sweater	sweaters
12	hobby	hobbies	37	person	people
13	thief	thieves	38	brush	brushes
14	woman	women	39	university	universities
15	question	questions	40	shelf	shelves
16	roof	roofs	41	donkey	donkeys
17	mailbox	mailboxes	42	vegetable	vegetables
18	sheep	sheep	43	holiday	holidays
19	activity	activities	44	seahorse	seahorses
20	kiss	kisses	45	belief	beliefs
21	country	countries	46	fox	foxes
22	piano	pianos	47	scarf	scarves
23	magazine	magazines	48	tooth	teeth
24	hero	heroes	49	essay	essays
25	sandwich	sandwiches	50	address	addresses

Start up p.014

①

01 classes 02 wolves 03 feet
04 keys 05 jeans 06 sheep
07 umbrella 08 Tomatoes 09 boxes
10 people 11 Dishes 12 countries
13 babies 14 mice 15 beaches

[해석 및 해설]

01 나는 매주 세 개의 과학 수업이 있어요.
02 네 마리의 늑대가 사슴을 사냥했어요.
03 그 소녀는 아주 작은 손과 발을 가지고 있어요.
04 Mark는 열쇠를 차 안에 넣고 문을 잠갔어요.
05 Kate는 세일할 때 청바지 하나를 샀어요.
  *jeans는 항상 복수로 사용한다.
06 우리는 농장에서 많은 양을 봤어요.

*sheep은 단수와 복수가 같은 형태이다.
07 Jerry는 Annie에게 우산을 씌워줬어요.
  *앞에 an이 있으므로 단수명사를 고른다.
08 토마토는 비타민 C와 A가 풍부해요.
09 내가 이 세 개의 상자를 옮기는 걸 도와줄래?
10 열 명의 사람이 버스를 타려고 줄을 서 있어요.
11 접시들은 찬장 맨 위 칸에 있어요.
12 케냐와 콩고는 아프리카에 있는 나라들이에요.
13 갓 태어난 아기들은 하루에 약 18시간을 잔다.
14 우리는 그 집 주위를 뛰어다니는 많은 쥐를 봤어요.
15 그 섬 주위의 해변들은 깨끗하고 아름다워요.

②

01 an egg 02 Geese 03 ○
04 scissors 05 ○ 06 ○
07 toys 08 photo 09 thieves
10 peaches 11 women 12 teeth
13 stories 14 pairs 15 children

[해석 및 해설]

01 엄마가 계란을 바닥에 떨어뜨렸어요.
  *셀 수 있는 명사를 단수로 쓸 경우 명사 앞에 a/an을
  써야 한다.
02 거위는 겨울을 나기 위해서 남쪽으로 날아가요.
03 그녀의 방에는 두 대의 피아노가 있어요.
  *piano는「자음+o」로 끝나지만, 명사 끝에 −s를 붙이
  므로 올바르다.
04 칼과 가위를 조심해.
  *scissors는 항상 복수로 쓴다.
05 Max와 Grace 종종 저녁 파티를 열어요.
06 우리 아빠와 나는 호수에서 물고기 일곱 마리를 잡았어요.
  *fish는 단수와 복수가 같은 형태이다.
07 책과 장난감들이 방에 흩어져 있어요.
  *「모음+y」로 끝나는 명사로 명사에 −s를 붙인다.
08 Matt는 동물원에서 홍학 사진을 한 장 찍었어요.
  *앞에 a가 있으므로 단수명사로 쓴다.
09 두 명의 도둑이 창문을 통해 집으로 침입했어요.
10 농부는 나무에서 익은 복숭아를 땄어요.
11 그 상점은 여자 옷과 신발을 팔아요.
12 상어는 뾰족한 이빨과 강한 턱을 가지고 있어요.
13 우리 할아버지는 우리에게 자신의 어린 시절에 대한 이
  야기를 해주세요.
14 너무 추워서 나는 양말 두 켤레를 신었어요.
  *앞에 two가 있으므로 복수형 pairs가 되어야 한다.
15 나는 아이들을 무척 좋아해서 유치원 선생님이 되고 싶
  어요.

정답 및 해설 • 3

Check up & Writing   p.016

❶

01 legs	02 families	03 sandwiches
04 factories	05 feet	06 zoos
07 monkeys	08 gloves	09 watches
10 shelves	11 men	12 potatoes

[해설]

06 *「모음+o」로 끝나는 명사로 명사에 –s를 붙인다.

07 *「모음+y」로 끝나는 명사로 명사에 –s를 붙인다.

08 *glove는 항상 복수로 쓴다.

❷

01 a cute puppy

02 a knife

03 a tooth

04 My cats, mice

05 heavy boxes

06 Women and children

07 real stories

08 My brothers, middle school students

09 invitation cards, his friends

10 a tomato and a pear

11 Foxes and wolves

12 deer and sheep

[해석]

01 Rachel은 귀여운 강아지가 세 마리 있어요.
→ Rachel은 귀여운 강아지가 한 마리 있어요.

02 칼들을 가지고 장난치지 마세요.
→ 칼을 가지고 장난치지 마세요.

03 그는 이가 두 개 빠졌어요.
→ 그는 이가 하나 빠졌어요.

04 어젯밤에 내 고양이가 쥐 한 마리를 잡았어요.
→ 어젯밤에 내 고양이들이 쥐들을 잡았어요.

05 Martin과 James는 무거운 상자를 운반했어요.
→ Martin과 James는 무거운 상자들을 운반했어요.

06 한 여성과 한 아이가 버스에 있었어요.
→ 여성들과 아이들이 버스에 있었어요.

07 이것은 내 조부모님의 실제 이야기예요.
→ 이것들은 내 조부모님의 실제 이야기들이에요.

08 내 남동생은 중학생이에요.
→ 내 남동생들은 중학생들이에요.

09 Brian은 자신의 친구에게 초대장을 보냈어요.
→ Brian은 자신의 친구들에게 초대장들을 보냈어요.

10 나는 토마토 열 개와 배 다섯 개를 샀어요.
→ 나는 토마토 한 개와 배 한 개를 샀어요.

11 여우와 늑대는 육식 동물이에요.

→ 여우들과 늑대들은 육식 동물들이에요.

12 아이들은 우리 농장에서 사슴 한 마리와 양 한 마리에게 먹이를 줄 수 있어요.
→ 아이들은 우리 농장에서 사슴들과 양들에게 먹이를 줄 수 있어요.

Unit 02 셀 수 없는 명사

Warm up   p.019

❶

01 Spanish

02 air

03 pasta, spaghetti

04 paper

05 Money, happiness

06 salt, soup

07 Sandler, Germany

08 friendship, love

09 Oil, water

10 Rome, Milano, Italy

11 water

12 health

13 Jess, Tuesday, Wednesday

14 information

15 fog

[해석]

01 스페인어는 어려워요.

02 공기는 신선하고 맑았어요.

03 나는 파스타와 스파게티를 정말 좋아해요.

04 프린터에 용지가 다 떨어졌어요.

05 돈으로 행복을 살 수 없어요.

06 나는 수프에 소금을 좀 넣을 거예요.

07 Sandler는 독일에서 태어났어요.

08 그들의 우정이 사랑으로 발전했어요.

09 기름과 물을 잘 섞이지 않아요.

10 로마와 밀라노는 이탈리아에 있는 도시예요.

11 그 소녀는 물 두 병을 들고 있어요.

12 그녀는 딸의 건강을 걱정해요.

13 Jess는 화요일 아니면 수요일에 우리를 방문할 거야.

14 신문들은 많은 유용한 정보를 담고 있어요.

15 나는 짙은 안개로 아무것도 볼 수 없었어요.

Start up   p.020

❶

01 ice	02 rain	03 Tom

04 loaves	05 paper	06 pounds
07 bread	08 Health	09 bottle
10 money	11 advice	12 Saturday
13 pieces	14 A bowl of chicken soup	
15 two slices of cheese		

[해석]

01 Rachel이 얼음 위에서 미끄러졌어요.
02 나는 빗속을 걷는 것을 좋아해요.
03 Tom은 정직한 소년이에요.
04 나는 빵 세 덩어리는 태웠어요.
05 나는 종이 세 장이 필요해요.
06 그는 밀가루 10파운드를 샀어요.
07 엄마는 일주일에 두 번 빵을 구우세요.
08 나에게는 건강이 가장 중요해.
09 Greg는 냉장고에서 한 병의 주스를 꺼냈어요.
10 우리는 새 차를 살만한 충분한 돈이 없어.
11 저에게 이 문제에 대해 충고를 좀 해 주실래요?
12 그들은 토요일에 여행에서 집으로 돌아왔어요.
13 그 케이크는 맛있었어요. 나는 그것을 세 조각 먹었어요.
14 한 그릇의 치킨 수프는 감기에 좋아요.
15 Nora는 자신의 샌드위치에 치즈 두 장을 넣었어요.

❷

01 sand	02 ○
03 honey	04 Australia
05 ○	06 two glasses of water
07 three cups	08 July
09 love	10 New York
11 homework	12 fun
13 pizza	14 money
15 furniture	

[해석 및 해설]

01 Jeff 신발에 모래가 있어요.
02 눈이 전국에 내렸어요.
03 우리 엄마는 설탕 대신에 꿀을 사용해요.
04 그녀의 조부모님은 오스트레일리아에 사세요.
   *고유명사는 대문자로 쓰고, a 또는 an을 붙이지 않는다.
05 Sally는 기뻐서 펄쩍펄쩍 뛰었어요.
06 우리에게 두 잔의 물을 갖다 줄래?
07 나는 매일 세 잔의 커피를 마셔요.
08 우리 여름 방학은 7월에 시작해요.
09 신데렐라는 왕자와 사랑에 빠졌어요.
10 그들은 뉴욕 여행을 계획하고 있어요.
11 나는 막 내 영어 숙제를 시작했어요.
12 우리는 영화제에서 즐거운 시간을 보냈어요.
13 Mark는 벌써 피자 다섯 조각을 먹었어요.
14 그는 영화로 많은 돈을 벌었어요.

15 우리는 새집에 놓을 가구를 좀 살 거야.

Check up & Writing   p.022

❶

01 a, cup, of, hot, chocolate
02 A, pound, of, butter
03 two, glasses, of, juice
04 A, cup, of, coffee
05 ten, pounds, of, meat
06 a, bottle, of, water
07 four, pieces, of, furniture
08 three, pieces/sheets, of, paper
09 a, slice/piece, of, cheese
10 a, glass, of, milk
11 a, bowl, of, cereal
12 A, loaf, of, bread

❷

01 Rice grows
02 There is no money
03 have hope
04 Will you make some tea
05 There is a lot of traffic
06 wish you good luck
07 pray for world peace
08 give you some advice
09 Everybody wants happiness
10 is full of old furniture
11 I need information
12 have good news and bad news

Unit 03 명사의 격

Warm up   p.025

❶

01 a. Alex는 b. Alex의 c. Alex를
02 a. 내 고양이는 b. 내 고양이의 c. 내 고양이를
03 a. 아들들을 b. 아들들의 c. 아들들은
04 a. 청바지를 b. Sam의 c. 그 청바지는
05 a. 책가방을 b. Jess의 c. 책가방은

Start up   p.026

❶

01 ⓐ	02 ⓒ	03 ⓒ
04 ⓐ	05 ⓑ	06 ⓑ
07 ⓐ	08 ⓒ	09 ⓑ

10 ⓐ   11 ⓐ   12 ⓑ
13 ⓒ   14 ⓒ

[해석]

01 고래는 해양 포유류예요.
02 개는 인간의 가장 친한 친구예요.
03 그 파티는 Chris의 집에서 해.
04 우리 어머니는 스웨터를 뜨고 계세요.
05 그 소녀는 예쁜 갈색 눈을 가지고 있어요.
06 나는 동물원에서 아기 북극곰을 봤어요.
07 지구는 약 45억년 살이다.
08 그녀는 이모의 아이들을 돌보고 있어요.
09 Stevens 씨는 시골에 농장을 소유하고 있어요.
10 템스 강은 런던을 통과해 흘러요.
11 Megan과 Ruth는 서로 이야기를 나누고 있어요.
12 Dave는 벨이 한 번 울리자 전화를 받았어요.
13 나는 그 선생님의 질문을 이해하지 못했어요.
14 Jones 부인은 여중에서 과학을 가르쳐요.

❷

01 the tiger's tail
02 today's date
03 Moris'/Moris's fault
04 ladies' gloves
05 the bird's nest
06 men's restroom
07 the rabbit's ears
08 children's toys
09 Sarah's wedding
10 Andrew's father
11 Charles'/Charles's idea
12 students' paintings
13 last week's newspapers
14 Jeff Kinney's novels
15 Brandon and Sue's house

Check up & Writing   p.028

❶

01 Jennifer's, new, skirt
02 I like, Spielberg's, movies
03 The, puppy's, tail
04 Men's, shoes, are
05 Doctors, help, sick, people
06 Cheese, is, my, favorite, food
07 Sea, turtles, lay, eggs
08 I, found, this, article
09 Our, school's, baseball, team, won
10 David, saw, a, car, accident

11 The, lady's, hat, blew, away
12 The, two, friends', shirts, are

❷

01 My mother's birthday is next week
02 The baby's toy fell
03 James' opinion is similar
04 Richard is my husband's name
05 Plants need sunlight and water
06 Are you reading yesterday's newspaper
07 I have seen that girl's face
08 Will likes Shakespeare's plays
09 Architects design houses and buildings
10 was America's 35th President
11 visit my grandparents' this weekend
12 looking for Dr. Jones' office

Level up   p.030

❶

01 buses   02 teeth   03 candies
04 churches   05 stories   06 roofs
07 blankets   08 donkeys   09 tomatoes
10 sheep   11 mice   12 balloons
13 thieves   14 classes   15 wives

[해석]

01 버스만 이 차선을 이용할 수 있어요.
02 내 어린 남동생은 이가 세 개예요.
03 그 소녀들은 솜사탕을 먹고 있어요.
04 기독교인들은 일요일에 교회에 가요.
05 나는 그들에 대해 많은 이야기를 들었어요.
06 사막에 있는 집들은 지붕들이 평평해요.
07 그녀는 담요 몇 개와 음식을 가져왔어요.
08 당나귀들은 무거운 짐을 운반해요.
09 아이들은 정원에서 토마토를 따고 있어요.
10 그 양치기는 50마리의 양을 돌봐요.
11 그 오래된 건물에는 쥐가 많아요.
12 우리는 파티를 하려고 천정에 풍선을 매달았어요.
13 경찰들이 도둑들을 추적해서 잡았어요.
14 요즘 많은 학생들이 온라인 수업을 들어요.
15 남편과 아내들은 서로 존중해야 해요.

❷

01 February   02 ○
03 ○   04 scissors'
05 Amy's   06 Sydney
07 bottles of water   08 the women's room
09 Air   10 bowls
11 sugar   12 a piece of furniture

13 boys'   14 People
15 bread

[해석 및 해설]

01 나는 2월 1일에 태어났어요.
   *고유명사는 대명사로 시작한다.
02 Charles의 컴퓨터는 새것이에요.
   *s로 끝나는 이름은 이름's 또는 이름'의 형태로 소유격을 나타낸다.
03 아이들은 모래를 가지고 노는 것을 좋아해요.
04 그 가위의 손잡이가 부러졌어요.
05 Amy의 새 아파트는 매우 깔끔해요.
06 우리 언니들은 시드니에서 공부하고 있어요.
07 물 세 병 주세요.
08 이쪽이 여자 화장실로 가는 길이에요.
09 공기는 지구상의 모든 생물에게 중요해요.
10 Jim은 재빨리 수프 두 그릇을 먹었어요.
11 Jane은 커피에 설탕을 넣지 않아요.
12 그들은 집안으로 가구 한 점을 밀어 넣고 있어요.
13 경기를 하는 모든 소년들의 옷은 지저분해졌어요.
14 사람들은 거리에서 퍼레이드를 보고 있어요.
15 Chris는 토스터에 빵 두 조각을 넣었어요.

❸
01 There, are, 365, days
02 The, children's, rooms
03 his, friend's, car
04 the, tires, of, the bus
05 took, some, photos
06 The, students', textbooks
07 provides, information
08 have, a, lot, of, homework
09 a, bowl, of, pasta
10 need, flour, and, chocolate
11 a, cup, of, warm, milk
12 two, pieces/sheets, of, paper

❹
01 The bird's feathers are red
02 I saw Fred's sister
03 Ten loaves of bread
04 Stay away from the lions' cage
05 had better go to the dentist's
06 The teachers' copy machine
07 A lot of people go to beaches
08 bring you good luck
09 doesn't spend much money
10 gives me good advice
11 two cups of coffee

12 can't breathe fresh air

Actual test   p.034

1 ④   2 ③   3 ⑤   4 ①   5 ⑤   6 ②
7 ⑤   8 ①   9 ④   10 ⑤   11 ⑤   12 ②
13 ②   14 ①
15 1) leaves 2) three bottles of water 3) Chris'/Chris's cell phone
16 1) Tokyo 2) men's clothes 3) teeth
17 The boys' kites
18 a glass of juice and two eggs
19 ate two bowls of rice
20 A crab's claws are sharp

[해석 및 해설]

1 *④ 「자음+o」로 끝나는 명사는 명사에 -es를 붙인다.
2 *③ sheep은 불규칙 변화 명사로 단·복수 형태가 같다.
3 *앞에 a pair of가 있으므로 두 개가 한 쌍을 이루어 복수형으로 쓰는 명사가 와야 한다. furniture는 셀 수 없는 명사로 복수형으로 쓰지 않는다.
4 *동사가 are로 복수명사가 와야 한다. butter는 셀 수 없는 명사로 복수형으로 쓰지 않는다.
5 *액체는 cup, glass, bottle 등으로 수량을 표현한다.
6 • 나에게 물을 좀 갖다 주겠니?
   • 그 소녀들의 축구팀이 경기에서 이겼어요.
   *셀 수 없는 명사는 복수형으로 쓰지 않고, s로 끝나는 복수명사는 복수명사'의 형태로 소유격을 나타낸다.
7 ① 그들은 평화를 원해요.
   ② Sarah는 훌륭한 바이올리니스트예요.
   ③ 너에게 좋은 소식이 있어.
   ④ Mike는 택시를 탈만한 돈이 없었어요.
   ⑤ 그 어부는 어제 물고기를 많이 잡았어요.
   *①, ②, ③, ④ 셀 수 없는 명사, ⑤ 셀 수 있는 명사이다.
8 ① 돈으로 건강을 살 수는 없다.
   ② 우리는 일주일에 5개의 영어 수업이 있어요.
   ③ 내 고양이는 쥐 또는 다른 작은 동물들을 쫓아요.
   ④ 나비들이 꽃에서 꽃으로 날아다녀요.
   ⑤ 슈퍼맨과 배트맨은 영화에 나오는 영웅들이에요.
   *① 셀 수 없는 명사, ②, ③, ④, ⑤ 셀 수 있는 명사이다.
9 *child는 불규칙 변화 명사로 복수형이 children이고, -s로 끝나지 않는 복수명사는 복수명사's의 형태로 소유격을 나타낸다.
10 *따뜻한 음료는 cup을 이용해 수량을 나타낸다.
11 ① 우리는 그 농장에서 사슴 몇 마리를 보았어요.
   ② 피아노는 하얀색과 검은색 건반이 있어요.
   ③ 그 방에는 5명의 여성이 있어요.
   ④ 우리는 새 가구를 좀 사야 해요.
   ⑤ 나는 열대우림에 대한 정보를 찾고 있어요.
   *⑤ information은 셀 수 없는 명사로 복수형으로 쓰지

않는다.
12 ① 늑대는 사회적인 동물이에요.
② 우유는 우리의 뼈에 좋아요.
③ 대도시는 교통체증이 심해요.
④ 나는 빵 위에 치즈 한 조각을 얹었어요.
⑤ Ted는 항상 행복하고 절대 희망을 잃지 않아요.
*② 셀 수 없는 명사 앞에 a 또는 an을 붙이지 않는다.
13 ① 우리는 개집을 빨간색으로 페인트칠했어요.
② 그 새들의 깃털들은 화려해요.
③ 남자용 화장실은 복도 끝에 있어요.
④ Nathan's의 집으로 들어가는 문이 잠겼어요.
⑤ Kelly의 엄마가 파티에 쿠키를 가져오셨어요.
*② -s로 끝나는 복수명사는 복수명사'의 형태로 소유격을 나타낸다.
14 ① 그녀는 빵 두 덩어리를 샀어요.
② 내 커피에는 설탕을 넣지 마.
③ 펭귄의 다리는 짧아요.
④ 빨간 장미는 사랑을 의미해요.
⑤ 나는 감자 몇 개를 삶았어요.
*셀 수 없는 명사는 측정하는 단위나 용기로 수량을 나타낸다.
15 1) 바닥에 나뭇잎이 많이 있어요.
2) 물 세 병 주세요.
3) 너 Chris의 휴대 전화를 본 적 있니?
*s로 끝나는 이름은 이름's 또는 이름'의 형태로 소유격을 나타낸다.
16 1) 우리 언니는 Tokyo에서 웹디자인을 공부해.
*셀 수 없는 명사 앞에 a 또는 an을 붙이지 않는다.
2) 이 가게는 남성용 의류를 팔아요.
*-s로 끝나지 않는 복수명사는 복수명사's의 형태로 소유격을 나타낸다.
3) Mike는 계단에서 굴러 떨어져서 이가 두 개 빠졌어요.
17 *-s로 끝나는 복수명사는 복수명사'의 형태로 소유격을 나타낸다.
18 *차가운 음료는 glass를 이용해 수량을 나타낸다.

Chapter 2 관사

Unit 01 부정관사 a/an

Warm up   p.041

❶

01 An, an	02 An	03 An
04 A, a	05 A	06 An, a
07 An	08 An, a	09 A, a
10 An, a	11 A, an	12 An, a

Start up   p.042

❶

01 an	02 a	03 a
04 a	05 ×	06 an
07 an	08 a	09 a
10 a	11 ×	12 an
13 a	14 an	15 ×

[해석]

01 그들은 섬에 살아요.
02 마실 것 좀 드릴까요?
03 나는 1파운드의 버터가 필요해요.
04 더운 여름날이었어요.
05 그들은 엔지니어로 일해요.
06 Carol은 몬트리올에 삼촌이 있어요.
07 그 영화는 불행한 결말을 맺어요.
08 그들은 1년에 두 번 휴가를 가요.
09 그녀의 부모님은 그녀에게 중고차를 사 주었어요.
10 Annie는 하루 한 번 부모님께 전화해요.
11 나는 내 정원에 오렌지 나무를 길러요.
12 Thomas Edison은 미국인 발명가였어요.
13 Christine은 음악 동아리 회원이에요.
14 비가 올 거야. 우산 들고 가.
15 Sam과 Brian은 훌륭한 축구 선수예요.

❷

01 an	02 ○	03 a
04 ×	05 a	06 a
07 Water	08 ×	09 ×
10 ○	11 bunch	12 an orange
13 an	14 an	15 ○

[해석]

01 그건 재미있는 영화야.
02 그녀는 사과를 한 입 먹고 있어요.
03 Mark는 고등학교 선생님이에요.
04 너는 차에 우유를 넣니?
05 이 교회는 매우 오래된 건물이야.
06 우리 오빠는 대학생이에요.
07 물은 인간의 삶에 중요해요.
08 우리는 꿀, 계란, 밀가루가 필요해.
09 Jacob은 파티에 쿠키를 가져왔어요.
10 탑 하나가 마을 가운데 서 있어요.
11 Greg이 나에게 주려고 꽃 한 다발을 사왔어요.
12 오렌지 하나와 바나나 세 개 주세요.
13 나는 동물 애호가지만, 애완동물은 없어요.
14 나는 정말 그 질문에 솔직한 대답을 원해.
15 코코넛 나무는 보통 열대 지방에서 자라요.

①

01 a, hospital	02 an, Englishman
03 an, onion	04 an, honest, boy
05 a, letter	06 a, kilo
07 a, week	08 an, S
09 a, driver's, licence	10 an, apple, an, egg
11 a, good, job	12 a, word

②

01 is an old friend
02 is a gentle animal
03 have an idea
04 lost an earring
05 had a terrible headache
06 is an expensive sport
07 ordered a cup of coffee
08 travel 150 miles an hour
09 Call me once a day
10 didn't get an invitation
11 visit my grandparents twice a month
12 has a cat and an iguana

Unit 02 정관사 the와 관사를 쓰지 않는 경우

Warm up   p.047

①

01 the	02 The	03 ×
04 ×	05 ×	06 the
07 ×	08 The	09 The
10 ×	11 the	12 ×

Start up   p.048

①

01 ×	02 the	03 the
04 the	05 the	06 ×
07 the	08 the	09 ×
10 ×	11 ×	12 ×
13 ×	14 The	15 The

[해석]

01 Ben은 테니스 치는 것을 좋아해요.
02 내가 너를 공항까지 데려다 줄게.
03 Ian 옆에 있는 그 소녀는 누구니?
04 나무에 있는 새 좀 봐.
05 Luise는 플루트를 매우 잘 연주해요.
06 우리는 뉴욕에 가고 있어요.

07 Eric의 여동생 이름이 뭐니?
08 Irene는 인터넷으로 책을 사요.
09 그들은 휴가로 쿠바에 다녀왔어요.
10 내 아내의 가족은 한국어를 써요.
11 너는 얼마나 자주 야구를 하니?
12 너는 아침으로 무엇을 먹을래?
13 내 아이들은 항상 일찍 잠을 자요.
14 그 가게에 있는 옷들은 정말 멋져.
15 나는 겨울 재킷을 샀어. 그 재킷은 매우 따뜻해.

②

01 ○	02 breakfast
03 The moon	04 the piano
05 ○	06 The milk
07 volleyball	08 math
09 email	10 Russia
11 the sun	12 ○
13 The muffler	14 the light
15 TV	

[해석]

01 창문을 좀 열어줄래?
02 나는 항상 아침을 걸러요.
03 오늘 밤 달이 정말 밝아요.
04 너의 어머니는 피아노를 연주하시니?
05 우리 아빠는 보통 차를 타고 출근해요.
06 냉장고에 있는 우유가 상했어요.
07 내가 좋아하는 운동은 배구예요.
08 Ashley는 수학을 아주 잘해요.
09 내가 너에게 이메일로 그 사진들을 보낼게.
10 Walter가 러시아에서 막 돌아왔어요.
11 아이들은 해 아래에서 많은 시간을 보내야 해요.
12 그녀는 녹색 지붕이 있는 작은 집에 살아요.
13 고모가 나에게 목도리를 만들어 주셨어. 그 목도리는 너무 짧았어.
14 그가 자고 있어. 너는 그를 위해 불을 끄는 게 좋겠어.
15 우리 아버지는 TV로 야구 경기는 보는 것을 즐기세요.

①

01 the computer	02 church
03 the salt	04 school, bus
05 Japanese	06 tennis
07 the radio	08 the pictures
09 the lovely girl	10 geography
11 the sky	12 the food

[해석]

01 A: 내가 컴퓨터를 잠깐 써도 될까?

B: 물론이야, 써.

02 A: 너는 일요일 아침에 한가하니?
   B: 아니. 나는 교회에 갈 거야.

03 A: 그 소금을 저에게 건네주시겠어요?
   B: 여기 있어요.

04 A: 너는 학교에 어떻게 가니?
   B: 나는 보통 거기에 버스를 타고 가.

05 A: 그들이 일본어를 쓰고 있니?
   B: 아닌 것 같아.

06 A: Becky는 여가 시간에 무엇을 하니?
   B: 그녀는 책을 읽거나 테니스를 쳐.

07 A: 너는 자주 라디오를 듣니?
   B: 응. 매일 아침에 들어.

08 A: 탁자에 있는 사진들은 뭐니?
   B: 그것들은 내 가족사진이야.

09 A: 너 저기 있는 사랑스러운 소녀 아니?
   B: 응. 그녀는 Jessica의 여동생이야.

10 A: Richard는 대학에서 무엇을 공부하고 있니?
    B: 그는 지리학을 공부하고 있어.

11 A: 하늘을 올라다 봐! 별이 많아.
    B: 와, 별들이 정말 예쁘다.

12 A: 너는 왜 이 식당을 그렇게 좋아하니?
    B: 이곳의 음식은 정말 맛있거든.

❷

01 Let's have lunch
02 goes to bed
03 turn off the alarm clock
04 Will you play baseball
05 The sun rose
06 live in Liverpool
07 the world by boat
08 The flowers in the vase
09 watches TV in the evening
10 plays the violin
11 went to her hometown by train
12 The pasta was delicious

Level up   p.052

❶

01 A, ×	02 an	03 ×
04 ×	05 a	06 a
07 an	08 ×, ×	09 An, a
10 a, the	11 the	12 ×
13 a, the, the		
14 The, the, The, the		
15 a, a, The, the		

[해석]

01 호랑이는 고기를 먹어요.
02 버스는 한 시간에 80킬로미터로 달려요.
03 우리는 자주 저녁을 먹으러 외출해요.
04 창은 유리로 만들어져요.
05 너의 마을에 대학교가 있니?
06 나는 일주일에 두 번 수영 강습을 받아요.
07 이 문제에 대해 의견 있니?
08 런던은 영국의 수도예요.
09 하루 사과 하나면 의사를 멀리하게 된다.
10 Harry는 아침에 신문을 읽어요.
11 저 나무에 배들을 좀 봐. 정말 잘 익었어.
12 Kate는 항상 등교할 때 라디오를 들어요.
13 우리가 밴드를 하나 만들었어. 나는 드럼을 치고, Mike
   는 기타를 연주해.
14 지구는 태양 주위를 돌아요. 달은 지구 주위를 돌아요.
15 그들은 아들 한 명과 딸 한 명이 있어요. 그 아들은 열
   살이고, 그 딸은 다섯 살이에요.

❷

01 the German → German
02 nice dinner → a nice dinner
03 a phone → phone
04 a door → the door
05 a tea → tea
06 an uniform → a uniform
07 sea → the sea
08 the cheap hotel → a cheap hotel
09 week → a week
10 A house → The house
11 TV → the TV
12 the day → a day
13 the small village → a small village
14 a soccer → soccer
15 A documentary → The documentary

[해석 및 해설]

01 Ralph 여사는 독일어를 써요.
02 내 아내와 나는 근사한 저녁을 먹었어요.
   *식사 이름 앞에 수식하는 말이 오면 관사를 쓴다.
03 그들은 전화로 주문을 받아요.
04 문을 좀 닫아주실래요?
05 Bannet은 영국인이에요. 그녀는 차를 좋아해요.
06 Julia는 회사에서 유니폼을 입어야 해요.
07 우리는 바다에서 헤엄치는 돌고래 두 마리를 봤어요.
08 이 근처에 싼 호텔 있나요?
09 우리는 보통 일주일에 한 번 영화를 보러 가요.
10 저기 있는 집이 White 씨의 소유예요.
11 TV 좀 꺼줄래? 아무도 안 보고 있어.

*서로 알고 있는 것 앞에는 the를 쓴다. 여기에서 TV는 매체의 의미가 아니다.

12 나는 보통 하루에 여덟 잔의 물을 마셔요.

13 William은 옥스퍼드 근처 작은 마을 출신이에요.

14 나는 방과 후에 내 친구들과 축구를 할 거예요.

15 나는 다큐멘터리를 봤어. 그 다큐멘터리는 야생 동물에 관한 거였어.

❸

01 use, the, restroom
02 are, studying, science
03 the, information, by, email
04 water, on, the, moon
05 three, times, a, week
06 invite, you, to, lunch
07 goes, to, bed
08 go, to, work, by, car
09 wait, here, for, a, minute
10 The, church, in, the, village
11 an, architect, a, teacher
12 a, book, The, book

❹

01 My hometown is near the sea
02 turn off the music
03 A snake doesn't have
04 plays tennis in the morning
05 go to the dentist twice a year
06 touch the painting on the wall
07 saw an amazing sight
08 works at an Italian restaurant
09 came to the school
10 speak English as a first language
11 an orange and a sandwich
12 have never played the piano

Actual test   p.056

1 ④   2 ③   3 ④   4 ⑤   5 ⑤   6 ①
7 ④   8 ①   9 ⑤   10 ③   11 ④   12 ①
13 ③   14 ⑤
15 1) a 2) an 3) × 4) The
16 1) a guitar → the guitar 2) a author → an author
17 I met a girl, The girl was from Australia
18 I take a cooking class once a week
19 chat with my friends on the Internet
20 goes to school by bus

[해석 및 해설]

1 • Tina는 매일 아침 사과를 하나 먹어요.
  • 나는 주말마다 야구를 해요.

*apple은 모음소리로 시작하므로 an을 쓰고, 운동이름 앞에는 관사를 쓰지 않는다.

2 • 해가 하늘 높이 떠 있어요.
  • Mike는 한 달에 한 번 머리를 잘라요.

*세상에 하나뿐인 대상 앞에는 the, '~마다'라는 의미이고 자음 소리로 시작하므로 a를 쓴다.

3 Ben은 오래된 차가 있어요. 그 차는 자주 고장이 나요.

*막연한 하나를 나타내고 모음 소리로 시작하므로 an, 이미 언급한 것을 다시 말할 때 the를 쓴다.

4 *university는 자음 소리로 시작하므로 a가 와야 한다.

5 ① 나는 빈 좌석을 하나 찾았어요.
  ② Jenny에게는 귀여운 강아지가 하나 있어요.
  ③ Jane은 어젯밤에 사고를 목격했어요.
  ④ 이 근처에 우체국이 있나요?
  ⑤ 규칙적인 운동은 건강에 좋아요.

*⑤ 셀 수 없는 명사 앞에는 a 또는 an을 쓰지 않는다.

6 *고유명사 앞과 「by+교통 수단」은 관사를 쓰지 않는다.

7 ① 커피 한 잔 주세요.
  ② 개는 친근한 동물이에요.
  ③ 내가 너에게 질문을 하나 해도 될까?
  ④ 탁자에 있는 가방이 너의 것이야.
  ⑤ 나는 파티에 입고 갈 새 드레스가 필요해요.

*수식을 받아 가리키는 대상이 명확할 때 the를 쓴다.

8 ① 나는 벌써 점심을 먹었어요.
  ② 불가사리는 바다에 살아요.
  ③ 엄마는 거실에 계셔.
  ④ 우리 형은 첼로를 연주할 수 있어요.
  ⑤ 나는 라디오에서 그 노래를 들었어요.

*식사 앞에는 관사를 쓰지 않는다.

9 생일은 일 년에 한 번 와요.
  ① 말은 유용한 동물이에요.
  ② Rachel은 아름다운 목소리를 가졌어요.
  ③ 나는 치즈케이크를 한 조각 먹었어요.
  ④ Matt Damon은 매우 유명한 배우예요.
  ⑤ 내 친구들과 나는 한 달에 두 번 만나요.

*주어진 문장은 '~마다'라는 의미이다. ① 동물의 종족 전체를 나타내는 대표단수, ② 불특정한 막연한 하나, ③ 하나의, 한 사람의 (=one), ④ 불특정한 막연한 하나, ⑤ '~마다'라는 의미를 나타낸다.

10 벤치에 앉아 있는 소년이 내 조카야.
  ① 나는 대개 저녁에는 한가해.
  ② 우리 어머니는 피아노를 잘 쳐요.
  ③ 냉장고에 있는 우유를 마시지 마세요.
  ④ 나는 고양이가 한 마리가 있어요. 그 고양이는 털이 부드러워요.
  ⑤ 지구는 870만 종의 집이에요.

*주어진 문장은 수식을 받아 명확한 대상을 나타낸다.
① 저녁 시간 표현 앞, ② play 뒤 악기 앞, ③ 수식을

받아 명확한 대상, ④ 이미 언급된 명사를 다시 말할 때,
⑤ 세상에 하나 밖에 없는 대상 앞에는 the를 쓴다.

11 ① 오늘 날씨가 좋아.
② 불을 좀 켜줄래?
③ 옷걸이에 있는 코트는 Sue 거야.
④ 내가 너의 사진을 이메일로 보내줄게.
⑤ 세상에는 195개의 국가가 있어요.
*「by+통신 수단」은 관사를 쓰지 않는다.

12 ① 독수리 한 마리가 하늘을 가로질러 날아갔어.
② 그는 교복을 입어요.
③ Eric은 시험공부를 하고 있어요.
④ 이 차는 한 시간에 70 마일을 가요.
⑤ 나에게는 이모 한 분과 삼촌 두 분이 계셔.
*세상에 하나 밖에 없는 대상 앞에 the를 쓴다.

13 ① 내게 소금 좀 건네줄래?
② 달은 언제 뜨니?
③ Jim과 나는 훌륭한 저녁을 먹었어요.
④ 우리 아이들은 9시에 잠을 자요.
⑤ 우리는 보통 토요일에 축구를 해요.
*식사 이름 앞에는 보통 관사를 쓰지 않지만, 수식하는 말이 올 경우 관사를 사용한다.

14 ① A: 너는 애완동물이 있니?
B: 응. 나는 이구아나 한 마리를 가지고 있어.
② A: 휴가 잘 다녀와!
B: 너에게 엽서 보낼게.
③ A: 오늘 밤에 영화 보러 가자.
B: 좋은 생각이야.
④ A: 점심으로 뭘 먹고 싶니?
B: 에그 샌드위치요.
⑤ A: 여기 어떻게 왔니?
B: 택시를 타고 왔어.
*「by+교통 수단」의 형태일 경우만 관사를 쓰지 않는다.

15 1) 나는 보스턴에 일주일 동안 머물렀어요.
*'하나의'라는 의미이고, 자음 소리로 시작하므로 a를 쓴다.
2) Kelly는 항상 우산을 가지고 다녀요.
*모음 소리로 시작하므로 an을 쓴다.
3) 멕시코 사람들은 스페인어를 써요.
*언어 이름 앞에는 관사를 쓰지 않는다.
4) 그들의 정원에 있는 꽃들은 정말 아름다워.
*수식을 받아 명확한 대상 앞에 the를 쓴다.

16 1) 우리 오빠는 오후에 기타를 연주해요.
*play 뒤 악기 앞에는 the를 쓴다.
2) 소파에 앉아 있는 남자가 우리 삼촌, George야. 그는 베스트셀러 작가야.
*author는 모음 소리로 시작한다.

17 *막연한 것을 말할 때는 a, 다시 언급할 때는 the를 쓴다.

18 *'하나의'라는 의미와 '~마다'라는 의미를 나타내는 관사

는 a 또는 an이다.

19 *매체 앞에는 the를 쓴다.

20 *장소가 본래의 목적으로 쓰일 때와 「by+교통 수단」은 관사를 쓰지 않는다.

Chapter 3 대명사 Ⅰ

Unit 01 인칭대명사

Warm up p.063

❶

01 It	02 I	03 you
04 us	05 our	06 They, me
07 them	08 her	09 its
10 his, yours	11 He, his	12 My, hers

Start up p.064

❶

01 my	02 us	03 yours
04 its	05 their	06 me
07 her	08 It	09 They
10 his	11 Our	12 mine
13 We	14 you	15 He, his

[해석]
01 나는 내 가방을 지하철에 놓고 내렸어.
02 우리는 큰 어려움에 처해 있어요. 우리를 도와주세요.
03 나 연필을 잃어버렸어. 너의 것을 좀 빌려줄래?
04 그 도시는 그곳의 아름다운 경관으로 유명해요.
05 아기 오리들이 엄마 오리와 수영을 하고 있어요.
06 나는 산책하러 갈 거야. 나랑 같이 갈래?
07 Sarah에게 온 편지야. 그녀에게 전해 줘.
08 이 어깨에 메는 가방은 어때요? 신상품이에요.
09 아이들이 학교에 뛰어가고 있어. 그들은 늦었어.
10 나는 Jason에게 내 비밀들을 얘기하고, 그는 자신의 비밀을 나에게 얘기해요.
11 우리는 새집으로 이사했어요. 우리의 집은 강 근처에 있어요.
12 너 숙제 다 했니? 나는 벌써 내 것을 다 했어.
13 Teresa와 나는 해변에 갔어요. 우리는 정말 즐거운 시간을 보냈어요.
14 나는 쇼핑몰에서 너와 James를 봤어. 너희들은 거기서 뭐 하고 있었니?
15 그 소년을 봐. 그는 자신의 옷을 뒤집어 입고 있어.

❷

01 ○	02 Their	03 I

04 his	05 them	06 mine
07 him	08 ○	09 us
10 Its	11 He	12 ○
13 hers	14 you	15 we

[해석 및 해설]

01 그것을 열어주실래요?
02 그들의 개는 많이 짖어요.
03 나는 당신과 이야기하고 싶어요.
04 이 교과서들은 그의 것이에요.
05 나는 내 결혼식에 그들을 초대했어요.
06 너의 의견은 나의 것과 비슷해.
07 나는 그에게 이야기책을 읽어주고 있어요.
08 그건 너의 실수가 아니야. 그건 우리의 실수야.
09 선생님이 우리에게 조용히 해달라고 부탁하셨어요.
10 하마를 봐. 그것의 입이 정말 커.
11 그는 별과 행성에 대해 관심이 있어요.
12 너와 너의 언니는 매우 다르게 보여.
13 Ann이 다이아몬드 반지를 잃어버렸어. 이것이 그녀의 것 같아.
14 내 남편과 나는 당신을 다시 보게 되어서 기뻐요.
15 Kate와 나는 같은 반이 아니지만, 우리는 친한 친구예요.
　 *1인칭 복수 주격 대명사는 we이다.

Check up & Writing　　　　　　　p.066

❶

01 They are in the drawer
02 You can trust them
03 Don't forget to bring it
04 I don't know her email address
05 Can you help them
06 Nobody understood his decision
07 He bought a bunch of red roses for her
08 He often sends text message to them
09 She bought some sweets for us
10 They are telling him about it
11 He gave us a ride to school
12 We had a great time at the amusement park

[해석]

01 그 양말들은 서랍 안에 있어요.
　 → 그것들은 서랍 안에 있어요.
02 너는 Sean과 Bill을 믿어도 돼.
　 → 너는 그들을 믿어도 돼.
03 카메라 가지고 오는 걸 잊지 마.
　 → 그것을 가지고 오는 걸 잊지 마.
04 나는 Karen의 이메일 주소를 몰라요.
　 → 나는 그녀의 이메일 주소를 몰라요.

05 너와 Rick이 그 소년들을 도와줄래?
　 → 너희가 그들을 도와줄래?
06 누구도 Rick의 결정을 이해하지 못했어요.
　 → 누구도 그의 결정을 이해하지 못했어요.
07 Ted는 Betty에게 주려고 빨간 장미 한 다발을 샀어요.
　 → 그는 그녀에게 주려고 빨간 장미 한 다발을 샀어요.
08 Greg는 자주 자신의 친구들에게 문자 메시지를 보내요.
　 → 그는 자주 그들에게 문자 메시지를 보내요.
09 엄마가 내 여동생과 나에 주려고 단것을 좀 사오셨어요.
　 → 그녀가 우리에게 주려고 단것을 좀 사오셨어요.
10 Jenny와 Tina는 Peter에게 자신들의 휴가에 대해 이야기하고 있어요.
　 → 그들은 그에게 그것에 대해 이야기하고 있어요.
11 Mary의 아빠가 Jessica와 나를 학교까지 태워다 주셨어요.
　 → 그가 우리를 학교까지 태워다 주셨어요.
12 우리 언니와 나는 놀이공원에서 즐거운 시간을 보냈어요.
　 → 우리는 놀이공원에서 즐거운 시간을 보냈어요.

❷

01 He, told, me, about, it
02 following, their, mother
03 He, is, friendly
04 I, visit, my, uncle
05 We, love, them
06 is, our, English, teacher
07 She, has, known, him
08 uses, its, trunk
09 hers, They, are, mine
10 They, are, staying, with, us
11 me, enter, his, room
12 Were, you, at, your, school

Unit 02 지시대명사와 비인칭 주어 it

Warm up　　　　　　　p.069

❶

01 This	02 it	03 It
04 this	05 That	06 That
07 It	08 These	09 Those
10 It	11 these	12 Those

Start up　　　　　　　p.070

❶

01 This	02 boy	03 that
04 It	05 those	06 Those
07 It	08 these	09 this

10 socks   11 it   12 it
13 that   14 apples   15 This

[해석 및 해설]

01 이것이 쇼핑 목록이야.
02 저 소년이 너의 사촌이니?
03 나는 전에 저 여성을 본 적이 있어요.
04 지하철로 한 시간 걸려요.
05 저 식물들에게 물을 좀 줄래?
06 저 아이들이 제 손주들이에요.
07 곧 크리스마스예요.
08 이것들은 너의 새 운동화니?
09 이 버스가 시내로 가나요?
10 이 양말들은 구멍이 났어요.
11 내일 화창할까요?
12 어제가 7월 10일이었니?
13 이곳이 내 방이고, 저곳은 우리 언니 방이야.
14 저쪽에 있는 저 사과들은 얼마죠?
15 저는 Tom이에요. Nancy와 통화할 수 있을까요?
　　*전화상에서는 this를 사용한다.

❷

01 It   02 these   03 That
04 lamp   05 paintings   06 lady
07 it   08 It   09 these
10 Those   11 ○   12 woman
13 ○   14 ○   15 It

[해석]

01 밖이 벌써 어두워.
02 나는 이 청바지를 정말 좋아해.
03 저분이 내 멘토셔어.
04 저 램프는 얼마인가요?
05 네가 이 그림들을 그렸니?
06 이 숙녀가 제 아내, Rachel이에요.
07 5월 첫째 주 화요일이니?
08 어제는 내 생일이었어.
09 나는 이 카드들을 내 친척들에게 보낼 거야.
10 저 사람들은 버스를 기다리고 있어요.
11 저 사람들이 우리 형, Ted와 Tim이야.
12 저기 빨간 모자를 쓴 여성이 보이니?
13 여기서 걸어서 5분 거리인가요?
14 이것이 너의 마지막 기회니까 놓치지 마.
15 벌써 9시야. 우리는 서둘러서 집에 돌아가는 것이 좋겠어.

Check up & Writing   p.072

❶

01 It is 1:35
02 It is ten past six
03 It is Thursday
04 It is October 11th
05 It is nearly nine o'clock
06 It is the third of May
07 It is Wednesday
08 It was cloudy
09 It is about 10 miles
10 It snows a lot
11 It takes half an hour
12 It is going to be really cold

[해석]

01 A: 지금 몇 시인가요?
　　B: 1시 35분이에요.
02 A: 지금 몇 시니?
　　B: 6시 10분이야.
03 A: 오늘이 무슨 요일이니?
　　B: 목요일이야.
04 A: 오늘이 며칠이니?
　　B: 10월 11일이야.
05 A: 지금 몇 시예요?
　　B: 거의 9시가 다 되었어요.
06 A: 오늘이 며칠인가요?
　　B: 5월 3일이에요.
07 A: 무슨 요일이니?
　　B: 오늘은 수요일이야.
08 A: 어제 날씨가 어땠니?
　　B: 온종일 흐렸어.
09 A: 여기서 공항까지는 얼마나 먼가요?
　　B: 10마일 정도 돼요.
10 A: 뉴욕의 겨울 날씨는 어떠니?
　　B: 눈이 많이 내려요.
11 A: 경기장까지 가려면 얼마나 걸리나요?
　　B: 버스로 30분 걸려요.
12 A: 내일 날씨가 어떨까요?
　　B: 정말 추울 거예요.

❷

01 Is it Sunday
02 Those are pine trees
03 It is five twenty
04 It is about 100 meters
05 It is windy and rainy
06 I don't know that man
07 That is not my car key
08 These are my classmates
09 He can't move those boxes
10 I made these blueberry muffins
11 Mom bought me this necklace

12 This is my favorite place

Unit 03 재귀대명사

❶

01 a. yourself, b. you
02 a. itself, b. it
03 a. myself, b. me
04 a. herself, b. her
05 a. ourselves, b. us
06 a. himself, b. him
07 a. themselves, b. them

[해설]

01, 02, 04, 06 *주어가 하는 동작의 대상이 자신인 경우 재귀대명사를 고르고, 주어와 동작의 대상이 다르면 목적격 인칭대명사를 고른다.

03, 05, 07 *주어, 보어, 목적어를 강조하면 재귀대명사, 문장에서 목적어로 쓰이고, 주어와 동작의 대상이 다르면 목적격 인칭대명사를 고른다.

❶

01 yourself	02 herself	03 itself
04 himself	05 herself	06 himself
07 themselves	08 myself	09 ourselves
10 yourself	11 itself	12 myself
13 ourselves	14 themselves	15 yourselves

[해석]

01 너는 몸조심하는 게 좋겠어.
02 Betty는 자기 자신을 공주라고 불러요.
03 그 영화 자체는 정말로 지루했어.
04 그는 자신을 우리의 새로운 선생님이라고 소개했어.
05 그 여섯 살 소녀가 직접 이 편지를 썼어요.
06 Robinson 씨는 큰 집에 혼자 살아요.
07 아이들은 해변에서 즐거운 시간을 보내고 있어요.
08 나는 요즘 요리책으로 요리를 독학하고 있어.
09 우리 언니와 내가 직접 집안일을 다 했어요.
10 너는 그 사고에 대해 스스로를 탓해서는 안 돼.
11 내가 보고서를 하고 있는데 컴퓨터가 저절로 꺼졌어.
12 그가 심하게 다쳐서 내가 직접 차로 그를 병원에 데려다 줬어요.
13 우리는 큰 맘 먹고 프랑스 식당에서 근사한 저녁을 먹었어요.
14 부모님이 안 계셔서 그 소년들은 직접 저녁을 준비했어요.

15 여러분들 모두 제 집에 오신 것을 환영해요. 편히 쉬세요.

❷

01 beside → between
02 for → of
03 my → myself
04 her → herself
05 in → by/for
06 themself → themselves
07 yourself → yourselves
08 in → beside
09 him → himself
10 it → itself
11 itself → ourselves
12 myselves → myself

[해설]

03, 04 *주어가 하는 동작의 대상이 자신이므로 재귀대명사를 쓴다.

06, 09, 10 *주어를 강조하는 재귀대명사의 강조 용법이다.

❶

01 talked to myself	02 help yourself
03 enjoyed ourselves	04 taught herself
05 introduce yourself	06 killed himself
07 between ourselves	08 for myself
09 of itself	10 in itself
11 beside ourselves	12 by themselves

[해석]

01 A: 다시 한 번 얘기해줄래. 못 들었어.
   B: 신경 쓰지 마. 그냥 혼잣말 했어.
02 A: 이 쿠키 하나 먹어도 돼요?
   B: 마음껏 먹어.
03 A: New York 여행 어땠어?
   B: 우리는 정말 즐거운 시간을 보냈어.
04 A: Mary는 어디서 스페인어를 배웠니?
   B: 인터넷으로 독학했어.
05 A: Ashley, 반 친구들에게 네 소개를 해줄래?
   B: 네, 나는 새로 온 학생이야. 내 이름은 Ashley Lewis야.
06 A: Hemingway는 위대한 작가야. 그는 언제 어떻게 죽었니?
   B: 그는 61세의 나이로 자살했어.
07 A: 나는 먼저 엄마께 우리의 계획을 얘기하고 싶어.
   B: 안 돼. 지금은 우리만 아는 비밀로 하자.
08 A: 내 도움이 필요하면 알려 줘.
   B: 고맙지만, 나는 이걸 내 힘으로 끝내고 싶어.

09 A: 너는 왜 문을 열었니?
　　B: 내가 열지 않았어요. 갑자기 문이 저절로 열렸어요.
10 A: 내 아이디어에 대해서 어떻게 생각하니?
　　B: 네 아이디어 자체는 좋은데, 그건 많은 시간이 필요해.
11 A: 너희들이 결승전에서 우승했을 때 기분이 어땠니?
　　B: 우리는 기쁨으로 제정신이 아니었어.
12 A: 아이들은 어디에 있나요?
　　B: 그들은 거실에서 혼자 놀고 있어요.

❷

01 wrote, these, poems, myself
02 is, scratching, itself
03 thinks, about, himself
04 see, the, accident, yourselves 또는
　　yourselves, see, the, accident
05 smiled, at, himself,
06 stay, here, by, myself
07 They, hurt, themselves
08 changed, the, flat, tire, herself 또는 herself,
　　changed, the, flat, tire
09 a, friendly, animal, in, itself
10 make, yourself, at, home
11 our, new, teacher, himself
12 be, ashamed, of, yourself

Level up　　　　　　　　　　　　　p.080

❶

01 his	02 in	03 us
04 birds	05 by	06 mine
07 It, he	08 These	09 yourself
10 That, my	11 It, We	12 hers
13 myself	14 their	15 themselves

[해석]

01 누구도 그의 이야기를 믿지 않아요.
02 그의 작품은 그 자체로 완벽해.
03 다음 토요일에 우리를 방문해 주시겠어요?
04 나무에 있는 저 새들을 좀 봐.
05 Mark은 식당에서 밥을 혼자 먹었어요.
06 이것이 너의 공책이고, 저것이 내 것이야.
07 바람이 많이 불어서 그는 추웠어요.
08 이 아이들이 내 아이, Brian과 Alice예요.
09 너는 네가 직접 그것을 해야 해. 누구도 너 대신 그것을 하지 않을 거야.
10 저것은 내 친구에게 온 생일 선물이야.
11 어두워지고 있어. 우리는 지금 집에 가야 해.
12 내가 우산을 가지고 가지 않아서 Susan이 그녀의 것을

내게 빌려줬어요.
13 너는 나에게 저녁을 대접할 필요 없어. 내 것은 내가 낼게.
14 Allen과 Jenny는 크리스마스에 그들의 아이를 출산할 예정이에요.
15 Jess와 Monica는 신년 파티에서 정말 즐거운 시간을 보냈어요.

❷

01 me	02 it
03 ○	04 bottle
05 It	06 watermelons
07 himself	08 that
09 ○	10 them
11 yourself/yourselves	12 yours
13 itself	14 ○
15 we	

[해석]

01 당신은 나를 기억하나요?
02 오늘이 목요일이니?
03 이것들이 너의 새 바지니?
04 저 병을 나에게 건네줄래?
05 어제는 1월 30일이었어요.
06 이 수박들은 얼마인가요?
07 교장 선생님이 직접 그 상을 나에게 주셨어요.
08 저 고양이 보이니? 정말 귀엽다.
09 Chuck은 드럼 치는 법을 독학했어요.
10 그 선생님은 그들에게 똑바로 앉아 귀를 기울이라고 말했어요.
11 음식과 음료를 마음껏 드세요.
12 집에 내 전화를 놓고 왔어. 네 것을 좀 빌려도 될까?
13 그 영화 자체는 재미있지 않았지만, 배우는 좋았어.
14 Patrick은 심한 스트레스로 머리가 빠지고 있다.
15 Ross와 나는 같은 초등학교에 다녔어요. 하지만 우리는 서로 잘 몰라요.

❸

01 cut, himself
02 It, is, November, 3rd
03 cooked, this, pasta, myself 또는 myself, cooked, this, pasta
04 hiding, in, its, shell
05 were, beside, themselves, with, sadness
06 told, me, the, story, herself 또는 herself, told, me, the, story
07 These, are, cookies, and, drinks
08 It, takes, half, an, hour
09 Is, that, my, winter, coat

10 Those, people, are, waiting, for
11 Between, ourselves, I, liked, him
12 This, is, not, my, textbook, Mine, is

❹
01 Let's plan a party ourselves
02 Is it your birthday
03 try on that dress
04 familiar with this place
05 It was sunny and windy
06 Those are my best friends
07 calls himself a genius
08 taught himself the drums and the guitar
09 I had to fight against myself
10 Our roof is green, theirs is red
11 His parents built this house themselves 또는
   His parents themselves built this house
12 quit her job, went on a trip by herself

Actual test   p.084

1 ②   2 ①   3 ③   4 ⑤   5 ①   6 ③
7 ④   8 ④   9 ①   10 ②   11 ②   12 ②
13 ⑤   14 ④
15 1) He 2) them 3) himself
16 1) our → ourselves 2) tomato → tomatoes 3) your → yours
17 You should love yourselves
18 Those shoes are not his
19 Jones often talks to himself
20 She lives in a big house by herself

[해석 및 해설]

1 이 케이크는 너무 달아요.
  *단수명사를 수식하는 this를 고른다.
2 밖은 춥고 흐려요.
  *날씨를 나타내는 문장으로 비인칭 주어 it을 고른다.
3 Sam과 나는 소풍을 갔어요. 우리는 즐거운 시간을 보냈어요.
  *나를 포함한 여러 명이므로 1인칭 복수 주격 인칭대명사 we를 고른다.
4 나는 거울에 비친 내 자신을 바라보았어요.
  *주어와 전치사의 목적어가 같은 대상으로 재귀대명사를 고른다.
5 Ted는 집에 자신의 지갑을 놓고 왔어요. 그래서 그는 Sarah에게 돈을 좀 빌려야만 했어요.
  *뒤에 오는 명사와 소유 관계를 나타내므로 소유격 인칭대명사, 문장에서 주어 역할을 하므로 주격 인칭대명사를 고른다.
6 이것은 내 우산이 아니야. 그게 너의 것이니?

*뒤에 오는 명사와 소유 관계를 나타내므로 소유격 인칭대명사, 「소유격+명사」의 의미를 나타내는 소유대명사를 고른다.
7 • 내가 너를 위해서 이 머핀을 구웠어. 마음껏 먹어.
  • 칼 조심해. 베일 수도 있어.
  *주어와 목적어가 같은 대상으로 재귀대명사를 고른다.
8 *④ 문장에서 목적어 역할을 하므로 목적격 인칭대명사 them이 되어야 한다.
9 ① 나는 내 스스로 좋은 시계를 샀어.
  ② 네가 바로 그 배우를 봤니?
  ③ 내가 네 숙제를 도와줄게.
  ④ Alice는 자신의 결혼식에 그들을 초대했어요.
  ⑤ 엄마는 스파게티를 만들다가 데었어요.
  *① 주어와 목적어가 같은 대상으로 재귀대명사 myself가 되어야 한다.
10 ① 이것들이 너의 선글라스니?
   ② 아빠와 내가 저 나무(나무들)를 심었어.
   ③ 저 남자가 내 스마트폰을 훔쳤어요.
   ④ 나는 이것을 우리 조부모님께 받았어.
   ⑤ 오늘 오후에 눈이 올 거예요.
   *those는 복수명사를 수식하므로 those trees, 또는 단수명사를 그대로 써서 that tree가 되어야 한다.
11 ① 네가 가장 좋아하는 음식은 무엇이니?
   ② 그 자전거는 내 것이 아니야. 그것은 그녀의 것이야.
   ③ 갈매기는 그것의 부리로 물고기를 잡아요.
   ④ Peter는 정직하지 않아. 나는 그를 믿지 않아.
   ⑤ 그들은 내 이웃들이지만, 나는 그들을 몰라요.
   *'그녀의 것'이라는 의미가 되어야 하므로 소유대명사 hers가 되어야 한다.
12 지금은 12시예요.
   ① 오늘은 화요일이 아니에요.
   ② 그것은 너의 배낭이 아니야.
   ③ 밖이 벌써 어두워.
   ④ 어제는 2월 23일이었어요.
   ⑤ 여기서 공원까지는 약 5마일이에요.
   *주어진 문장은 비인칭 주어 it이고, ①, ③, ④, ⑤ 비인칭 주어 it, ② 인칭대명사 it이다.
13 Cindy는 자기 자신을 슈퍼모델이라고 불러요.
   ① 그녀는 테니스를 치다가 다쳤어요.
   ② Greg는 자신에 대해서 이야기하는 것을 좋아하지 않아요.
   ③ 우리는 우리 자신을 자랑스럽게 여겨야 해.
   ④ 제가 당신께 제 소개를 할게요.
   ⑤ 네가 직접 그것을 해야 해.
   *주어진 문장은 재귀 용법이고, ①, ②, ③, ④ 재귀 용법, ⑤ 강조 용법이다.
14 ① A: 내가 이 탁자를 옮기는 걸 도와줄래?
       B: 알았어.

② A: 파티에서 즐거운 시간 보냈니?
　　B: 응. 정말 재미있었어.
③ A: 너의 생일은 언제니?
　　B: 5월 5일이야.
④ A: 이것들이 너희 아버지 책들이니?
　　B: 아니. 그것들은 내 거야.
⑤ A: 누가 이 팔찌를 만들었니?
　　B: 내가 직접 그것을 만들었어.
*④ these는 복수 지시대명사로 복수명사가 와야 한다.

15 1) Green 선생님은 우리에게 역사를 가르치세요. 그는 좋은 선생님이세요.
　2) 저 아이들이 Mike와 Paul이에요. 나는 그들과 아주 친해요.
　3) 그는 신이 나서 제정신 아니에요.
　*beside oneself는 '제정신이 아닌'이라는 의미의 재귀대명사 표현으로 재귀대명사를 쓴다.

16 1) 이 이야기는 우리끼리만의 이야기야.
　*'우리끼리 이야기인데'라는 의미의 재귀대명사 표현은 between ourselves이다.
　2) 내가 직접 이 토마토들을 길러.
　*these는 복수명사를 수식하므로 tomatoes가 되어야 한다.
　3) 내 모자는 빨간색이고, 너의 것은 파란색이야.
　*「소유격+명사」의 의미를 나타내는 소유대명사가 되어야 한다.

17 *주어와 목적어가 같은 대상으로 2인칭 복수 재귀대명사 yourselves를 사용해서 문장을 완성한다.

18 *'저 ~'라는 의미로 복수명사를 수식하는 those와 '그의 것'이라는 의미의 소유대명사 his를 이용해서 문장을 완성한다.

Review test

Chapter 1 p.089

❶
01 Milk
02 Sydney
03 brothers'
04 paper
05 holidays
06 potatoes
07 leaves
08 women's
09 two pieces of advice
10 friendship

[해석]
01 우유는 우리의 건강에 좋아요.
02 우리 누나는 시드니에서 공부해요.
03 이곳들은 우리 형들의 방이야.
04 이 복사기에 종이가 다 떨어졌어.
05 나는 크리스마스 전까지 휴가를 못 받아.

06 엄마가 가스레인지에 감자 10개를 삶고 있어.
07 그 소녀는 땅에서 몇 개의 빨간 나뭇잎을 주웠어요.
08 이 가게는 여성 의류와 액세서리를 팔아요.
09 선생님은 자신의 학생들에게 두 개의 조언을 해 주었어요.
10 저 책은 소년과 개 사이의 우정에 대한 거예요.

❷
01 Richard's, new, car
02 today's, newspaper
03 has, five, children
04 dropped, two, dishes
05 waste, your, time, and, money
06 drinks, two, glasses, of, water
07 put, a, piece/slice, of, cheese

Chapter 2 p.090

❶
01 a
02 the
03 ×
04 an, a
05 ×
06 The
07 an
08 a, The

[해석]
01 너 1달러 있니?
02 많은 동물들이 바다 밑에 살아요.
03 오늘 밤에 그들을 저녁식사에 초대하자.
04 암탉은 보통 하루에 계란 하나를 낳아요.
05 아이들이 빗속에서 축구를 하고 있어요.
06 그 프랑스 식당의 음식은 정말 맛있어요.
07 Peterson은 건축 회사에서 건축가로 일해요.
08 내 이웃은 개가 한 마리 있어. 그 개는 밤에 시끄럽게 짖어.

❷
01 pass, me, the, pepper
02 go, to, school, by, subway
03 exercises, four, days, a, week
04 travel, around, the, world,
05 played, the, piano
06 is, from, Brazil, speaks, Portuguese
07 his, seat, an, old, woman

[해설]
06 *고유명사와 언어 앞에는 관사를 쓰지 않는다.
07 *불특정한 하나를 나타내고 모음으로 시작하므로 an을 쓴다.

Chapter 3 p.091

❶
01 him
02 yourself
03 It
04 that, It
05 himself
06 We

07 myself　　　08 you　　　09 between
10 hers

[해석]

01 James는 매우 재미있어요. 나는 그를 좋아해요.
02 잘 가. 몸 관리 잘해.
03 집에 가자. 벌써 7시야.
04 저 강아지를 봐! 정말 귀여워.
05 Max가 직접 자신의 여자 친구에게 줄 귀걸이를 만들었어요.
06 Ed와 나는 영화를 좋아해요. 우리는 종종 영화를 보러 가요.
07 엄마는 애플파이를 구웠어요. 나는 그것들은 마음껏 먹었어요.
08 우리가 전에 만난 적 없는 것 같아요. 내가 당신을 아나요?
09 이건 우리끼리의 얘기야. 그것을 다른 사람에게 말하지 마.
10 Jacob은 점심을 가져오지 않았어요. 그래서 Kelly가 그와 함께 그녀의 것을 나눠먹었어요.

②

01 talked, to, myself
02 Those, jeans, are, old-fashioned
03 It, is, windy
04 are, enjoying, themselves
05 This, book, in, my, bag, yours
06 move, to, their, new, apartment
07 made, me, that, nice, sweater

Chapter 1-3　　　　　　　　p.092

①

01 itself
02 paper/a piece of paper
03 It　　　　　　　　04 flowers
05 herself　　　　　　06 yours
07 myself　　　　　　08 pepper
09 bowls of rice　　　　10 the radio
11 sheep　　　　　　　12 pianos
13 the Internet　　　　14 thieves
15 Jenny's bike

[해석]

01 불이 저절로 꺼졌어요.
02 그 소녀는 종이 한 장을(종이를) 접고 있어요.
03 아름답고 화창한 날이에요.
04 이 꽃들은 초콜릿 같은 냄새가 나요.
05 Christine은 집에서 혼자 공부해요.
06 내 전화기가 꺼졌어. 너의 것을 좀 써도 될까?
07 나는 자전거를 타다가 다쳤어요.
08 내 수프에는 후추를 넣지 마세요.

09 Harry는 급하게 밥 두 공기를 먹었어요.
10 라디오 소리를 좀 줄려줄래? 너무 시끄러워.
11 양치기는 온종일 양들과 함께 지내요.
12 음악실에는 세 대의 피아노가 있어요.
13 너는 인터넷을 통해 외국인 친구를 사귈 수 있어.
14 짧은 추적 후에 경찰이 세 명의 도둑을 잡았어요.
15 내 자전거가 고장 나서 나는 Jenny의 자전거를 빌렸어요.

②

01 make yourselves at home
02 They go to church
03 It takes an hour by bus
04 collects luxury watches
05 Those are my grandparents
06 watches TV in the evening
07 sells children's books
08 big cities in the USA
09 designed our house himself 또는 himself designed our house
10 I treated myself
11 have four English classes a week
12 a baseball game, The game

Achievement Test

Chapter 1-3　　　　　　　　p.094

1 ⑤　　2 ②　　3 ⑤　　4 ①　　5 ⑤　　6 ②
7 ①　　8 ④　　9 ⑤　　10 ⑤　　11 ④　　12 ⑤
13 ③　　14 ①　　15 ④　　16 ②　　17 ②　　18 ③
19 ④　　20 1) The　2) an　3) ×　4) a
21 1) mine　2) ourselves　3) their　4) its
22 ⓐ school ⓑ days
23 ⓐ my ⓑ yourself
24 ⓐ this ⓑ her
25 Nancy introduced herself
26 bought an apple and a bottle of water
27 The boys' hands
28 It is April 10th
29 These letters are for you
30 He is playing the violin

[해석 및 해설]

1 *⑤ 「모음+y」로 끝나는 명사는 명사에 −s를 붙인다.
2 *② f 또는 fe로 끝나는 명사는 f 또는 fe를 v로 바꾸고 −es를 붙인다.
3 나는 그 실수를 한 것에 대해 자책했어요.
　*주어와 목적어가 같은 대상으로 재귀대명사를 고른다.
4 어제는 4월 21일이었어요.
　*날짜를 나타내는 문장으로 비인칭 주어 it을 고른다.
5 이 옷들은 너한테 너무 커.

*복수명사를 수식하는 복수 지시형용사를 고른다.

6 문이 저절로 열렸어요.
*'저절로'라는 의미의 재귀대명사 표현은 of itself이다.

7 • 커피를 좀 주실래요?
• 그 학생들은 교복을 입어야 해요.
*coffee는 셀 수 없는 명사로 복수형으로 쓰지 않고, uniform은 자음 소리로 시작하는 단어로 a를 쓴다.

8 • 나는 내 우산을 집에 놓고 왔어. 네 것을 써도 될까?
• 우리 아이들이 직접 대청소를 했어요.
*'너의 것'이라는 의미의 소유대명사 yours, 주어를 강조하는 재귀대명사 themselves를 고른다.

9 A: 너는 저기 있는 저 소년을 아니?
B: 응. 그는 Jane의 쌍둥이 오빠야.
*멀리 있는 대상을 지시하는 지시대명사 that, 명사의 소유격은 명사+'s로 나타낸다.

10 ① Brandon은 차가운 피자 한 조각을 먹었어요.
② 나는 종이 한 장과 펜 하나가 필요해요.
③ 엄마가 나에게 공부에 대해 조언을 하나 해주셨어요.
④ 그는 스크램블드에그에 치즈 한 조각을 넣었어요.
⑤ 주스 한 잔(병)과 샌드위치 하나 주세요.
*pizza, paper, advice, cheese의 수량을 나타낼 때 piece를 쓰고, 액체나 찬 음료의 수량을 나타낼 때는 glass 또는 bottle을 쓴다.

11 ① 문을 좀 닫아 줄래?
② 꽃병에 있는 꽃들이 튤립이야.
③ 하늘에 별이 많이 있어요.
④ 내가 이 파일을 이메일로 보낼 게.
⑤ 너는 밤에 피아노를 치지 않는 게 좋겠어.
*① 서로가 아는 대상, ② 수식을 받는 명사, ③ 세상에 하나밖에 없는 대상, ⑤ play 뒤 악기 앞에 the를 쓰고, ④ 「by+교통 · 통신 수단」은 관사를 쓰지 않는다.

12 나는 일주일에 한 번 조부모님을 방문해요.
① 기린은 온순한 동물이에요.
② 나는 점심을 먹고 나서 오렌지를 하나 먹었어요.
③ Becky는 오빠 한 명과 두 명의 여동생이 있어요.
④ Sam은 작은 식당의 종업원이에요.
⑤ 그녀는 한 달에 세 번 친구들을 집에 초대해요.
*주어진 문장의 a는 '~마다'라는 의미이고, ①, ④는 불특정한 하나를 나타내고, ②, ③은 '하나의', ⑤ '~마다'라는 의미이다.

13 내 남동생이 직접 이 연을 만들었어요.
① Samantha는 스페인어를 독학했어요.
② 쿠키를 마음껏 드세요.
③ 내가 직접 고장 난 컴퓨터를 고쳤어.
④ Mike는 종종 자기 자신을 백만장자라고 불러요.
⑤ 그들은 풋볼 경기를 하다가 다쳤어요.
*주어진 문장의 주어를 강조하는 강조 용법이고, ①, ②, ④, ⑤ 주어와 목적어가 같은 대상으로 재귀 용법,

③ 주어를 강조하는 강조 용법으로 쓰였다.

14 *⑤ 매체 앞에는 the를 쓴다.

15 ① Sammy는 중고차를 샀어요.
② 달은 하늘에서 빛나요.
③ 나는 기차를 타고 유럽 전역을 여행했어요.
④ 내가 좋아하는 과목은 과학이야.
⑤ Bill은 책을 읽고 있어. 그 책은 전쟁에 관한 거야.
*④ 과목 이름 앞에는 관사를 쓰지 않는다.

16 ① 이 모자가 너의 것이니 아니면 나의 것이니?
② 이것들은 여성용 장갑이에요.
③ 나뭇잎이 노랗게 물들었어.
④ Jessie는 빵 두 덩어리를 샀어요.
⑤ 우리 할아버지는 우리에게 재미있는 이야기를 얘기해 주세요.
*② woman은 불규칙 변화 명사로 복수형이 women이고, 불규칙 변화의 복수명사의 소유격은 「복수명사+'s」로 나타낸다.

17 ① 나는 그 소식을 들었을 때 제 정신이 아니었어.
② 편하게 있어. 내가 마실 것을 좀 가져올게.
③ Ron이 바로 그 팝스타와 얘기를 나눴어요.
④ Matthew는 자신의 오래된 집을 팔았어요.
⑤ 나에게 그런 식으로 말하지 마.
*'편하게 있다'라는 의미의 표현은 make oneself at home이므로 yourself가 되어야 한다.

18 ① A: 차 한 잔 마실 수 있을까?
B: 물론이지. 조금만 기다려.
② A: 너는 그 팔찌를 어디서 샀니?
B: 내가 직접 그것을 만들었어.
③ A: 그 설탕을 좀 건네줄래?
B: 여기 있어.
④ A: 얼마나 자주 그 식물에 물을 주니?
B: 나는 일주일에 두 번 물을 줘.
⑤ A: Jacob은 어디에 있니? 외출했니?
B: 아니요. 그는 욕실에 있어요.
*서로가 알고 있는 대상 앞에는 the를 쓴다.

19 ① A: 너는 혼자 사니?
B: 아니. 나는 부모님과 같이 살아.
② A: 지금 몇 시니?
B: 7시야. 저녁 먹자.
③ A: 실례합니다. 이 전화기가 당신 것인가요?
B: 네. 제 거예요. 감사해요.
④ A: 너는 쇼핑몰에서 무엇을 샀니?
B: 안경을 하나 샀어.
⑤ A: 우리끼리 얘긴데, Lucy가 나를 좋아하는 거 같아.
B: 정말? 왜 그렇게 생각하니?
*glasses가 안경이라는 의미인 경우 항상 복수형으로 사용한다.

20 1) 지구는 평평하지 않고 둥글어요.

2) 우리는 내일 시험이 하나 있어요.

3) 나는 매일 저녁에 탁구를 쳐요.

4) 정말 훌륭한 저녁이었어요. 정말 맛있어요.

*1) 세상에 하나 밖에 대상 앞에는 the, 2) '하나의'라는 의미이고, 모음 소리로 시작하므로 an 쓰고, 3) 운동 경기 앞에는 관사를 쓰지 않으며, 4) 식사 이름 앞에 수식하는 말이 오면 관사를 쓰는데 자음 소리로 시작하므로 a를 쓴다.

21 1) 이 치마는 우리 언니의 것이 아니야. 그것은 내 거야.

2) 우리는 눈 축제에서 즐거운 시간을 보냈어요.

3) Tim과 Juile는 그들의 아이들을 정말 사랑해요.

4) 그 새는 그것의 날개를 천천히 움직이고 있어요.

*1) '내 것'이라는 의미가 되어야 하므로 소유격 대명사 mine, 2) '즐거운 시간을 보내다'라는 의미의 재귀대명사 표현은 enjoy oneself이므로 ourselves, 3), 4) 뒤에 명사가 있으므로 소유 관계를 나타내는 소유격 대명사 their, its를 쓴다.

22 학생들은 일주일에 5일을 학교에 가요.

*ⓐ 본래의 목적으로 사용된 장소 앞에는 관사를 쓰지 않고, ⓑ day는 「모음+y」로 끝나는 명사로 복수형을 만들 때 명사에 -s를 붙인다.

23 A: 내 얼굴에 뭐 묻었니?

B: 음. 너는 거울에 비친 네 모습을 보는 게 좋겠어.

*ⓐ 뒤에 face가 있으므로 소유 관계를 나타내는 소유격 인칭대명사가 되어야 하며, ⓑ 주어와 목적어가 같은 대상으로 재귀대명사 yourself가 되어야 한다.

24 A: 이 소녀가 당신 딸입니까?

B: 네, 그래요. 그녀에게 무슨 일이 있나요?

*ⓐ 뒤에 단수명사가 있으므로 this, ⓑ 전치사의 목적어가 와야 하므로 목적격 인칭대명사 her가 되어야 한다.

25 *'자기소개를 하다'라는 의미의 재귀대명사 표현은 introduce oneself이다.

26 *apple은 모음 소리로 시작하므로 an, water는 셀 수 없는 명사로 bottle을 이용해 수량을 나타낸다.

27 *s로 끝나는 복수명사의 소유격은 복수명사'로 나타낸다.

Chapter 4 대명사 Ⅱ

Unit 01 부정대명사 Ⅰ

Warm up   p.101

❶

01 any	02 some	03 one
04 any	05 some	06 any
07 some	08 it	09 one
10 ones	11 one	12 it

[해설]

03, 09, 11 *앞에 언급된 것과 같은 종류의 불특정한 것을 지칭하므로 one을 고른다.

08, 12 *앞에 언급된 것과 동일한 것을 지칭하므로 it을 고른다.

10 *앞에 언급된 것과 같은 종류의 불특정한 것을 지칭하고 복수로 ones를 고른다.

Start up   p.102

❶

01 any	02 some	03 something
04 one	05 anybody	06 Some
07 any	08 any	09 some
10 ones	11 it	12 it
13 ones	14 one	15 one

[해석 및 해설]

01 나는 이것들 중 아무것도 필요하지 않아요.

02 얼음물 좀 마실 수 있을까요?

03 나는 어둠 속에서 뭔가를 봤어.

04 나는 내 책가방을 잃어버렸어. 이것은 새것이야.

05 집에 누군가가 있었나요?

*의문문으로 anybody를 고른다.

06 그 책들 중에 몇 권은 정말 재미있어.

07 나는 이 문제들을 하나도 풀 수 없어요.

08 부엌에 비스킷이 남아 있나요?

09 커피에 설탕을 좀 넣어드릴까요?

10 파란 펜 두 자루와 검은 것 세 자루 주세요.

11 이 케이크는 맛있어. Linda가 나에게 만들어 줬어.

*앞에 언급된 것과 동일한 것을 지칭하므로 it을 고른다.

12 Ed가 차를 팔 거라고 해서 내가 그것을 살 거야.

13 이 신발들은 정말 낡았어. 나는 새것을 사야겠어.

14 Angela는 피아노가 없어요. 그녀는 피아노를 갖고 싶어 해요.

15 Clare는 빨간색 드레스를 골랐고, Sylvia는 녹색을 골랐어요.

❷

01 one	02 It	03 some
04 ones	05 any	06 it
07 some	08 one	09 any
10 any, some	11 some	12 one

[해석 및 해설]

01 A: 어떤 코트가 너의 것이니?

B: 갈색이요.

02 A: 그 영화 어땠니?

B: 정말 재미있었어.

03 A: 케이크를 좀 먹을래?
　　B: 네, 주세요.
04 A: 엄마, 이 수건들은 지저분해요.
　　B: 알았어. 너에게 깨끗한 걸로 갖다 줄게.
　　*앞에 언급된 것과 같은 종류의 불특정한 것을 지칭하고
　　복수로 ones를 쓴다.
05 A: 내 앞으로 온 편지 있니?
　　B: 응, 한 통 있어.
06 A: 너는 어디서 너의 새 드레스 샀니?
　　B: 엄마가 내 생일 선물로 사 주셨어.
07 A: 셔츠에 묻은 얼룩은 뭐니?
　　B: 셔츠에 커피를 조금 쏟았어요.
08 A: 이 근처에 우체국 있나요?
　　B: 네, 모퉁이에 있어요.
09 A: 건강을 유지하는 비결 있나요?
　　B: 네. 저는 바르게 먹고 운동을 해요.
10 A: 집에 지갑을 놓고 왔어. 돈이 하나도 없어.
　　B: 걱정하지 마. 내가 조금 빌려줄게.
11 A: 너 왜 네 여동생에게 그렇게 화가 났니?
　　B: 그녀가 내 돼지 저금통의 돈을 조금 썼기 때문이야.
12 A: Mia의 생일 선물로 무엇을 살 거니?
　　B: 그녀가 우산을 잃어버렸다고 들었어. 그래서 그녀에
　　　게 새것을 사 줄 거야.

Check up & Writing　　　　　　　p.104

❶
01 want, some, popcorn
02 have, any, problems
03 There, isn't, any, ice
04 Some, students, will, get
05 lend, you, one
06 looks, like, my, old, one
07 Some, of, the, guests
08 looking, for, it
09 read, any, of, the, books
10 buy, a, used, one
11 She, wants, green, ones
12 the, big, one, or, the, small, one

❷
01 I should buy new ones
02 have any foreign friends
03 Would you like some dessert
04 I need a big one
05 Somebody took my bike
06 couldn't say anything
07 see any of these men
08 I don't like it

09 Any students can pass the test
10 is the one on the left
11 Some of my friends helped
12 buy brown gloves or gray ones

[해설]

09 *any가 긍정문에 쓰이면 '어떤 ~라도'라는 의미이다.

Unit 02 부정대명사 Ⅱ

Warm up　　　　　　　　　　　p.107

❶

01 All	02 Each	03 All
04 every	05 Both	06 every
07 Each	08 All	09 Both
10 Every	11 one another	12 each other

Start up　　　　　　　　　　　p.108

❶

01 is	02 were	03 each
04 day	05 has	06 weeks
07 Both	08 looks	09 one
10 word	11 hand	12 All
13 each	14 both	15 has

[해석 및 해설]

01 모든 일이 잘 끝났어요.
　　*「all+명사」인 경우 뒤에 있는 명사의 수에 동사의 수를
　　일치시키므로 is를 고른다.
02 둘 다 캐나다에서 태어났어요.
03 우리 부모님은 서로를 신뢰하세요.
04 나에게는 매일이 똑같은 것 같아.
05 아이들은 각자 자신만의 재능을 가지고 있어요.
06 Matt는 2주마다 머리를 잘라요.
　　*every가 '마다'라는 의미이고 앞에 two가 있으므로 복
　　수명사를 고른다.
07 우리 형은 둘 다 금발머리예요.
08 모든 것이 좋아 보여요. 어떤 걸 사야 할까요?
　　*all이 사물을 나타내는 경우 단수 취급한다.
09 내 세 아들은 서로 돌봐요.
10 그 학생들은 그녀의 모든 말을 주의 깊게 들었어요.
11 그 어린 소녀는 각각의 손에 사탕을 들고 있어요.
12 방에 있는 모든 사람들은 TV를 보고 있었어요.
13 너는 사용하기 전에 그것들을 하나씩 씻어야 해.
14 빵을 구울 때 나는 양손을 데었어요.
15 미국에서 6세 이상의 모든 어린이는 학교에 가야 해요.

❷

01 like	02 were	03 is
04 days	05 Both	06 Each
07 country	08 each	09 people
10 has	11 each	12 one another

[해설]

02 *all이 사람을 나타낼 경우 복수 취급하므로 복수동사가
   되어야 한다.

04 *every가 '마다'라는 의미이고 앞에 five가 있으므로 복
   수명사가 되어야 한다.

09 *all 다음에 셀 수 있는 명사가 올 경우에는 복수명사로
   쓴다.

12 *세 명이므로 one another가 되어야 한다.

Check up & Writing   p.110

❶

01 All, are
02 Every, man
03 Every, place
04 each, of, us
05 both, of, your, parents, work
06 Both, spoke, Spanish
07 smiled, at, each, other
08 eat, all, the, cookies
09 all, his, free, time
10 All, of, her, books
11 quarrel, with, one, another
12 Each, ball, is, a, different

[해설]

01 *'모든 사람'이라는 의미이므로 all을 쓰고, all이 사람을
   나타낼 경우 복수 취급하므로 복수 동사를 쓴다.

02, 03 *'모든'이라는 의미이고 뒤에 단수동사가 있으므로
   단수 취급하는 every를 사용해 문장을 완성한다.

07 *'서로'라는 의미이고 둘 사이이므로 each other를 사
   용해 문장을 완성한다.

11 *'서로'라는 의미이고 세 명이므로 one another를 사용
   해 문장을 완성한다.

❷

01 Both of us take yoga classes
02 Every moment is precious
03 All of the apples are rotten
04 They have known each other
05 Every picture looks the same
06 introduced each of us
07 Both boys are brilliant students

08 Both are interested
09 Each country has its own culture
10 are greeting one another
11 invite all my friends
12 Each student has to write

Unit 03 부정대명사 Ⅲ

Warm up   p.113

❶

01 another	02 anther	03 Some
04 another	05 Some	06 others
07 the others	08 One	09 the other
10 One	11 the others	12 another

Start up   p.114

❶

01 Some	02 others	03 another
04 One	05 another	06 Some
07 others	08 the other	09 the other
10 others	11 the others	12 the others
13 another	14 the others	15 the other

[해석]

01 어떤 사람들은 책 읽는 것을 즐기고, 또 다른 어떤 사람
   들은 그렇지 않아요.

02 어떤 사람들은 장미를 좋아하고, 또 다른 어떤 사람들은
   백합을 좋아해요.

03 나는 6월에 다른 도시로 이사할 예정이에요.

04 Chuck은 자전거가 두 대예요. 하나는 빨간색이고, 나
   머지 하나는 하얀색이에요.

05 나는 너와 함께 갈 수 없어. 나는 다른 약속이 있어.

06 어떤 학생들은 옳은 답을 했고, 나머지는 모두는 그렇지 않
   았어요.

07 어떤 아이들은 공부했고, 또 다른 어떤 아이들은 숙제를
   했어요.

08 나는 여동생이 두 명 있어요. 한 명은 열세 살이고, 나머
   지 한 명은 열 살이에요.

09 Sue는 두 개의 반지를 껴요. 하나는 은반지, 나머지 하
   나는 금반지예요.

10 어떤 사람들은 코미디 영화를 좋아하고, 또 다른 어떤
   사람들은 액션 영화를 좋아해요.

11 우리 할머니는 다섯 마리의 애완견을 키우세요. 한 마리
   는 푸들이고 나머지 모두는 요크셔테리어예요.

12 15명 그 회의에 참석했어요. 한 사람만 제시간에 오고,
   나머지 모두는 늦었어요.

13 나는 세 통의 편지를 받았어요. 하나는 내 사촌에게 온

거고, 또 다른 하나는 우리 이모에게 온 거고, 나머지 하나는 Jessica에게 온 거예요.

14 내 아들은 가방에 여섯 개의 장난감이 있어요. 하나는 로봇, 다른 하나는 곰 인형, 나머지 모두는 장난감 자동차예요.

15 Ted는 커피 세 잔을 만들었어요. 한 잔은 엄마 것이고, 또 다른 한 잔은 누나 것이며, 나머지 한 잔은 자신의 것이었어요.

②

01 another 02 another 03 others
04 the others 05 others 06 the other
07 the other 08 the others 09 One
10 another 11 Some 12 the other

①

01 Some 02 the other 03 the others
04 another 05 another 06 Some
07 others 08 One 09 another
10 Some 11 One 12 the other

[해석]

01 어떤 관광객들은 해변에 갔고, 또 다른 어떤 관광객들은 쇼핑하러 갔어요.

02 Sandra는 두 명이 언니가 있어. 한 명은 만났는데, 다른 한 명은 만난 적이 없어.

03 탁자에 6권의 책이 있었어. 한 권은 여기에 있는데 나머지 전부는 어디 있니?

04 Daniel은 3개 국어를 할 수 있어요. 하나는 영어, 또 다른 하나는 한국어, 나머지 하나는 독일어예요.

05 이 케이크 맛있어. 한 조각 더 먹어도 되니?

06 어떤 사람들은 파티에 음식을 가져왔고, 나머지는 전부는 가져오지 않았어요.

07 어떤 사람들은 운동에 관심이 있고, 또 다른 어떤 사람들은 예술에 관심이 있어요.

08 우리는 정원에 두 가지 야채를 길러요. 하나는 당근이고, 나머지 하나는 오이예요.

09 그 계획은 실패했어. 우리는 다른 계획을 세워야 해.

10 어떤 답은 맞고, 나머지 전부는 틀려요.

11 방에 여섯 명이 학생이 있었어요. 한 소년이 넘어지자, 나머지 전부는 웃었어요.

12 세 가지 종류의 디저트가 있어요. 하나는 케이크, 또 다른 하나는 아이스크림, 나머지 하나는 브라우니예요.

②

01 meet, another, day
02 bring, me, another
03 Some, snakes, are, dangerous

04 Some, like, fruits, others, don't
05 Some, were, red, the, others, were, pink
06 One, lives, the, others, live
07 One, is, China, the, other, is, Canada
08 One, was, boring, the, other, was, interesting
09 One, is, female, the, others, are, male
10 One, is, English, another, is, science, the, other, is, history

①

01 Some 02 another 03 one
04 Some 05 each other 06 any
07 it 08 Each 09 All
10 Both 11 the others 12 the other
13 the others 14 the other 15 another

[해석]

01 그의 영화 중 몇 편은 정말 감동적이야.

02 저는 이 외투가 마음에 들지 않아요. 다른 것을 보여주세요.

03 나 지우개가 없어. 나한테 하나 빌려줄래?

04 어떤 사람들은 친절하고, 또 다른 어떤 사람들은 그렇지 않았어.

05 George와 Lucy는 서로를 바라보았어요.

06 잡지에 재미있는 이야기 있니?

07 나는 정답을 알고 있지만, 그것을 너에게 얘기하지는 않을 거야.

08 그 여성들은 각각 다른 색의 드레스를 입고 있어요.

09 모든 아이들이 여름 캠프에서 즐거운 시간을 보내고 있어요.

10 나는 누나 두 명이 있어요. 둘 다 휴가로 London에 갔어요.

11 여기 여섯 권의 공책이 있어, 하나는 내 것이고 나머지 전부는 Sue의 것이야.

12 Sandra는 두 개의 셔츠가 있어요. 하나는 하얀색이고 나머지 하나는 파란색이에요.

13 반에는 30명의 학생이 있어요. 어떤 학생들은 리포트를 제출하고, 나머지 전부는 제출하지 않았어요.

14 내 딸은 별명이 두 개예요. 하나는 '천사'이고, 또 다른 하나는 '백설 공주'예요.

15 나에게는 세 명의 외국인 친구가 있어요. 한 명은 중국인, 또 다른 한 명은 호주인, 나머지 한 명은 스위스인이에요.

②

01 are 02 likes 03 some

04 another	05 all	06 each
07 one	08 any	09 the others
10 One	11 the others	12 another

[해설]

01 *both는 복수 취급하므로 복수동사 are가 되어야 한다.

04 *같은 종류의 다른 하나를 지칭하므로 another가 되어야 한다.

05 *'모든'이라는 의미이고, 뒤에 복수명사가 있으므로 all이 되어야 한다.

❸

01 Every, child
02 have, some, water
03 eat, any, of, them
04 All, the, hotels
05 All, my, brothers
06 me, another, chance
07 love, each, other
08 cheap, ones
09 Both, of, my, sisters
10 Some, are, standing, the, others, are, sitting
11 Some, are, red, others, are, yellow
12 One, is, a, cellist, another, is, a, painter, the, other, is, a, writer

❹

01 All birds have wings
02 love both of my sons
03 give each other gifts
04 Let's ask for another
05 Some of the workers will lose
06 Every student respects Mr. Jones
07 I don't have any money
08 I'm going to get a new one
09 are talking to one another
10 Some walk, others take
11 Some are clean, the others are dirty
12 One is Japanese, the other is German

Actual test   p.122

1 ②	2 ②	3 ③	4 ④	5 ②	6 ①
7 ④	8 ④	9 ⑤	10 ④	11 ①	12 ③
13 ④	14 ①				

15 1) another 2) some
16 1) other → the other 2) the other → the others
17 All, were, happy
18 Some, get, up, early, others, get, up, late
19 Each test contains 20 questions
20 One is new, the others are old

[해석 및 해설]

1 나는 내 스마트폰을 잃어버렸어. 새것을 사야 해.
*같은 종류의 불특정한 것을 지칭하고 단수이므로 one을 고른다.

2 나는 두 명의 여동생이 있어. 둘 다 초등학생이야.
*'둘 다'라는 의미가 되어야 하므로 both를 고른다.

3 각각의 사람들은 다른 목소리를 가져요.
*'각각(의)'라는 의미가 되어야 하므로 each를 고른다.

4 Ben과 나는 숙제를 할 때 서로 도와요.
*'서로'라는 의미가 되어야 하고 둘 사이므로 each other를 고른다.

5 • 제가 이 쿠키를 만들었어요. 좀 드실래요?
 • 저한테 질문 있나요?
 • 엄마가 시장에서 신선한 생선 몇 마리를 사왔어요.
*권유의문문으로 some, 의문문으로 any, 긍정문으로 some이 와야 한다.

6 • 내가 열쇠를 탁자 위에 뒀어. 그것을 좀 나한테 갖다 줄래?
 • 이 숟가락이 지저분해요. 다른 것을 갖다 주시겠어요?
*앞에 언급한 대상과 동일한 것을 지칭하므로 it, 같은 종류의 다른 하나를 언급하고 있으므로 another가 와야 한다.

7 *'(둘 중) 하나는 ∼ 다른 하나는 …'이라는 의미가 되어야 하므로 one ∼, the other …이 되어야 한다.

8 *'어떤 사람[것]들은 ∼, 또 다른 어떤 사람[것]들은 …'이라는 의미가 되어야 하므로 some ∼, others …가 되어야 한다.

9 이 파이 정말 맛있네요. 한 조각을 더 먹어도 될까요?
*같은 종류의 다른 하나를 언급하므로 another와 바꿔 쓸 수 있다.

10 ① 어느 것이 너의 차니? 검은 거니?
 ② 나는 큰 가방 밖에 없어. 나는 작은 것이 필요해.
 ③ Brian은 자신의 오래된 TV를 팔고 새것을 샀어요.
 ④ 내 노트북 컴퓨터를 잃어버렸어. 나는 그것을 찾을 수가 없어.
 ⑤ 내 여동생은 휴대 전화가 없어. 그녀는 하나 사고 싶어 해.
*①, ②, ③, ⑤ 앞에서 언급한 명사와 같은 종류의 불특정한 것을 지칭하므로 one, ④ 앞에 언급한 것과 동일한 것으로 it이 와야 한다.

11 ① 우리 모두가 거기에 가야 해.
 ② 내가 각각의 아이들에게 사탕을 하나씩 줬어요.
 ③ 우리 오빠는 둘 다 잘생겼어요.
 ④ 역으로 가는 다른 방법이 있나요?
 ⑤ 나에게 카메라가 있어. 필요하면 그것을 써도 돼.
*① all이 사람을 지칭할 때 복수 취급하므로 복수동사 have가 되어야 한다.

12 ① 학생들은 각각 숙제가 달라요.
 ② 우리 가족은 서로를 정말 사랑해요.

③ 그 도시의 모든 빌딩은 아름다워요.

④ Kate는 고양이 특히 검은색 고양이들을 좋아해요.

⑤ 손님들 중 몇몇은 늦게 도착했어요.

*③ every 다음에는 단수명사 오므로 building이 되어야 한다.

13 ① 사람들은 서로 예의를 지켜야 해요.

② 어떤 사람들은 축구를 좋아하고, 또 다른 어떤 사람들은 야구를 좋아해요.

③ 내가 외출한 동안 나에게 온 전화 없었나요?

④ 이 신발은 껴요. 더 큰 거 있나요?

⑤ Sue는 두 개의 원피스를 샀어요. 하나는 빨간색, 나머지 하나는 보라색이었어요.

*④ 앞에 언급된 사물과 같은 종류의 불특정한 것을 지칭하고 복수로 ones가 되어야 한다.

14 ① A: 커피 좀 드실래요?

B: 네, 주세요.

② A: 너희 부모님은 어디 출신이시니?

B: 두 분 모두 영국 출신이셔.

③ A: 너희 둘은 서로 어떻게 아니?

B: 우리는 같은 교회에 다녀.

④ A: 너는 형제자매가 있니?

B: 아니. 나는 외동이야.

⑤ A: 질문 두 개가 있어. 하나는 쉽고 나머지 하나는 어려워.

B: 쉬운 거 먼저 할게.

*① 권유의문문으로 any는 some이 되어야 한다.

15 1) • 이 스웨터가 마음에 안 들어요. 다른 것을 보여주세요?

• Bob은 오늘 세 개의 시험이 있어요. 하나는 지리학, 또 다른 하나는 수학, 나머지 하나는 물리학이에요.

*같은 종류의 다른 하나를 지칭하므로 another, '(세 개 중) 하나는 ~, 또 다른 하나는 …, 나머지 하나는 ~'라는 의미로 another를 쓴다.

2) • 차를 좀 더 마셔도 될까요?

• 어떤 학생은 'Yes'라고 대답했고, 나머지 모든 학생들은 'No'라고 대답했어요.

*부탁을 나타내는 의문문으로 some, '어떤 사람[것]들은 ~, 나머지 모두는 …'이라는 의미가 되어야 하므로 some을 쓴다.

16 1) A: 이 사진에 있는 세 명은 누구니?

B: 한 명은 우리 엄마, 다른 하나는 우리 이모, 또 다른 한 명은 우리 누나야.

*'(세 개 중) 하나는 ~, 또 다른 하나는 …, 나머지 하나는 ~'라는 의미가 되어야 하므로 other는 the other가 되어야 한다.

2) A: 너는 몇 마리의 애완동물을 가지고 있니?

B: 나는 애완동물 다섯 마리가 있어. 한 마리는 개이

고, 나머지 모두는 고양이야.

*'(여러 개 중) 하나는 ~ 나머지 모두는 …'이라는 의미가 되어야 하므로 the other는 the others가 되어야 한다.

17 *'모든 사람'이라는 의미가 되어야 하므로 all과 복수동사를 이용해서 문장을 완성한다.

18 *'어떤 사람[것]들은 ~, 또 다른 어떤 사람[것]들은 …'이라는 의미로 some, others를 이용해서 문장을 완성한다.

Chapter 5 형용사와 부사

Unit 01 형용사

Warm up   p.129

①

01 great   02 different

03 open   04 strange

05 little   06 small, afraid

07 new, cozy   08 friendly

09 wrong   10 ripe

11 heavy   12 famous, foggy

13 black, red   14 wonderful

15 good, terrible

[해석]

01 그거 좋은 생각이야.

02 나는 다른 것을 원해.

03 문을 그대로 열어 두세요.

04 나는 이상한 소리에 잠에서 깼어.

05 통에 설탕이 거의 남아있지 않아요.

06 그 어린 소년은 개를 무서워 해.

07 그들의 새집은 매우 아늑해요.

08 Nora 아줌마는 우리에게 항상 친절하세요.

09 제게 뭔가 잘못된 것이 있나요?

10 나무에 열린 사과들은 익지 않았어요.

11 폭설로 도시의 교통이 마비되었어요.

12 런던은 안개 낀 날씨로 유명해요.

13 Kate는 검은색 드레스를 입고, 빨간색 모자를 쓰고 있어요.

14 그들은 밴쿠버에서 즐거운 시간을 보내고 있어요.

15 음식은 맛있었는데, 서비스는 엉망이었어.

Start up   p.130

①

01 fresh   02 much

03 lovely
04 happy
05 nothing special
06 a little
07 Few
08 few
09 plenty of
10 little
11 bad
12 a few
13 people
14 something sweet
15 anything interesting

[해석 및 해설]

01 나는 신선한 공기를 좀 쐬고 싶어.
02 우리는 시간이 많지 않아.
03 Richard에게는 사랑스러운 딸이 있어요.
04 Calvin은 항상 나를 행복하게 만들어요.
   *목적어를 보충 설명하는 형용사를 고른다.
05 특별한 것이 없어.
   *-thing로 끝나는 대명사는 형용사가 뒤에서 수식한다.
06 내가 내 드레스에 커피를 조금 쏟았어요.
07 그의 강의를 이해하는 학생들이 거의 없었다.
08 Judy는 여기 새로 왔어요. 그녀는 친구가 거의 없어요.
09 Henry는 용기가 많은 사람이에요.
   *뒤에 셀 수 없는 명사가 있으므로 plenty of를 고른다.
10 아기가 태어난 이후로 나는 잠을 거의 못 자고 있어.
11 음식에서 안 좋은 냄새가 나면 먹지 마세요.
12 나 며칠 전에 거리에서 Gary를 우연히 만났어.
13 많은 사람들이 자신들의 건강에 관심을 가져요.
14 단 것 좀 드실래요?
15 신문에 재미있는 거 있니?

❷

01 lucky
02 safe
03 anybody new
04 warm
05 ideas
06 ○
07 ○
08 sleepy
09 much/a lot of/lots of/plenty of
10 a serious problem
11 ○
12 something dangerous
13 many/a lot of/lots of/plenty of
14 little
15 few

[해석]

01 Max는 운이 매우 좋은 아이예요.
02 사람들은 집에 있을 때 편안함을 느껴요.
03 여기 새로 온 사람 있나요?
04 이 차가 너를 따뜻하게 해줄 거야.
05 나에게 그 프로젝트에 대해 몇 개의 아이디어가 있어요.
06 Donald는 부유한 집에서 태어났어요.
07 우리는 약한 사람을 보호해야 해.

08 왜 나는 점심을 먹고 나면 항상 졸린 걸까?
09 Carrie 신발에 돈을 많이 써요.
10 Tim은 심각한 금전적인 문제가 있어요.
11 Melissa는 약간의 차와 빵을 조금 먹었어요.
12 위험한 것을 보면 나에게 알려 줘.
13 이 도서관에 별에 대한 책은 많지 않아.
14 Barbara는 이번 주 정말 바빠요. 그녀는 한가한 시간이 거의 없어요.
15 그의 결혼식에는 사람이 많지 않았어요. 그는 친척이 거의 없어요.

Check up & Writing   p.132

❶

01 is, empty
02 tries, anything, new
03 eating, fresh, grass
04 You, look, worried
05 do, something, special
06 The, bright, sun
07 makes, me, sad
08 have, little, information
09 saw, Jennifer, a, few, hours
10 someone, interested, in, art
11 take, many, pictures
12 drink, lots/plenty, of, water

[해설]

02, 05, 10 *-thing/-one/-body로 끝나는 대명사는 형용사가 뒤에서 수식한다.

❷

01 has little experience
02 have something warm
03 Carl seems very polite
04 keeps us healthy
05 didn't have much snow
06 meet someone nice
07 A strong wind blew down
08 The colorful kites are flying
09 found this book useful
10 Sarah got a few gifts
11 Loud music may hurt
12 gives us lots of homework

Unit 02 부사

Warm up   p.135

❶

01 sometimes	02 again
03 really	04 Luckily
05 very, well	06 wisely
07 slowly, quietly	08 Sadly
09 carefully	10 very, fast
11 very, hard	12 always
13 gently	14 kindly
15 usually	

[해석]

01 Nick은 가끔 골프를 쳐요.
02 다시 한 번 그것을 얘기해 주시겠어요?
03 당신을 만나게 돼서 정말 기뻐요.
04 운 좋게도, 나 공짜 영화 티켓이 생겼어.
05 Vicky는 노래를 잘 부르고, 춤을 잘 춰요.
06 너희들은 시간을 현명하게 써야 해.
07 Smith 부인은 느리고 조용하게 말해요.
08 슬프게도 그 불로 그들은 개를 잃었어요.
09 다음 질문들을 주의 깊게 읽으세요.
10 그는 다리가 아주 짧지만, 빨리 달려요.
11 Daniel은 시험공부를 열심히 하고 있어요.
12 Ellen은 항상 아침에 커피를 마셔요.
13 Richard는 고양이 등을 부드럽게 쓰다듬었어요.
14 그 소년이 친절하게 이 의자들을 옮기는 걸 도와주었어요.
15 Ted는 대개 점심으로 샌드위치와 주스를 먹어요.

Start up   p.136

❶

01 angrily	02 will always	03 seriously
04 nearly	05 well	06 beautifully
07 heavily	08 tightly	09 is never
10 Suddenly	11 happily	12 simply
13 very sick	14 warmly	15 comfortably

[해석 및 해설]

01 Henry는 화가 난 듯이 언성을 높였어요.
02 나는 항상 너를 사랑할거야.
03 Anna는 나를 심각하게 쳐다보았어요.
04 Kate는 Jones를 거의 매일 만나요.
05 Isabel은 항상 예의 바르게 행동해요.
06 달이 아름답게 빛나고 있어요.
07 거울이 바닥에 세게 떨어졌어요.
 *y로 끝나는 형용사는 y를 i로 바꾸고 −ly를 붙여 부사를
만든다.
08 Walter는 줄을 나무에 단단하게 묶었어요.
09 Dave는 절대 약속에 늦지 않아요.
10 갑자기, 그 TV 쇼가 인기를 얻고 있어.
11 아이들은 해변에서 행복하게 놀고 있어.
 *y로 끝나는 형용사는 y를 i로 바꾸고 −ly를 붙여 부사를
만든다.
12 이 책은 빅뱅 이론을 간단하게 설명해요.
 *le로 끝나는 형용사는 e를 빼고 −ly를 붙인다.
13 내 개가 많이 아파. 개를 수의사에게 데려가야 해.
14 밖이 굉장히 추워. 외출할 때 따뜻하게 입어.
15 우리 할아버지는 안락의자에 편하게 앉아 계셨어요.

❷

01 easily	02 fast	03 am often
04 really	05 ○	06 terribly
07 late	08 usually stays	09 ○
10 ○	11 high	12 early
13 ○	14 hard	15 Strangely

[해석 및 해설]

01 Sam은 그녀의 마음을 쉽게 읽어요.
02 너는 왜 그렇게 빨리 운전하니?
03 나는 종종 내 직업이 지루해요.
04 나는 습한 날씨가 정말 싫어.
05 너는 그 변화를 거의 알아채지 못 할 거야.
06 답장이 늦어서 정말 미안해.
07 그 영화는 10분 늦게 시작했어요.
 *'늦게'라는 의미이므로 late가 되어야 한다.
08 Bill은 일요일에 대개 집에 있어요.
09 그는 수프 두 그릇을 재빨리 먹었어요.
10 새 TV 드라마는 꽤 재미있어.
11 그는 공을 잡으려고 매우 뛰어야 했어요.
 *'높이, 높게'라는 의미이므로 high가 되어야 한다.
12 기차는 30분 정도 일찍 도착했어요.
13 그녀는 항상 자신의 차를 우체국 근처에 주차해요.
14 그들은 올림픽을 위해 열심히 연습하고 있어요.
 *'열심히'라는 의미이므로 hard가 되어야 한다.
15 이상하게도, 내가 1등상을 받았을 때 하나도 기쁘지 않
았다.

Check up & Writing   p.138

❶

01 My father often comes home late
02 The bus is usually on time
03 Ed seldom goes to a movie
04 I could hardly sleep last night
05 Lucy and I rarely talk to each other

06 I will never use bad language again

07 He is hardly at home on Friday evenings

08 There is always a bright side to everything

09 She sometimes forgets her husband's birthday

10 You should always listen to your teacher carefully

11 They are sometimes worried about their children

12 Tim usually plays on the computer when he has free time

[해석]

01 우리 아버지는 종종 집에 늦게 들어오세요.

02 그 버스는 대개 제시간에 와요.

03 Ed는 좀처럼 영화를 보러 가지 않아요.

04 나는 어젯밤에 거의 잠을 못 잤어.

05 Lucy와 나는 서로 거의 말을 하지 않아요.

06 나는 다시는 나쁜 말을 쓰지 않을게요.

07 그는 거의 금요일 저녁에는 집에 있지 않아요.

08 모든 것에는 항상 밝은 면이 있어요.

09 그녀는 가끔 남편의 생일을 잊어버려요.

10 너는 항상 너의 선생님 말씀을 주의 깊게 들어야 해.

11 그들은 가끔 자신들의 아이들을 걱정해요.

12 Tim은 한가할 때 보통 컴퓨터를 가지고 놀아요.

❷

01 The sun is shining brightly

02 Karen is often early

03 They sat close

04 was really annoyed

05 a highly intellectual game

06 haven't seen Angela lately

07 quickly changes his mind 또는 changes his mind quickly

08 looked at me friendlily

09 hardly spends any time

10 had better go to the dentist regularly

11 nearly three thousand people

12 Surprisingly, is a thousand years old

[해설]

01, 03, 06, 07, 08, 10 *부사는 보통 동사(목적어가 없는 문장) 뒤나 목적어 뒤에 오며, 목적어가 긴 경우 동사 앞에 오기도 한다.

12 *문장 전체를 수식하는 부사는 문장 맨 앞에 온다.

Level up   p.140

❶

01 good, well

02 serious, seriously

03 carelessly, careless

04 happily, happy

05 hungry, hungrily

06 angry, angrily

07 perfect, perfectly

08 excellently, excellent

09 kind, kindly

10 hard, hardly

11 easy, easily

12 heavily, heavy

[해석]

01 Jim은 훌륭한 무용수예요. 그는 춤을 매우 잘 춰요.

02 그건 심각한 문제야. 우리는 그것을 심각하게 받아들여야 해.

03 Collins 씨는 차를 부주의하게 운전해요. 그는 부주의한 운전자예요.

04 그 소년이 행복하게 웃고 있어요. 그는 매우 행복해 보여요.

05 Brian은 배가 고팠어요. 그는 내 저녁을 배고픈 듯이 쳐다보았어요.

06 엄마가 매우 화가 나셨어요. 그녀는 내게 화를 내며 소리쳤어요.

07 그녀의 스페인어는 완벽해요. 그녀는 스페인어를 완벽하게 해요.

08 Emma Watson은 연기를 뛰어나게 해요. 그녀는 뛰어난 여배우예요.

09 Ben은 매우 친절한 사람이에요. 그는 어려움에 처한 사람을 친절하게 도와줘요.

10 Ian은 열심히 공부해요. 그는 자정이 되기 전에는 거의 잠을 자지 않아요.

11 이 수학 문제들은 쉬워. 너는 그것들은 쉽게 풀 수 있어.

12 어제 비가 많이 내렸어요. 폭우로 우리는 온종일 집에 있어야만 했어요.

❷

01 ○

02 noisily

03 anything wrong

04 Luckily

05 high

06 minutes

07 is rarely

08 ○

09 can never

10 fast

11 badly

12 usually bakes

13 ○

14 little

15 many/a lot of/lots of/plenty of

[해석 및 해설]

01 나는 친절한 누군가가 필요해요.

02 아이들이 시끄럽게 놀고 있어요.

03 엄마, 제가 뭐 잘못했나요?

04 다행스럽게도 나는 마지막 기차를 탈 수 있었어요.

05 그 헬리콥터는 매우 높이 날고 있었어요.

06 내가 너에게 몇 분 후에 전화할게.
07 그 가게는 일요일에는 좀처럼 문을 열지 않아요.
08 이 지역은 많은 사과를 생산해요.
09 그녀는 내 감정을 절대 이해할 수 없어.
10 그 소년은 결승선을 향해 빨리 매우 빨리 달렸어요.
   *fast는 형용사와 부사와 형태가 같다.
11 그녀는 스케이트를 타다가 다리를 심하게 다쳤어요.
   *동사를 수식하는 부사가 필요하므로 badly가 되어야
   한다.
12 우리 어머니는 보통 주말에 머핀을 구우세요.
13 Eric은 다섯 살밖에 안 됐어요. 그는 유창하게 읽을 수
   없어요.
14 나는 돈의 거의 없어서 Jenny에게 조금 빌렸어요.
15 너는 파티에서 재미있는 사람을 많이 만났니?

❸
01 had, a, little, snow
02 surprisingly, small
03 held, her, baby, gently
04 Few, people, know
05 The, car, stopped, suddenly 또는 Suddenly,
   the, car, stopped,
06 I, am, always, happy
07 sometimes, makes, me, uneasy
08 look, great, the, blue, dress
09 I, often, meet, Jason
10 a, lot, of, traffic
11 gave, me, something, special
12 you, seen, Linda, lately

❹
01 Is there anyone free
02 The river flows slowly
03 speak calmly and clearly
04 grows well in wet places
05 These grapes taste sweet and sour
06 will do something fun
07 is wearing a silly hat
08 are very friendly
09 will never forget this moment
10 Happily, fully recovered/recovered fully
11 hardly goes shopping
12 Young children need plenty of sleep

Actual test   p.144

1 ③   2 ④   3 ③   4 ①   5 ⑤   6 ②
7 ③   8 ①   9 ①   10 ③   11 ⑤   12 ⑤
13 ①   14 ④   15 1) few 2) a little 3) many

16 1) new someone → someone new
   2) drinks seldom → seldom drinks
17 eat well and exercise regularly
18 We had little snow
19 I will never lie
20 Luckily, I could catch an early train

[해석 및 해설]
1 *③ early는 형용사와 부사가 같은 형태이다.
2 나는 Kate가 친절하다는 것을 알았어요.
   *목적어를 보충 설명하는 목적격보어 자리로 형용사가
   와야 한다.
3 *빈칸 뒤에 복수명사가 있으므로 셀 수 없는 명사를 수
   식하는 much는 적절하지 않다.
4 *동사를 수식하는 부사가 와야 하므로 good은 적절하
   지 않다.
5 *명사를 수식하는 형용사가 와야 하므로 kindly는 적절
   하지 않다.
6 • 오늘 날씨가 정말 좋아.
   • 나는 차가운 것을 마시고 싶어.
   *명사(day)를 수식하는 형용사가 필요하고, –thing/-
   one/-body로 끝나는 대명사는 형용사가 뒤에서 수식
   한다.
7 • 그 식당의 서비스는 느렸어요.
   • 그 아이들이 행복하게 웃고 있어요.
   *주어를 보충 설명하는 형용사가 필요하고, 동사를 수식
   하는 부사가 필요한데, happy는 y로 끝나는 형용사로
   y를 i로 바꾸고 ly를 붙여 부사를 만든다.
8 ① 나는 오늘 몸이 좋지 않아.
   ② Jessica는 테니스를 잘 쳐요.
   ③ Richard는 노래를 잘 하지 못해요.
   ④ Anna은 남자아이들과 잘 어울려요.
   ⑤ 이 약은 치통에 잘 들어요.
   *① '건강한', '몸이 좋은'이라는 의미의 형용사이고, ②,
   ③, ④, ⑤ '잘', '제대로'라는 의미의 부사이다.
9 ① Ian은 아침을 빨리 먹었어요.
   ② 오늘 밤에 폭우가 내릴 수도 있겠습니다.
   ③ 우리 언니는 요즘 열심히 공부해.
   ④ 나는 거의 매일 신문을 읽어요.
   ⑤ 벌들이 꽃에서 꽃으로 바쁘게 날아다니고 있어.
   *② 명사를 수식하는 형용사가 필요하므로 heavy,
   ③ hard는 형용사와 부사의 형태가 같으므로 hard
   (hardly는 '거의 ~않는'라는 의미), ④ '거의'라는 의미
   의 부사는 nearly, ⑤ 동사를 수식하는 부사가 필요하므
   로 busily가 되어야 한다.
10 ① 이 문제는 정말 쉬워.
   ② 이 스튜는 맛있는 냄새가 나요.
   ③ Jeremy는 항상 친절하고 예의 발라요.

④ 런던에는 공원이 많아요.

⑤ Francesca는 보통 검은색 드레스를 입어요.

*① 형용사를 수식하는 부사는 형용사 앞에 위치하므로 very easy, ② 주어를 보충 설명하는 주격보어 자리에는 형용사가 필요하므로 delicious, ④ a lot of는 셀 수 있는 명사의 복수형을 수식하므로 parks, ⑤ 빈도부사는 일반동사 앞에 위치하기 때문에 usually wears가 되어야 한다.

11 ① 내 말을 잘 들어주세요.

② 우리는 절대 희망을 잃지 않을 거예요.

③ 갑자기, 나는 이상한 소리를 들었어.

④ Smith 선생님은 매우 특이한 선생님이세요.

⑤ 지금 너무 늦었어. 집으로 돌아가자.

*⑤ late는 형용사와 부사가 같은 형태이고, lately는 '최근에'라는 의미의 부사이다.

12 ① 시간이 거의 남지 않았어.

② 나는 우리 집에 친구 몇 명을 초대했어요.

③ 콘서트에 사람들이 많았니?

④ 너는 매일 많은 양의 물을 마셔야 해.

⑤ 그녀는 약간의 치즈와 몇 개의 사과를 샀어요.

*a little은 셀 수 없는 명사 수식하므로 a few가 되어야 한다.

13 *① fast는 부사와 형용사의 형태가 같다.

14 ① A: Ryan은 언제 떠났니?

　　B: 그는 몇 분 전에 떠났어.

② A: 너 오늘 밤에 무슨 계획 있니?

　　B: 아니, 특별한 것 없어.

③ A: 내 남동생이 나를 정말 화나게 만들어.

　　B: 그가 너에게 어떻게 했니?

④ A: 너는 방과 후에 무엇을 하니?

　　B: 나는 보통 집에 가서 숙제를 해.

⑤ A: 아기가 자고 있어. 좀 조용히 얘기할래?

　　B: 알았어.

*③ 목적어를 보충 설명하는 목적격보어 자리로 형용사가 와야 하므로 angrily는 angry가 되어야 한다.

15 1) 그 시험은 정말 어려웠어요. 맞는 답이 거의 없었어요.

2) 매주 월요일 나는 우리 엄마로부터 약간의 용돈을 받아요.

3) 극장에 빈 좌석이 많지 않았어요.

*1) 뒤에 복수명사가 있고, 문맥상 부정적인 내용이 와야 하므로 few, 2) 뒤에 셀 수 없는 명사가 있기 때문에 a little, 3) 앞에 not이 있고 뒤에 복수명사가 있으므로 many를 쓴다.

16 1) 반에 새로 온 사람이 있어요.

*-thing/-one/-body로 끝나는 대명사는 형용사가 뒤에서 수식한다.

2) Dave는 좀처럼 밤에 커피를 마시지 않아요.

*빈도부사는 일반동사 앞에 위치한다.

---

17 *동사 eat과 exercise를 수식하는 부사를 동사 뒤에 쓴다.

18 *'거의 없는'이라는 셀 수 없는 명사를 수식하는 수량형용사는 little이다.

19 *빈도부사는 조동사의 뒤에 위치한다.

20 *문장을 수식하는 부사는 문장 맨 앞에 오고, 명사를 수식하는 형용사는 명사 앞에 온다.

Chapter 6 비교

Unit 01 비교급, 최상급 만드는 법

Warm up　　　　　　　　　　　　　p.151

①

01	big	bigger	biggest	26	rich	richer	richest
02	tall	taller	tallest	27	famous	more famous	most famous
03	hot	hotter	hottest	28	new	newer	newest
04	bad	worse	worst	29	difficult	more difficult	most difficult
05	busy	busier	busiest	30	beautiful	more beautiful	most beautiful
06	cute	cuter	cutest	31	smart	smarter	smartest
07	good	better	best	32	popular	more popular	most popular
08	easy	easier	easiest	33	cleaver	cleverer	cleverest
09	loud	louder	loudest	34	friendly	friendlier	friendliest
10	noisy	noisier	noisiest	35	well	better	best
11	fast	faster	fastest	36	carefully	more carefully	most carefully
12	large	larger	largest	37	expensive	more expensive	most expensive
13	small	smaller	smallest	38	early	earlier	earliest
14	light	lighter	lightest	39	poor	poorer	poorest
15	heavy	heavier	heaviest	40	dirty	dirtier	dirtiest
16	little	less	least	41	dangerous	more dangerous	most dangerous
17	much	more	most	42	important	more important	most important
18	happy	happier	happiest	43	interesting	more interesting	most interesting
19	hard	harder	hardest	44	fresh	fresher	freshest
20	thin	thinner	thinnest	45	crowded	more crowded	most crowded
21	pretty	prettier	prettiest	46	slowly	more slowly	most slowly
22	young	younger	youngest	47	handsome	more handsome	most handsome
23	long	longer	longest	48	funny	funnier	funniest
24	cheap	cheaper	cheapest	49	bright	brighter	brightest
25	high	higher	highest	50	healthy	healthier	healthiest

Start up　　　　　　　　　　　　　p.152

①

01 shorter　　　　　　02 sweeter

03 more　　　　　　　04 weaker

05 more boring　　　　06 lazier

07 more useful　　　　08 shiest

09 coldest　　　　　　10 quietest

11 messiest　　　　　　12 luckiest

13 most popular   14 widest
15 most exciting

[해석]

01 James는 나보다 키가 작아요.
02 꿀은 설탕보다 더 달아요.
03 나는 Dave보다 차를 더 많이 마셔요.
04 소녀들은 신체적으로 소년들보다 약해요.
05 그 영화는 내가 생각했던 것보다 더 지루했어.
06 추운 날씨가 평소보다 나를 더 게으르게 만들어요.
07 나는 스마트폰이 컴퓨터보다 더 유용한 것 같아.
08 Brian은 마을에서 가장 수줍음을 많이 타는 남자예요.
09 오늘이 일 년 중 가장 추운 날이에요.
10 Laura는 반에서 가장 조용한 소녀예요.
11 그는 기숙사에서 제일 지저분한 방을 가지고 있어.
12 Harry는 세상에서 제일 운이 좋은 소년임이 틀림없어.
13 Rachel은 학교에서 가장 인기 있는 선생님이에요.
14 하마는 모든 육지 동물 중 가장 넓은 입을 가지고 있어요.
15 나에게는 일 년 중 크리스마스가 가장 신나는 연휴예요.

❷

01 better   02 fatter
03 wiser   04 worse
05 easiest   06 biggest
07 farther   08 best
09 healthier   10 least
11 quickest   12 most expensive

Check up & Writing   p.154

❶

01 thinner   02 more dangerous
03 most important   04 loveliest
05 heavier   06 most uncomfortable
07 more difficult   08 safest
09 earlier   10 richest
11 oldest   12 further

[해설]

01 *'단모음+단자음'으로 끝나는 단어는 자음을 한 번 더 쓰고 -er/-est를 붙인다.
11 *old가 '나이가 많은'이라는 의미로 쓰일 경우 비교급, 최상급이 older, oldest이다.
12 *far가 정도의 의미로 쓰일 경우 비교급, 최상급이 further, furthest이다.

❷

01 faster   02 hotter
03 slower   04 more
05 youngest   06 worst

07 longest   08 most beautiful
09 more interesting   10 best
11 tallest   12 brightest

Unit 02 원급, 비교급, 최상급

Warm up   p.157

❶

01 as   02 friendlier than
03 as carefully   04 lazy
05 short   06 of
07 cheaper   08 best
09 than   10 more interesting
11 the fastest   12 the most delicious

Start up   p.158

❶

01 kindest   02 largest
03 far   04 more
05 much   06 little
07 in   08 much
09 most   10 more loudly
11 the happiest   12 as
13 healthy   14 less, better
15 comfortable as

[해석]

01 Gray 부인은 마을에서 가장 친절한 분이세요.
02 서울은 한국에서 가장 큰 도시예요.
03 너의 신발이 내 것보다 훨씬 더 비싸.
04 Anna가 Isabel이 보다 더 매력 있어.
05 우리 숙모는 삼촌보다 훨씬 나이가 많아요.
06 그녀는 나만큼 적은 돈을 가지고 있었어요.
07 그녀는 영국에서 가장 유명한 배우예요.
08 그 소년은 어른만큼 먹어요.
09 이곳이 도심에서 가장 붐비는 카페야.
10 네 말이 안 들려. 좀 더 크게 얘기해 줄래?
11 기말고사가 중간고사만큼 어렵지 않았어요.
12 내 생일이 일 년 중 가장 행복한 날이에요.
13 우리 할아버지는 30대 남자만큼 건강해요.
14 나는 Tom보다 공부를 덜 했는데, 그보다 더 좋은 점수를 받았어요.
15 내 새 침대는 오래된 것보다 편하지 않아요.

❷

01 as new as   02 as[so] boring as
03 as well as   04 as fluently as

05 better than 06 more popular than
07 more peaceful than 08 later than
09 the most impressive 10 the most intelligent
11 the scariest 12 the busiest

[해석]

01 이 청바지가 저것만큼 새것이야.
02 이 책은 저것만큼 지루하지 않아.
03 너는 Brandon만큼 테니스를 잘 치니?
04 Bruno는 원어민만큼 영어를 유창하게 해요.
05 Sue는 Eric보다 훨씬 더 그림을 잘 그려요.
06 애완동물로 고양이가 새보다 더 인기가 있어요.
07 시골 생활은 대개 도시 생활보다 평화로워요.
08 우리는 Brian보다 콘서트에 늦게 도착했어요.
09 여기가 영화에서 제일 인상적인 부분이야.
10 돌고래는 바다에서 가장 지능이 높은 동물이에요.
11 내게 치과는 가장 무서운 곳이야.
12 엄마는 언제나 우리 가족 중 가장 바쁜 사람이야.

Check up & Writing p.160

❶

01 the heaviest, as[so] heavy as
02 best, better than
03 taller than, the tallest
04 as old as, the oldest
05 the coldest, as[so] cold as
06 the most expensive, more expensive than
07 as many books as, the most books
08 as fast as, fastest

[해석]

01 Emma가 셋 중 가장 무거워요.
   Rachel는 Susie만큼 무겁지 않아요.
02 Ted는 그 시험에서 셋 중 가장 잘 했어요.
   Bill은 그 시험에서 Jessica보다 잘 했어요.
03 Smith는 나보다 키가 커요.
   Luise가 우리들 중 키가 가장 큰 소년이에요.
04 나는 Mike만큼 나이가 많아요.
   Steve는 우리 중 가장 나이 많은 소년이에요.
05 모스크바는 세 곳 중 가장 추워요.
   서울은 파리만큼 춥지 않아요.
06 검은색 모자가 그것들 중 가장 비싼 모자예요.
   빨간 모자는 파란 것보다 비싸요.
07 우리 오빠는 나만큼 많은 책을 가지고 있어요.
   우리 언니가 우리 중 가장 많은 책을 가지고 있어요.
08 Sylvia는 Christine만큼 빨리 수영해요.
   Isabel은 셋 중 가장 빨리 수영해요.

❷

01 as, good, as, yours
02 the, highest, building
03 much/even/still/far, prettier, than
04 skiing, more, than, skating
05 the, smartest, student
06 as[so], important, as, love
07 the, hardest, metal
08 the, worst, mistake
09 more, wisely, than
10 more, serious, than
11 dance, as, well, as
12 the, least, interest

[해설]

03 *'훨씬'이라는 의미의 비교급 강조 표현과, 비교급을 사용해서 문장을 완성한다.

Unit 03 비교 구문을 이용한 표현

Warm up p.163

❶

01 as 02 twice
03 or 04 fast
05 slimmer 06 more
07 more 08 worse and worse
09 most 10 smaller
11 more expensive 12 mountain

Start up p.164

❶

01 nicer 02 cleverer
03 twice 04 three times older
05 often 06 quickly
07 biggest 08 cheaper and cheaper
09 high 10 less
11 more 12 earlier
13 More and more 14 greatest
15 better

[해석]

01 Chuck과 Paula 중 누가 더 너에게 친절하니?
02 여우와 늑대 중 어떤 것이 더 똑똑하니?
03 내 개는 너의 고양이 두 배만큼 무거워.
04 우리 어머니는 나보다 세 배 더 나이 드셨어요.
05 가능한 한 자주 손을 씻어라.
06 가능한 한 여기로 빨리 와줄래?

07 런던은 세계에서 가장 큰 도시들 중 하나예요.
08 컴퓨터들이 점점 저렴해지고 있어요.
09 소리를 가능한 한 크게 틀어줄래?
10 자면 잘수록 너는 덜 피곤할 거야.
11 읽으면 읽을수록 우리는 더 많이 배워.
12 일찍 떠날수록 우리는 더 일찍 도착할 거야.
13 점점 더 많은 학생들이 온라인 강좌를 수강해요.
14 Brad Pitt는 할리우드에서 가장 훌륭한 배우들 중 하나예요.
15 이것과 저것 중 어떤 드레스가 나에게 더 잘 어울리니?

❷

01 better	02 more
03 much	04 long
05 more	06 smarter
07 most	08 weaker and weaker
09 more	10 wider
11 more and more	12 man
13 most popular	14 player
15 taller	

[해석]

01 Charlie와 Justine 중 누가 노래를 더 잘 하니?
02 일을 할수록 너는 더 많은 돈을 벌게 된다.
03 우리 아버지는 내 두 배만큼 몸무게가 많이 나가요.
04 가능한 한 오랫동안 숨을 참으세요.
05 나는 그보다 다섯 배 더 많은 친구가 있어요.
06 공부하면 할수록 너는 더 똑똑해질 거야.
07 스카이다이빙은 가장 위험한 운동들 중 하나예요.
08 슬프게도, 우리 할아버지께서 점점 허약해지고 계셔.
09 역사와 과학 중 너는 어떤 과목을 더 좋아하니?
10 새 다리는 예전 것보다 다섯 배 더 길어요.
11 축구 게임이 점점 흥미진진해져.
12 Rick은 마을에서 다른 어떤 남자들보다 더 잘생겼어요.
13 스파게티는 세계에서 가장 인기 있는 음식들 중 하나예요.
14 그는 그의 나라에서 다른 어떤 선수보다 축구를 잘해요.
15 원 월드 트레이드 센터는 뉴욕에서 다른 어떤 건물보다 더 높아요.

Check up & Writing   p.166

❶

01 higher than
02 harder than any other subject
03 ten times as big as
04 four times as tall as
05 the greatest violinist
06 five times more expensive than
07 the largest country
08 three times more money than

09 the coldest continent
10 as[so] well as
11 as[so] fluently as
12 longer than

[해석 및 해설]

01 지리산은 한라산만큼 높지 않아요.
  → 한라산은 지리산보다 높아요.
02 나에게 수학은 가장 어려운 과목이에요.
  → 나에게 수학은 다른 어떤 과목보다 더 어려워요.
03 목성은 지구보다 10배 더 커요.
  → 목성은 지구의 10배만큼 커요.
04 이 나무는 저것보다 네 배 더 키가 커요.
  → 이 나무는 저것의 네 배만큼 키가 커요.
05 그녀는 프랑스에서 다른 어떤 바이올린 연주자보다 더 훌륭해요.
  → 그녀는 프랑스에게 가장 훌륭한 바이올린 연주자예요.
06 이 드레스는 저것의 다섯 배만큼 비싸요.
  → 이 드레스는 저것보다 다섯 배 더 비싸요.
07 러시아는 세계에서 다른 어떤 나라보다 커요.
  → 러시아는 세계에서 가장 큰 나라예요.
08 Tim은 Michael의 세 배만큼 돈이 있어요.
  → Tim은 Michael보다 세 배 더 많이 돈이 있어요.
09 남극은 세계에서 다른 어떤 대륙보다 더 추어요.
  → 남극은 세계에서 가중 추운 대륙이에요.
10 나는 Greg보다 피아노를 잘 쳐요.
  → Greg는 나만큼 피아노를 잘 치지 못해요.
11 나는 Sarah보다 프랑스어를 잘 해요.
  → Sarah는 나만큼 프랑스어를 잘 하지 못해요.
12 황하 강은 아마존 강만큼 길지 않아요.
  → 아마존 강은 황하 강보다 더 길어요.
01, 10, 11, 12 *「A not as[so]+원급+as B」는 「B is 비교급 than A」로 바꿔 쓸 수 있다.
02, 05, 07, 09 *「비교급 than any other 단수명사」는 「the+최상급+명사」로 바꿔 쓸 수 있다.
03, 04, 06, 08 *「배수사+as+원급+as」는 「배수사+비교급+than」으로 바꿔 쓸 수 있다.

❷

01 getting, darker, and, darker
02 Which, is, more, interesting
03 speaking, as, loud, as, possible
04 getting, taller, and, taller
05 twice, as, long, as
06 The, more, the, more
07 Who, is, closer
08 one, of, the, brightest, stars
09 see, you, as, soon, as, possible

10 the, healthier, you, become
11 one, of, the, most, crowded, cities
12 richer, than, any, other, country

Level up   p.168

❶

01 bad   02 tall
03 busier   04 more boring
05 more   06 sweeter
07 interesting   08 more
09 most expensive   10 farther
11 most delicious   12 best
13 many   14 faster
15 smaller, smaller

[해석]

01 Josh는 나만큼 악필이구나.
02 우리 아빠는 나의 두 배만큼 키가 커요.
03 왜 나는 항상 너보다 바쁘지?
04 강의는 내가 생각했던 것보다 더 지루했어.
05 나는 그보다 훨씬 더 많은 숙제가 있어요.
06 꿀과 메이플 시럽 중 어느 것이 더 달콤하니?
07 드라마가 예전만큼 재미가 없어요.
08 많이 알면 알수록 너는 더 많이 잊게 돼.
09 우리는 도심에서 가장 비싼 호텔에 묵었어요.
10 지구에서 태양이 달보다 더 멀어요.
11 이 카페는 마을에서 가장 맛있는 커피를 팔아요.
12 모차르트는 역사상 가장 위대한 작곡가들 중 한 명이에요.
13 여행을 하면서 가능한 한 많은 사진을 찍으세요.
14 Steven은 반에서 다른 어떤 학생보다 더 빨리 배워요.
15 매일 세계가 점점 더 좁아지고 있어요.

❷

01 less → little
02 to → than
03 than → as
04 gooder → better
05 very → much, even, still, far, a lot
06 beautifulest → most beautiful
07 best → better
08 worse → worst
09 more generous → generous
10 soon → sooner
11 three → three times
12 bigest → biggest
13 boys → boy
14 slim and slim → slimmer and slimmer
15 building → buildings

[해석]

01 가능한 한 소금을 적게 드세요.
02 대양은 강보다 더 깊어요.
03 나는 Jessica만큼 춤을 잘 춰요.
04 Emma는 나보다 더 좋은 점수를 받았어요.
05 지하철이 버스보다 훨씬 더 빨라요.
06 Lisa는 반에게 가장 아름다운 소녀예요.
07 개와 고양이 중 애완동물로 어떤 것이 더 좋으니?
08 어제가 내 인생의 최악이 하루였어.
09 우리 숙모는 우리 삼촌만큼 관대해요.
10 빨리 일하면 할수록 우리는 빨리 끝내게 될 거야.
11 Joel은 내가 받는 용돈의 세 배만큼 많이 받아요.
12 Collin 씨는 마을에게 가장 큰 농장을 소유하고 있어요.
13 그는 학교에서 다른 어떤 소년보다 예의가 발라요.
14 Bridget은 요즘 운동을 해. 그녀는 점점 더 날씬해지고 있어.
15 그 절이 우리나라에서 가장 오래된 건물 중 하나야.

❸

01 taste, as, delicious, as
02 jump, higher, than
03 the, happiest, moment
04 the, smallest, animal
05 walk, farther
06 Who, has, longer, hair
07 getting, better, and, better
08 the, fatter, you, become
09 three, times, thicker, than
10 one, of, the, most, popular, sports
11 as, early, as, possible
12 more, talkative, than, any, other, person

❹

01 is getting hotter and hotter
02 the happier you become
03 not as new as hers
04 speak as slowly as possible
05 a lot worse than
06 Which do you like more
07 twice as expensive as mine
08 look fresher than those ones
09 I hate cockroaches most
10 the most diligent person
11 one of the greatest artists
12 played better than any other player

1 ④　　2 ④　　3 ①　　4 ②　　5 ⑤　　6 ②
7 ②　　8 ④　　9 ③　　10 ③　　11 ①　　12 ⑤
13 ④　　14 ③
15 1) the, shortest　2) heavier, than
　　3) twice, as, old, as
16 1) five times more expensive than
　　2) larger than any other desert
17 much/even/still/a lot/far more exciting than
18 one of the best students
19 the funniest person of
20 can't speak English as fluently as

[해석 및 해설]

1 *④ 「자음+y」로 끝나는 형용사/부사는 i를 y로 바꾸고
　+-er/-est를 붙여 비교급, 최상급을 만든다.

2 *④ much 불규칙 변화 단어로 much – more –
　most이다.

3 Jason은 Tony만큼 야구를 잘해요.
　*원급은 「as+원급+as」의 형태이다.

4 내 새 방은 예전 것보다 커요.
　*비교급은 「비교급+than」의 형태이다.

5 Ryan은 학교에서 가장 인기 있는 학생이에요.
　*최상급은 「the+최상급」의 형태이고, popular는 3음
　절이다.

6 나에게는 스노보드 타는 것이 스키를 타는 것보다 훨씬
　재미있어.
　*비교급 앞으로 비교급을 강조하는 표현 much, even,
　still, far, a lot이 와야 한다.

7 • 너는 커피와 차 중 어떤 것을 더 좋아하니?
　• 가능한 한 빨리 저에게 그 보고서를 보내주세요.
　*'A와 B 중 어떤 것/사람이 더 ~하니?'이라는 의미
　의 표현은 「Which/Who ~ 비교급, A or B?」이고,
　'가능한 ~한/하게'라는 의미의 표현은 「as+원급+as
　possible」이다.

8 *'~하면 할수록 더 …하다'라는 의미의 표현은 「the 비
　교급, the 비교급」이다.

9 *'점점 더 ~한'이라는 의미의 표현은 「비교급+and+비
　교급」이다.

10 ① Emma와 Anna는 둘 다 10달러 가지고 있어요.
　　=Emma는 Anna만큼 돈을 가지고 있어요.
　② 내 집은 그의 집의 세 배만큼 커요.
　　=내 집은 그의 집보다 세 배 더 커요.
　③ 스페인어는 독일어만큼 어렵지 않아요.
　　=스페인어는 독일어보다 어려워요.
　④ 그는 가능한 한 빨리 버스정류장으로 뛰어왔어요.
　　=그는 가능한 한 빨리 버스정류장으로 뛰어왔어요.
　⑤ Green 씨는 마을에서 가장 친절한 사람이에요.
　　=Green 씨는 마을에서 다른 어떤 사람보다 친절해요.

*③ 「A not as[so]+원급+as B」는 「B is 비교급 than
A」로 바꿔 쓸 수 있다.

11 ① 나는 어제보다 훨씬 좋아졌어.
　② 그는 우리나라에서 가장 부유한 사람이에요.
　③ 나는 내 여동생만큼 빨리 헤엄칠 수 없어요.
　④ 우리 언니는 나보다 쇼핑하러 자주 가요.
　⑤ Sam은 학교에서 어떤 다른 학생들보다 총명해요.
　*② 최상급은 「the+최상급」의 형태, ③ 원급의 부정은
　「A not as[so]+원급+as B」의 형태, ④ 비교급은 「비
　교급+than」의 형태, ⑤ '다른 어떤 ~보다 더 …한/하
　게'라는 의미의 표현은 「비교급 than any other 단수
　명사」이다.

12 ① 오늘이 내 인생에서 가장 행복한 날이에요.
　② 우리 아빠가 엄마보다 요리를 잘 하세요.
　③ 레몬은 대개 오렌지보다 셔요.
　④ 이곳이 시내로 가는 가장 빠른 길이에요.
　⑤ 나는 Denis만큼 친구가 많지 않아요.
　*⑤ 원급의 부정은 「A not as[so]+원급+as B」의 형태
　로 more는 much가 되어야 한다.

13 ① 제가 가능한 한 빨리 이것을 끝낼게요.
　② 나 점점 더 떨려.
　③ Ben과 Daniel 중 누가 공부를 열심히 하니?
　④ 그것은 세계에서 가장 큰 건물 중 하나야.
　⑤ 더 일찍 떠날수록 우리는 거기에 더 일찍 도착하게 될
　　거야.
　*④ '가장 ~한 것들 중의 하나'라는 의미의 표현은 「one
　of the+최상급+복수명사」이다.

14 *③ '점점 더 ~한'이라는 의미의 표현은 「비교급+and+
　비교급」이다.

15 1) Jacob이 셋 중 가장 키가 작아요.
　　*최상급은 「the+최상급」의 형태이다.
　2) Brian이 Jacob보다 무거워요.
　　*비교급은 「비교급+than」의 형태이다.
　3) Ted는 Jacob의 두 배만큼 나이가 많아요.
　　*'~의 …배만큼 ~한'이라는 의미의 표현은 「배수사
　　+as+원급+as」이다.

16 1) 이 휴대 전화는 저것의 다섯 배만큼 비싸요. = 이 휴
　　대 전화는 저것보다 다섯 배 더 비싸요.
　　*배수사+as+원급+as」는 「배수사+비교급+than」으로
　　바꿔 쓸 수 있다. 단 배수사가 twice인 경우에는 원급으
　　로 사용한다.
　2) 사하라 사막은 세계에서 제일 큰 사막이에요. = 사하
　　라 사막은 세계에서 어떤 다른 사막보다 커요.
　　*the+최상급+명사」는 「비교급 than any other 단수
　　명사」로 바꿔 쓸 수 있다.

17 *비교급은 「비교급+than」의 형태이고 '훨씬'이라는 의미
　로 비교급을 강조하는 표현은 much, even, still, far,
　a lot이다.

18 *'가장 ~한 것들 중의 하나'라는 의미의 표현은 「one of the+최상급+복수명사」이다.

Review test

Chapter 1-3 p.177

❶

01 Her
02 them, an
03 thieves, my
04 myself
05 The, hers
06 She, water
07 The, the
08 The children's
09 photos, Tokyo
10 school, bus
11 These, Jenny's
12 It, the
13 a, yours
14 ourselves
15 tomatoes, potatoes

[해석]

01 그녀의 집은 모퉁이에 있어요.
02 나는 그들은 한 시간 동안 기다렸어요.
03 두 명의 도둑이 내 차를 훔쳤어요.
05 나는 요즘 프랑스어를 독학하고 있어.
04 탁자에 있는 핸드백은 그녀의 것이야.
06 그녀는 물 두 병을 샀어요.
07 해가 중천에 떠 있어요.
08 아이들이 눈이 밝게 빛나고 있었어요.
09 그들은 도쿄에서 많은 사진을 찍었어요.
10 Mary는 매일 버스를 학교에 타고 가요.
11 이 청바지는 내 것이 아니야. 그것들이 Jenny의 것이니?
12 추워. 창문을 좀 닫아 줄래?
13 나 펜이 없어. 너의 것을 빌려 줄래?
14 이것은 우리끼리만의 이야기야. 이것에 대해 아무한테도 얘기하지 마.
15 우리는 정원에 토마토와 감자를 키워요.

❷

01 Are, those, your, sneakers
02 enjoying, themselves
03 This, store, sells, men's, clothing
04 Was, it, your, birthday
05 ordered, two, pieces, of, cheesecake
06 send, these, pictures, by, email
07 five, deer, my, grandfather's, farm
08 tennis, three, times, a, week
09 a, coat, The, coat
10 shop, on, the, Internet
11 That, is, my, cousin, a, university, student
12 an, apple, a, glass, of, milk

Chapter 4 p.179

❶

01 live
02 parents
03 each other
04 has
05 one
06 any
07 some
08 another
09 others
10 the other

[해석]

01 내 모든 친척들은 캐나다에 살아요.
02 그녀의 부모님 두 분 모두 나에게 친절하세요.
03 Carrie와 Ben은 서로 몰라요.
04 모든 학생들은 교복을 입어야 해요.
05 나는 내 오래된 차를 팔고 새것을 샀어요.
06 그녀는 이 사치품들 중 어떤 것도 원하지 않았어요.
07 내가 이 쿠키를 구웠어. 좀 먹을래?
08 이건 내 취향이 아니에요. 다른 것을 보여주실 수 있나요?
09 어떤 사람들은 공포영화를 좋아하고, 또 다른 어떤 사람들은 액션영화를 좋아해요.
10 나는 두 명의 형이 있어요. 한 명은 수의사이고, 나머지 한 명은 엔지니어예요.

❷

01 another, glass, of, water
02 Each, person, has, different, looks
03 Some, of, the, students
04 Both, of, us, are, very, busy
05 need, a, bigger, one
06 Some, people, the, others
07 the, others, are, boys

Chapter 5 p.180

❶

01 lately
02 carefully
03 will never
04 Few
05 high
06 Luckily
07 much
08 usually take
09 happy
10 something important

[해석 및 해설]

01 너는 최근에 Joanna를 본 적이 있니?
*'최근에'라는 의미로 동사를 수식하는 부사 lately를 고른다. late는 '늦게'라는 의미의 부사이다.
02 이 노래를 잘 들어 봐.
03 다시는 그렇게 하지 않을게요.
04 내 별명을 아는 내 친구들은 거의 없어.
05 Jones는 공을 공중으로 높이 쳤어요.
06 운 좋게도, Tony는 빈자리를 찾았어요.

07 이 샌드위치에는 치즈가 많이 들어 있지 않아요.
08 우리는 대개 저녁을 먹고 나서 산책을 해요.
09 그녀는 항상 그녀 주변의 사람을 행복하게 만들어요.
10 Silvia는 중요한 무언가를 잊고 있었어요.

②
01 sitting, near, me
02 moving, very, fast
03 hardly, go, out
04 do, anything, special
05 Lots, of, people, use, paper, cups
06 always, go, to, bed, early
07 a, few, days

Chapter 6   p.181

①
01 warm   02 more diligent
03 wisest   04 more
05 handsome   06 most beautiful
07 nicer   08 farther
09 most interesting   10 quickly

[해석]

01 오늘은 어제만큼 따뜻해요.
02 Sam은 Jake보다 부지런해요.
03 Gregory는 마을에서 가장 현명한 사람이에요.
04 그녀를 만나면 만날수록 나는 그녀가 더 좋아져.
05 Andrew는 그의 아버지만큼 잘생기지 않았어요.
06 Isabel은 세상에서 가장 아름다운 미소를 가졌어요.
07 이 회색 외투가 검은색 외투보다 더 멋있어 보여.
08 금성과 화성 중에 어떤 것이 더 지구에서 먼가요?
09 이것이 시리즈에서 가장 재미있는 책 중 하나야.
10 너는 가능한 한 빨리 네 숙제를 끝내야 해.

②
01 as, strong, as
02 even, more, honest, than
03 Who, is, more, popular
04 getting, more, and, more, difficult
05 The, earlier, you, arrive
06 three, times, bigger, than
07 harder, than, any, other, student

Chapter 4-6   p.182

①
01 well → good
02 children → child
03 guest → guests
04 easier → easiest
05 patient someone → someone patient

06 hardly → hard
07 the others → others
08 sooner → soon
09 one → ones
10 thing → things
11 fastly → fast
12 usually are → are usually

[해설]

01 *명사(day)를 수식하는 형용사가 와야 하므로 well은 good이 되어야 한다.
02 *each 다음에는 단수명사가 온다.
03 *all 다음에는 셀 수 있는 명사의 복수형이 온다.
04 *최상급 문장으로 easier는 easiest가 되어야 한다.
05 *-one으로 끝나는 대명사는 형용사가 뒤에서 수식한다.
06 *'열심히'라는 의미의 부사는 hard이다.
07 *'어떤 사람[것]들은 ~, 또 다른 어떤 사람[것]들은 …'이라는 의미의 부정대명사 표현은 「some ~, others …」이다.
08 *'가능한 ~한/하게'라는 의미의 표현은 「as+원급+as possible」이다.
09 *같은 종류의 불특정한 것을 지칭하고 복수로 one은 ones가 되어야 한다.
10 *'가장 ~한 것들 중의 하나'라는 의미의 표현은 「one of the+최상급+복수명사」이다.

②
01 Both of my aunts live
02 Add a little olive oil
03 the angrier I became
04 will always remember your advice
05 is the fastest runner
06 are chasing one another
07 is not so beautiful as
08 should always keep your hands clean
09 has four times more candies than
10 the white cap or the yellow one
11 Some of the people were famous singers
12 the others were for her brothers

Achievement Test

Chapter 4-6   p.184

1 ④	2 ②	3 ⑤	4 ②	5 ①	6 ①
7 ④	8 ④	9 ②	10 ①	11 ③	12 ②
13 ②	14 ③	15 ①	16 ①	17 ②	18 ①
19 ①					

20 1) five times heavier   2) bigger than any other animal   3) earn more than

21 1) One, another, the other   2) Some, the others
22 ⓐ quietly ⓑ more loudly
23 ⓐ a little ⓑ some
24 ⓐ colder ⓑ more
25 I will never talk to you
26 Some (people) like coffee, others like tea
27 is one of the most interesting places
28 Some of the students were late
29 I am preparing something special
30 Monday is the busiest day

[해석 및 해설]

1 *④ busy는 「자음+y」로 끝나는 2음절 단어로 y를 i로
 바꾸고 -er/-est를 붙인다.
2 *② hot은 「단모음+단자음」으로 끝나는 단어로 자음을
 한 번 더 쓰고 -er/-est를 붙인다.
3 *①, ②, ③, ④ 형용사와 부사의 관계, ⑤ 명사와 형용
 사의 관계이다.
4 나에게 연필이 없어. 하나 빌릴 수 있을까?
 *앞에 언급된 사물과 같은 종류의 불특정한 것을 지칭하
 므로 one을 고른다.
5 Sarah는 두 명의 오빠가 있어요. 그들은 둘 다 대학에
 서 음악을 공부해요.
 *두 명을 지칭해야 하므로 '둘 다', '양쪽 다'라는 의미의
 부정대명사 both를 고른다.
6 고양이는 개만큼 사람을 잘 따르지 않아요.
 *'~만큼 ~하지 않/않게'라는 의미의 원급 부정으로
 「A not as[so]+원급+as B」의 형태이다.
7 이 겨울 외투는 저것보다 3배 더 비싸요.
 *'~의 …배로 ~한'이라는 의미는 「배수사+비교급
 +than」의 형태이고, -ive로 끝나는 3음절 단어로 비교
 급으로 만들 때 more를 붙인다.
8 Brian은 그의 모든 친구들 중에서 가장 부지런해요.
 *'~중 가장 …한'이라는 의미로 the+최상급+of의 형
 태이며, diligent는 3음절 단어로 최상급으로 만들 때
 most를 붙인다.
9 • 네 파티에 친구 몇 명을 데리고 가도 될까?
 • 그가 무심코 던진 말이 나를 화나게 만들었어요.
 *'약간의' '몇몇의'의 의미로 복수명사를 수식하는 수량형
 용사는 a few이고, make는 목적어를 보충 설명하는
 목적격보어의 자리에 형용사가 온다.
10 그 영화는 내가 생각했던 것보다 훨씬 더 재미있었어요.
 *비교급 앞으로 비교급을 강조하는 표현이 와야 한다.
 비교급을 강조하는 표현에는 much, even, still, a
 lot, far가 있다.
11 *동사를 수식하는 부사 필요, fast는 형용사와 부사형이
 같은 형태이다.
12 *② '~하면 할수록 더 …하다'라는 의미의 「the 비교급,

the 비교급」 표현으로 better는 the better가 되어야
한다.
13 *② 같은 종류의 다른 하나를 언급하고 있으므로 other
 는 another가 되어야 한다.
14 ① 나에게 물리학은 가장 어려운 과목이야.
 ② 우리 형은 우리 아빠보다 훨씬 커요.
 ③ 그는 우리나라에서 가장 인기 있는 가수 중 한 명이야.
 ④ 프랑스 음식은 이탈리아 음식만큼 맛있어요.
 ⑤ 시드니가 런던보다 더 화창해요.
 *③ popular는 3음절로 more/most 붙여 비교급, 최
 상급을 만든다.
15 ① 나는 아무런 잘못도 하지 않았어요.
 ② 그들은 둘 다 호주 출신이에요.
 ③ 그녀가 샌드위치를 좀 만들었는데 그는 하나도 먹지
  않았어요.
 ④ 많은 사람들이 매년 그랜드캐니언을 방문해요.
 ⑤ 이 숟가락 지저분해요. 깨끗한 것을 가져다주시겠어요?
 *① -thing/-one/-body로 끝나는 대명사는 형용사
 가 뒤에서 수식한다.
16 ① 각 나라는 그들만의 역사가 있어요.
 ② 학교의 모든 소녀들이 Dylan을 좋아해요.
 ③ 내 모든 돈은 내 주머니에 있었어요.
 ④ Mia는 퇴근 후에 매일 체육관에 가요.
 ⑤ 나는 삼촌 두 명이 있어요. 한 분은 작가이고 나머지
  한 분은 피아니스트예요.
 *③ all 다음에 단수명사가 있기 때문에 단수동사가 와야
 한다.
17 ① 새가 하늘 높이 날고 있어요.
 ② 식당에는 사람이 거의 없었어요.
 ③ Bennet은 Sue만큼 노래를 잘 부르지 못해요.
 ④ 그것은 세계에서 가장 긴 다리들 중 하나예요.
 ⑤ Sam은 학교에서 다른 어떤 소년보다 똑똑해요.
 *① '높이/높게'라는 의미의 부사는 high, ③ 원급 비교
 는 「as 형용사/부사의 원급 as」의 형태, ④ '가장 ~한
 것들 중 하나'라는 의미의 표현은 「one of the+최상급
 +복수명사」, ⑤ '다른 어떤 ~보다 더 …한/하게'라는
 의미의 표현은 「비교급 than any other 단수명사」이다.
18 ① 그녀는 각각의 아이들에게 작은 선물을 줬어요.
 ② 냉장고에 우유가 하나도 없어요.
 ③ 운 좋게도, 나는 막차를 탈 수 있었어요.
 ④ Ted 그 잡지가 흥미롭다는 것을 알았어요.
 ⑤ 나는 세상의 모든 나라를 방문하고 싶어.
 *② 부정문으로 any, ③ 부사를 만들 때 y로 끝나는 형
 용사는 y를 i로 바꾸고 -ly를 붙이므로 luckily, ④ 목
 적어를 보충 설명하는 목적격보어 자리로 형용사, ⑤
 every 다음에는 단수명사가 오므로 country가 되어야
 한다.
19 ① A: Greg와 Ryan 중 누가 더 어리니?

B: Greg가 더 어린 것 같아.
② A: 너희 셋은 서로 어떻게 아니?
　 B: 우리는 중학교를 같이 다녔어.
③ A: 너 행복해 보여. 무슨 일 있니?
　 B: 내가 반에게 최고 점수를 받았어.
④ A: 차를 좀 드시겠어요?
　 B: 네, 주세요.
⑤ A: 이 근처에 약국 있나요?
　 B: 네. 저기 하나 있어요.
*'A와 B 중에 어떤 것[사람]이 더 ~하니?'라는 표현은 Which/Who ~비교급, A or B?이다.

20 1) 이 상자는 저것의 다섯 배만큼 무거워요.
　 = 이 상자는 저것보다 다섯 배 더 무거워요.
　2) 흰긴수염고래가 세상에서 제일 큰 동물이에요.
　 = 흰긴수염고래는 세상에서 다른 어떤 동물보다 더 커요.
　3) 그는 나만큼 많이 벌지 않아요.
　 = 나는 그보다 더 많이 벌어요.
　*1) 「배수사+as+원급+as」는 「배수사+비교급+than」로, 2) 「the+최상급+명사」는 「비교급 than any other 단수명사」로, 3) 「A not as[so]+원급+as B」는 「B is 비교급 than A」로 바꿔 쓸 수 있다.

21 1) 나에게는 세 명의 외국인 친구가 있어요. 한 명은 일본 출신이고, 또 다른 한 명은 스페인 출신이며, 나머지 한 명은 프랑스 출신이에요.
　*'(세 개 중) 하나는 ~, 또 다른 하나는 …, 나머지 하나는 ~'이라는 의미의 부정대명사 표현은 「one ~, another, the other …」이다.
　2) 교실에는 30명의 학생이 있어요. 어떤 학생들은 그 시험에 통과하고, 나머지 모두는 통과하지 못했어요. '어떤 사람[것]들은 ~, 나머지 모두는 …'이라는 의미의 부정대명사 표현은 「some ~, the others …」이다.

22 너는 너무 조용히 말하고 있어. 좀 더 크게 얘기해 줄래?
　*ⓐ 동사를 수식하는 부사 필요, ⓑ -ly로 끝나는 부사는 비교급, 최상급을 만들 때 more/most를 붙인다.

23 나 몸무게가 좀 늘었어. 나는 운동을 좀 해야 해.
　*ⓐ weight 셀 수 없는 명사로 a little, ⓑ 평서문 some되어야 한다.

24 작년보다 더 추워. 작년보다 눈도 더 많이 내리고 있어.
　*ⓐ 뒤에 than이 있으므로 colder, ⓑ much는 불규칙 변화 단어로 much – more – most이다.

25 *빈도부사는 조동사 뒤에 위치한다.

26 *'어떤 사람[것]들은 ~, 또 다른 어떤 사람[것]들은 …'이라는 의미의 표현의 부정대명사 표현은 「some ~, others …」이다.

27 *'가장 ~한 것들 중의 하나'라는 의미의 표현은 「one of the+최상급+복수명사」이다.

28 *'몇몇의'라는 의미이고 긍정문으로 「Some of+지칭하

는 대상」의 어순으로 쓴다.

29 *-thing/-one/-body로 끝나는 대명사는 형용사가 뒤에서 수식한다.

30 *최상급은 「the+최상급(+of+비교 대상)」의 형태이다.

실전모의고사 1회

1 ④　　2 ①　　3 ①　　4 ①　　5 ⑤　　6 ③
7 ④　　8 ⑤　　9 ④　　10 ③　　11 ②　　12 ②
13 ④　　14 ④　　15 ④　　16 ④　　17 ①　　18 ③
19 ①　　20 It　　21 the most popular
22 sells children's books
23 one of the best poets
24 He taught himself French and Spanish
25 I will never forget your kindness

[해석 및 해설]

1 *④ 불규칙 변화 명사로 복수형이 people이다.
2 *① 명사와 형용사, ②, ③, ④, ⑤ 형용사와 부사의 관계이다.
3 나는 오빠가 둘이야. 둘 다 고등학생이야.
　*two brothers를 지칭해야 하므로 '둘 다'라는 의미의 both를 고른다.
4 Ted는 나만큼 야구를 잘해요.
　*원급 비교 문장으로 빈칸에는 plays를 수식하는 부사의 원급 형태가 와야 한다.
5 물고기가 한 마리 있어요.
　*앞에 a가 있으므로 셀 수 있는 명사의 단수형이 와야 한다.
6 어떤 사람들은 중국 음식을 좋아하고, 또 다른 어떤 사람들은 이탈리아 음식을 좋아해요.
　*'어떤 사람[것]들은 ~, 또 다른 어떤 사람[것]들은 …'이라는 의미의 부정대명사 표현은 「some ~, others …」이다.
7 *뒤에 복수명사가 있으므로 셀 수 있는 명사를 수식하는 a little은 알맞지 않다.
8 *smile(명사)을 수식하는 형용사가 와야 하므로 부사 sweetly는 알맞지 않다.
9 우리 형 방이 내 것보다 훨씬 커요.
　*비교급 앞이므로 '훨씬'이라는 의미로 비교급을 강조하는 표현이 와야 하므로 very는 알맞지 않다.
10 내 정원에 사과나무가 하나 있어.
　*'하나의'라는 의미이고 모음 소리로 시작하므로 an, garden과 소유 관계를 나타내야 하므로 소유격 인칭대명사 my를 고른다.
11 *모든 내 친구들이 파티에 참석했고 우리는 즐거운 시간을 보냈어요.

*'모든'이라는 의미이고 뒤에 복수명사가 있으므로 all, '즐거운 시간을 보내다'라는 의미의 재귀대명사 표현은 enjoy oneself이고 주어가 we로 ourselves를 고른다.

12 ① 저한테 질문 있나요?

② 따뜻한 물 좀 드시겠어요?

③ 그녀는 이 선물들 중 어떤 것도 원하지 않아요.

④ 문제가 있으면 나에게 알려 줘.

⑤ 주말에 계획 있니?

*①, ③, ④, ⑤ 의문문, 부정문, 조건문으로 any, ② 권유의문문으로 some이 와야 한다.

13 ① 비행기는 기차보다 빨라요.

② Nick은 Nancy보다 열심히 일해요.

③ Brian은 나보다 더 좋은 점수를 받았어요.

④ 내 드레스는 네 것만큼 비싸.

⑤ Angelina는 Jennifer보다 더 유명해요.

*①, ②, ③, ⑤ 빈칸 앞에 비교급이 있으므로 than, ④ 빈칸 앞에 as 원급이 있으므로 as가 와야 한다.

14 *'나의 것'이라는 의미로 「소유격 인칭대명사+명사」의 역할을 하는 소유대명사를 고른다.

15 *셀 수 없는 명사는 단위나 용기를 나타내는 표현을 써서 수량을 나타낸다.

16 ① 너는 빈 상자 세 개가 필요해.

② 내 남동생은 이가 다섯 개 났어요.

③ 종이 한 장을 나에게 갖다 줄래?

④ 물은 우리의 삶에서 매우 중요해요.

⑤ 우리는 새 차를 살 만한 충분한 돈이 없어요.

*④ water는 셀 수 없는 명사로 a 또는 an을 붙이지 않는다.

17 ① 저 아이가 Julie의 남자친구니?

② 나는 이 꽃들을 Patrick한테 받아.

③ 이 치마가 마음에 들지 않아요. 다른 것을 좀 보여주세요.

④ 내 컴퓨터는 정말 오래됐어. 나는 새것을 사야 해.

⑤ 나는 두 마리의 애완동물이 있어. 하나는 고양이이고, 나머지 하나는 앵무새야.

*① 명사의 소유격은 「명사+'s」의 형태로 나타내므로 Julie's가 되어야 한다.

18 ① Isabel은 사랑스러운 소녀예요.

② 나는 점심으로 야채샐러드를 먹었어요.

③ 창문을 좀 닫아줄래요?

④ 우리는 수요일에 시험이 있어요.

⑤ 하늘에 아름다운 연들 좀 봐.

*③ 서로가 알고 있는 대상을 지칭하므로 the를 써야 한다.

19 ① A: 실례합니다. 지금 몇 시인가요?

B: 미안한데, 나는 지금 바빠요.

② A: 너는 무엇을 그리고 있니?

B: 나는 나를 그리고 있어.

③ A: 이 머플러 네가 직접 만들었니?

B: 아니. 우리 언니가 나에게 만들어줬어.

④ A: 너는 자주 라디오를 듣니?

B: 응. 학교에 갈 때 항상 들어.

⑤ A: 최근에 Laura로부터 소식 들었니?

B: 응. 어제 통화했어.

*① 시간을 묻는 질문에 '지금은 바쁘다'라는 대답은 부자연스럽다.

20 A: 창밖을 봐! 밖에 눈이 내리고 있어.

B: 와! 화이트 크리스마스야. 내 소원이 이뤄졌어.

*날씨와 날짜를 나타내는 문장으로 비인칭 주어 it을 쓴다.

21 펭귄은 이 동물원에서 다른 어떤 동물보다 더 인기가 있어요.

= 펭귄은 이 동물원에서 가장 인기 있는 동물이에요.

*「비교급 than+any other+단수명사」는 ' 다른 어떤 ~보다 더 …한'이라는 의미로 최상급으로 바꿔 쓸 수 있다.

22 *-s로 끝나지 않는 복수명사는 복수명사's의 형태로 소유격을 나타낸다.

23 *'가장 ~한 것들 중 하나'라는 의미의 표현은 「one of the+최상급+복수명사」이다.

24 *'독학하다'라는 의미의 표현은 teach oneself이고, 4형식 문장으로 「주어+동사+간접목적어(재귀대명사)+직접목적어」의 어순으로 문장을 완성한다.

25 *never는 빈도부사로 조동사 뒤에 위치하므로 「주어+조동사+빈도부사+동사」의 어순으로 문장을 완성한다.

실전모의고사 2회

1 ④	2 ④	3 ⑤	4 ①	5 ④	6 ⑤
7 ①	8 ①	9 ③	10 ⑤	11 ④	12 ④
13 ②	14 ④	15 ③	16 ②	17 ①	18 ①

19 ③ **20** feet, sandwiches, men, mice

21 four times older

22 Both (of) my parents are generous.

23 The boy himself wrote the story/The boy wrote the story himself

24 an egg sandwich and a glass of juice

25 get a haircut every two weeks

[해석 및 해설]

1 *④ -ly로 끝나는 부사는 원급에 more/most를 붙여 비교급, 최상급을 만들기 때문에 easily - more easily - most easily가 되어야 한다.

2 우리는 숲에서 양 몇 마리를 봤어요.

*빈칸에는 복수명사가 와야 하는데, deer는 단수형

과 복수형의 형태가 같고, goose의 복수형은 geese, wolf는 f로 끝나는 명사로 복수형이 wolves, fox는 x로 끝나는 명사로 복수형이 foxes이다.

3 나는 거울에 비친 내 모습을 바라보았어요.
*주어와 목적어가 같은 대상으로 재귀대명사를 고른다.

4 여기서 시청까지는 버스로 1시간이 걸려요.
*거리를 나타내는 문장으로 비인칭 주어 it을 고른다.

5 각자는 다른 목소리를 가져요.
*'각자는'이라는 의미가 되어야 하므로 each를 고른다.

6 오늘이 내 인생에서 최악의 날이었어.
*bad의 최상급은 worst이다.

7 *there are가 있으므로 빈칸에는 복수명사가 와야 한다. salt는 물질명사로 셀 수 없다.

8 *water는 glass 또는 bottle로 수량을 나타낸다.

9 *'점점 더 ~한'이라는 의미의 비교급 표현은 「비교급+비교급」이다.

10 *'나머지 모두는 …'이라는 의미로 the others가 와야 한다.

11 ① 너 펜 있니? 나 하나 필요해.
② 나는 휴대 전화가 없어. 곧 하나 살 거야.
③ 이 모자가 마음에 들긴 한데, 검은색 있나요?
④ Ed는 배낭을 잃어버렸어. 그는 지금 그것을 찾고 있어.
⑤ 그들의 새집은 예전 것보다 훨씬 넓어.
*①, ②, ③, ⑤ 앞에 나온 명사와 같은 종류의 불특정한 사물을 지칭하므로 one, ④ 앞에 언급한 명사와 동일한 사물을 지칭하므로 it이 와야 한다.

12 ① 탁자 위에 있는 편지는 네 앞으로 온 거야.
② 밤에는 피아노를 치지 마세요.
③ 이것은 세상에서 가장 지루한 책이야.
④ Jones는 항상 10시에 잠을 자.
⑤ 내가 어제 영화를 한 편 봤어. 그 영화는 훌륭했어.
*①, ②, ③, ⑤ 수식을 받아 대상이 분명할 때, play 뒤 악기 앞에, 하나밖에 없는 대상 앞, 앞에 나온 명사를 다시 언급할 때 the를 쓰고, ④ 장소가 본래의 목적으로 쓰일 때는 관사를 쓰지 않는다.

13 *play 뒤 운동 경기 앞에는 관사를 쓰지 않고, '일주일에 한 번'이라는 의미가 되어야 하므로 a가 와야 한다.

14 *'저 ~들'이라는 의미로 복수명사를 수식하는 지시형용사는 those이고, '그녀의 것'이라는 의미의 소유대명사는 hers이다.

15 ① 너는 축구와 농구 중 무엇을 더 좋아하니?
② 그 호텔 방은 내가 생각했던 것보다 훨씬 작았어.
③ 네가 운동할수록 너는 더 건강해져.
④ 가능한 한 빨리 그 일을 끝내줄래?
⑤ 이 다리는 저것보다 두 배만큼 넓어.
*'~하면 할수록 더 …하다'라는 의미의 표현은 「the 비교급, the 비교급」이므로 healthy가 healthier가 되어

야 한다.

16 ① 그들은 전쟁이 아니라 평화를 원해요.
② Brandon은 캘리포니아 출신이에요.
③ 제 커피에 설탕을 좀 넣어주세요.
④ 나는 쇼핑몰에서 청바지 세 벌을 샀어요.
⑤ Sandy는 매일 두 잔의 우유를 마셔요.
*California는 고유명사로 a 또는 an을 붙이지 않는다.

17 ① 내 일 때문에 계속 바빠요.
② Mark는 공을 높이 던졌어요.
③ 그녀는 가끔 아침을 먹지 않아요.
④ 나는 그에 대해 아는 것이 거의 없어요.
⑤ 갑자기, 비가 세차게 내리기 시작했어요.
*① 목적격보어 자리로 형용사가 와야 하므로 busy가 되어야 한다.

18 ① 나는 참을성 있는 누군가가 필요해요.
② Geroge는 절대 거짓말을 하지 않아요.
③ 너는 너 자신을 자랑스럽게 여겨야 해.
④ 좋은 아이디어 있어?
⑤ Nancy가 이 사진들을 이메일로 보내줬어.
*② 빈도부사는 일반동사 앞에 위치하므로 never tells, ③ 주어와 전치사의 목적어가 같은 대상으로 yourself, ④ 부정문으로 any, ⑤ 「these+복수명사」이므로 photos가 되어야 한다.

19 ① 너는 빨간 장미들을 살 거니, 아니면 분홍색을 살 거니?
② 그들은 서로 잘 지내요.
③ 어떤 사람들은 영화를 좋아하고, 또 다른 어떤 사람들은 책을 좋아해요.
④ 나는 두 명의 아들이 있어요. 한 명은 여덟 살, 나머지 한 명은 다섯 살이에요.
⑤ 이 케이크가 맛있네요. 한 조각 더 먹어도 될까요?
*① 같은 종류의 불특정한 사물을 지칭하고 복수로 ones, ② '서로'라는 의미로 each other 또는 one another, ④ '나머지 하나'라는 의미로 the other, ⑤ '또 하나의'라는 의미로 another가 되어야 한다.

20 • 나는 발이 아주 작아요.
• 우리 언니가 샌드위치 여섯 개를 만들었어요.
• Rachel은 남자들에게 인기가 있어요.
• 그 오래된 집에는 쥐가 많아요.
*foot, man, mouse는 불규칙 변화 동사로 복수형이 feet, men, mice이고, sandwich는 -ch로 끝나는 명사로 -es를 붙여 복수형을 만든다.

21 우리 아버지는 나의 네 배만큼 나이가 많다.
= 우리 아버지는 나보다 네 배 더 나이가 많다.
*'~의 …배만큼 ~한'이라는 의미의 표현은 「배수사+as+원급+as」표현은 '~보다 …배 더~한'이라는 의미의 「배수사+비교급+than」으로 바꿔 쓸 수 있다.

22 *'둘 다'라는 의미의 both를 사용해 문장을 완성한다.

23 *주어를 강조하는 재귀대명사의 강조 용법으로 재귀대명사는 강조하는 말 바로 뒤, 또는 문장 맨 끝에 온다.

24 A: 주문하시겠어요?
B: 네. 계란 샌드위치 하나와 주스 한 잔 주세요.

25 A: 너는 얼마나 자주 머리를 자르니?
B: 나는 2주마다 머리를 잘라.

실전모의고사 3회

1 ⑤	2 ②	3 ⑤	4 ④	5 ④	6 ①
7 ⑤	8 ②	9 ②	10 ①	11 ③	12 ①
13 ④	14 ⑤	15 ②	16 ②	17 ①	18 ⑤
19 ②	20 ×, a, the, an				

21 me → myself, an Albert → Albert,
an university → a university
22 go to the dentist three times a year
23 One was black, another was white, and the other was gray
24 Those people need food and houses
25 as fast as possible

[해석 및 해설]

1 *⑤ 「모음+y」로 끝나는 명사는 명사에 -s를 붙여 복수형을 만든다.

2 내 강아지가 꼬리를 흔들고 있어요.
*주어가 단수명사이고, tail과 소유 관계를 나타내야 하므로 소유격 인칭대명사 its를 고른다.

3 이건 우리끼리의 얘기로 하자.
*'우리끼리 얘기인데'라는 의미가 되어야 하므로 between을 고른다.

4 나는 오늘 시험이 두 개 있어요. 하나는 수학이고, 나머지 하나는 영어예요.
*'나머지 하나는'이라는 의미가 되어야 하므로 the other를 고른다.

5 휴식을 취하면 취할수록 너는 더 기분이 좋아질 거야.
*'~하면 할수록 더 …하다'라는 의미의 표현은 「the 비교급, the 비교급」이므로 the more를 고른다.

6 • 누군가가 버스에 가방을 놓고 내렸어요.
• 나는 우리 조부모님을 한 달에 한 번 방문해요.
*막연한 하나와, '마다'의 의미를 나타내야 하고, 자음 소리 앞이므로 a를 고른다.

7 • 비스킷을 좀 드실래요?
• 나는 Harry한테 돈을 조금 빌렸어.
*권유의문문과 긍정문으로 some을 고른다.

8 금은 다이아몬드만큼 단단하지 않다.
= 다이아몬드는 금보다 더 단단하다.
*「A not as[so]+원급+as B」는 「B is 비교급 than A」로 바꿔 쓸 수 있다.

9 Sue는 반에서 가장 총명한 학생이다.

= Sue는 반에서 다른 어떤 학생보다 총명하다.
*「the 최상급 명사」는 「비교급 than any other 단수명사」로 바꿔 쓸 수 있다.

10 • 화학은 내게 매우 어려운 과목이에요.
• 그 시험은 내가 예상한 것보다 훨씬 더 어려웠어요.
*형용사를 수식하는 부사 very 또는 really, '훨씬'이라는 의미로 비교급을 수식하는 much 또는 a lot이 와야 한다.

11 • 그 소녀는 가위로 종이 한 장을 자르고 있어요.
• 저에게 세 덩어리의 빵을 주세요.
*scissors는 항상 복수로 사용하며 a pair of를 이용해 개수를 표시하고, bread는 셀 수 없는 명사로 loaf를 이용해 수량을 나타낸다.

12 ① 그들이 중국어를 쓰고 있니?
② 내게 Jane의 생일 파티를 위한 아이디어가 있어.
③ 우리는 파리에 한 달 동안 머물고 있어요.
④ 너는 우산을 가지고 가야 해.
⑤ Amy는 하루에 세 잔의 커피를 마셔요.
*① 언어 앞에는 관사를 쓰지 않는다.

13 ① 나 가스레인지에 데었어.
② '나는 할 수 있어'라고 그녀는 혼잣말했어요.
③ 음식과 음료를 마음껏 드세요.
④ 내 남동생이 컴퓨터를 직접 고쳤어.
⑤ 그는 미식축구를 하다가 다쳤어요.
*①, ②, ③, ⑤ 재귀적 용법, ④ 주어를 강조하는 강조 용법이다.

14 ① 어제는 춥고 바람이 많이 불었어요.
② 밖이 벌써 어두워.
③ 7시 10분이야.
④ 오늘은 화요일이야.
⑤ 그것은 내 잘못이에요.
*①, ②, ③, ④ 날씨, 명암, 시간, 요일을 나타내는 문장으로 비인칭 주어 it, ⑤ it은 '그것'이라는 의미의 인칭대명사이다.

15 ① 그녀가 나에게 몇 개의 사탕을 줬어요.
② 그는 새 가구가 좀 필요해요.
③ 우리는 시간이 많지 않아. 서둘러.
④ Peter는 두 조각의 토스트에 버터를 발랐어요.
⑤ 나는 공원에서 놀고 있는 몇 명의 아이들을 봤어요.
*② furniture는 셀 수 없는 명사로 복수형으로 쓰지 않는다.

16 ① 이 강은 정말 깊어요.
② 너 너무 빨리 운전하고 있어.
③ 실수를 해서 정말 미안해.
④ 나는 이 문제들을 쉽게 풀 수 있었어.
⑤ 거기에 서명하기 전에 그것을 주의 깊게 읽으세요.
*② fast는 형용사와 부사의 형태가 같다.

17 ① Susie는 그녀의 언니보다 더 예뻐.

② Brandon은 학교에서 가장 키가 큰 소년이야.

③ 그를 알면 알수록, 나는 그가 더 좋아진다.

④ 런던은 세계에서 가장 바쁜 도시들 중 하나이다.

⑤ 그는 옷에 점점 더 많은 돈을 쓰고 있어.

*① pretty의 비교급은 prettier이다.

18 ① 날씨가 점점 더 따뜻해지고 있어.

② 나는 너만큼 힘이 세지 않아.

③ 그녀는 우리 한 사람 한 사람에게 작은 선물을 줬어요.

④ 모든 학생들은 수학 수업을 들어야 해요.

⑤ Bill과 Grace는 서로 정말 달라요.

*⑤ (둘 사이) '서로'라는 의미가 되어야 하므로 each other가 되어야 한다.

19 ① A: 편히 쉬세요.

　　B: 감사해요.

② A: 너 일본을 혼자 여행했니?

　　B: 응. 나는 일본을 방문하고 싶어.

③ A: 그 영화 어땠니?

　　B: 영화 자체는 정말 재미있었어.

④ A: 파티에서 즐거운 시간 보냈니?

　　B: 응. 나는 재미있는 사람들을 많이 만났어.

⑤ A: 너는 일등상을 받았을 때 기분이 어땠니?

　　B: 기쁨으로 제정신이 아니었어.

*② 혼자 여행을 했냐는 질문에 방문하고 싶다는 대답은 부자연스럽다.

20 • 오늘 밤에 내가 너에게 저녁을 살게.

　• 모퉁이에 우체국이 있어요.

　• 라디오 소리 좀 줄여줄래. 너무 시끄러워.

　• 다행히도, 나는 버스에서 빈 좌석을 하나 발견했어.

*식사 앞에는 관사를 쓰지 않으므로 ×, 막연한 하나를 나타내고 자음 소리로 시작하므로 a, 매체 앞이므로 the, '하나의'라는 의미이고 모음 소리로 시작하므로 an을 쓴다.

21 제 소개를 할게요. 제 이름은 Albert예요. 저는 대학생이에요.

*'자신을 소개하다'라는 의미의 표현은 introduce oneself이고, 고유명사 앞에는 a 또는 an을 붙이지 않으며, university는 자음 소리로 시작하므로 앞에 a가 와야 한다.

22 *'마다'라는 의미의 a 또는 an을 이용해 문장을 완성한다.

23 *(세 개 중) 하나는 ~, 또 다른 하나는 …, 나머지 하나는 ~'이라는 의미로 「one ~, another, the other …」를 써서 문장을 완성한다.

25 *'가능한 ~한/하게'라는 의미의 표현은 「as+원급+as possible」이다.

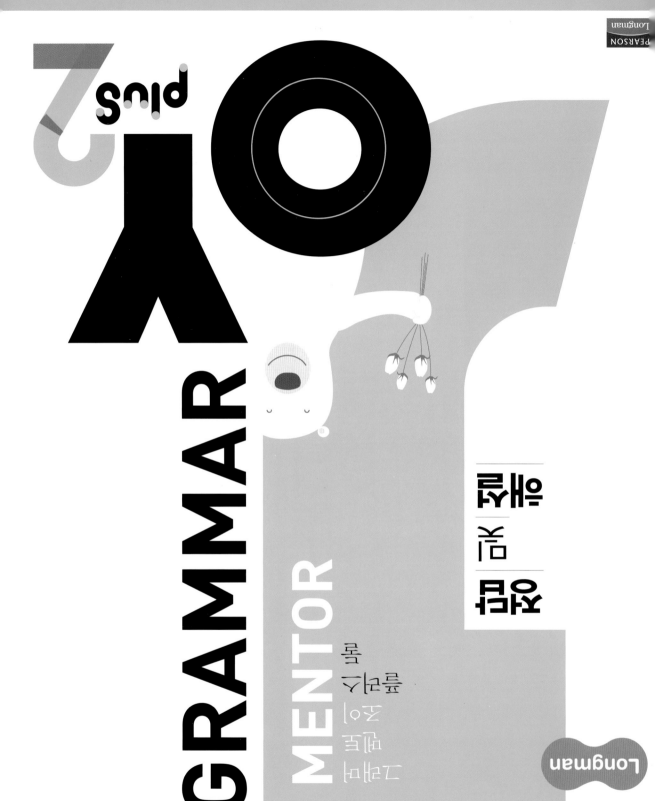